LA DOUBLE MÉPRISE

CATHERINE NAY

LA DOUBLE MÉPRISE

BERNARD GRASSET
PARIS

Avant-propos

Il y a cent façons de dire l'histoire de la Ve République... Les politologues distingués glosent sur les institutions, la stabilité politique et l'alternance introuvable ; les ambassadeurs à la retraite, les académiciens, les experts internationaux se complimentent sur la politique d'indépendance nationale et de reconquête du rang. Les économistes avisés, les grands patrons, les demi-patrons commentent à longueur de déjeuners la modernisation rapide d'un pays qui a bénéficié de belles années d'expansion (au moins jusqu'en 1973) et sa faculté assez inattendue d'adaptation depuis la crise.

Mais il y a une autre manière de regarder la Ve République et d'y voir une suite d'histoires à la Tchekhov, Flaubert, Pinter ou Albee : celles des couples président-Premier ministre.

Est-ce une approche subalterne, épidermique, superficielle, bref... féminine ? Voire ! S'agissant de couples, qui mieux qu'une femme peut parler de ces alcôves secrètes, fleurant plus le tabac et la selle de veau Orlov (le plat vedette de Matignon) que la poudre de riz et le Numéro 5 de Chanel ? Elle sait comprendre ces hommes politiques qui maigrissent, pâlissent, enflent ou se déplument, usés par le pouvoir et l'insatisfaction de son exercice à deux.

Et, de fait, pendant vingt-deux ans — n'en déplaise aux pères fondateurs de la Constitution —, selon que ces duos au pouvoir se sont regardés avec confiance, entendus, devinés, complétés, ou bien alors défiés et trompés, la lecture des annales du moment fait penser à *Paul et Virginie* .. ou aux *Liaisons dangereuses*.

Dans le premier cas de figure, l'exécutif agit en harmonie,

7

entreprend les réformes, juge, tranche et la majorité parlementaire le soutient sans trop d'à-coups ni d'accrocs.

A l'inverse, le climat intérieur se pollue, les ministres — tiraillés comme des enfants de divorcés — ne savent plus sous quelle aile s'abriter, les projets s'enlisent, la majorité regimbe et se disperse. La mécanique institutionnelle grince et proteste.

ACTE I (*8 janvier 1959-14 avril 1962*)

Le couple de Gaulle-Debré inaugure ce feuilleton, dans un registre qui va de la communion exaltée au sado-masochisme discret. C'est *Violence et Passion*.

Si de Gaulle met en place la Constitution avec l'ardent concours de son Premier ministre, il impose, en revanche, la décolonisation, contre le gré de celui-ci et d'un fort contingent de l'UNR, faisant fi de leurs colères et de leurs emportements. Mais l'ire perpétuelle de Michel Debré, ses cas de conscience à répétition, son mitraillage incontinent de notes alarmistes et comminatoires vont exaspérer le Général. D'autant plus que, éperdu de gaullisme, le Premier ministre tend un peu trop à se poser en grand prêtre du temple et à donner des leçons d'orthodoxie au Général lui-même.

Après trois ans, trois mois, trois jours de loyaux et douloureux services, le général de Gaulle met fin à cette « liaison » édifiante, qui tourne à l'aigre, avec autant de reconnaissance que de soulagement.

ACTE II (*14 avril 1962-6 juillet 1968*)

Le Général tire de l'ombre un banquier normalien, qu'il apprécie depuis longtemps pour la clarté de son écriture et la vigueur de sa pensée : Georges Pompidou. Pour le Landerneau parlementaire — comme pour le grand public —, il est l'inconnu dans la maison. Jusqu'aux élections présidentielles de 1965, l'association fonctionne harmonieusement, tel un mariage tranquille dans la bonne société provinciale. Chacun tient son rôle. Il y a l'accélérateur. Il y a le frein.

Seulement, tirant les leçons du scrutin, (de Gaulle : 54,5 p. 100, Mitterrand : 45,5 p. 100), le Général se détermine à mettre en chantier des réformes qui engageraient le pays vers ce nouveau Graal : la fameuse troisième voie. Une idée qu'il remâche depuis au moins le temps du RPF. Alors naissent les premiers vrais conflits avec Georges Pompidou.

Par tempérament, le Premier ministre, fils d'instituteur du Cantal, croit à « l'ordre éternel des champs », à la civilisation rurale d'où sort l'homme fondamental, à cette société où de brillants boursiers comme lui peuvent si bien réussir. Bref, par instinct, Georges Pompidou considère qu'il est urgent d'attendre pour entreprendre des réformes et qu'il ne faut bousculer ni la France, ni les électeurs de la majorité.

En privé, le Général se plaint du conservatisme de son Premier ministre. Il lui reproche aussi d'avoir un peu trop l'oreille des députés UNR. Le malaise, insidieux puis insistant, s'installe entre les deux hommes. La crise de Mai 68, la déroute rétablie en victoire renforcent les convictions du Général : il faut aider la France à changer.

Après des élections triomphales et ambiguës, remportées à la fois sur le nom du Général et sur celui du Premier ministre, c'est la rupture et le renvoi. Georges Pompidou fait connaissance avec la traversée du désert. Il s'agira, en réalité, d'un court apprentissage du delphinat, où l'horizon n'a rien d'un mirage. En six ans et trois mois, l'exécutant est devenu le rival qui rêve tout haut d'être le successeur.

Acte III (*11 juillet 1968-16 juin 1969*)

Entre en lice, le 11 juillet 1968, Maurice Couve de Murville, pour un mariage d'estime un peu pudique, très haute société protestante. Il a, une longue habitude du travail en commun avec le chef de l'Etat. Depuis dix ans, il est son ministre des Affaires étrangères. Le Général goûte fort la sobriété et la distinction de ce grand commis de l'Etat, incomparable virtuose de la litote, qui sait si bien proférer des évidences sur un ton de professeur au Collège de France.

Pendant les quelque onze mois que va durer leur collaboration, point de heurt, pas le moindre accrochage. Couve tempère les visions jupitériennes du maître par l'impassibilité apollinienne de l'exécutant.

Seule ombre au tableau : ce Premier ministre trop sceptique ne s'impose pas à la troupe gaulliste. Sa façon bien à lui de répéter à chaque rhume des foins de l'UNR : « Tout cela va

9

tourner en eau de boudin », n'est pas exactement le meilleur moyen de mobiliser cette armée qui n'a d'inclination véritable que pour les chefs musclés et tonitruants.

La réforme régionale et quelques autres ayant échoué avec le référendum d'avril 1969, le Général revenu pour toujours à Colombey, Maurice Couve de Murville se nimbe d'une élégante tristesse sans esprit de retour. S'il a sûrement un jour songé en secret au fauteuil présidentiel, son destin véritable aura toujours été de servir le souverain.

ACTE IV (*20 juin 1969-5 juillet 1972*)

Ouverture de l'ère pompidolienne. Elle débute, mauvais présage, par un formidable malentendu. Faute de parler le même langage, le tête-à-tête Pompidou-Chaban ne sera jamais qu'un dos-à-dos. Pendant sa campagne présidentielle, il l'a assez proclamé, Georges Pompidou entend, veut, choisit d'incarner le « changement dans la continuité ». Avec un bémol sur la continuité et la pédale douce sur le changement.

Dans l'esprit de cet homme autoritaire, le Premier ministre ne peut être que le violon solo, en aucun cas le chef d'orchestre. encore moins le compositeur d'une politique autonome.

Or, le 16 septembre 1969, trois mois après son entrée en fonction, Chaban, cet ex-radical qui entretient des amitiés de « gôche » et s'entoure de syndicalistes comme Jacques Delors, prononce à la tribune de l'Assemblée nationale un discours resté célèbre sur la « Nouvelle Société ».

Horreur et abomination : tous les observateurs jugent l'inspiration du propos plutôt mendésiste que pompidolienne orthodoxe.

D'ailleurs, l'Elysée, découvrant le contresens, manifeste au Premier ministre une stupeur courroucée. Cette surprise n'a d'égal que l'étonnement de Chaban, qui n'a pas compris (ou voulu comprendre) la vraie nature du président Pompidou.

Dès lors, entre les deux hommes, la méfiance s'installe. Elle est savamment entretenue par les entourages. Le secrétaire général de l'UDR, René Tomasini, reçoit quotidiennement de Pierre Juillet, conseiller politique et privé de Georges Pompidou, des recommandations : « Ce que vous devez faire aujourd'hui pour embêter Chaban. »

En juillet 1972, ayant forcé la main du président en posant

une question de confiance à l'Assemblée nationale, Chaban est remercié, quelques jours après avoir obtenu un vote massif des députés. Comme si, une fois pour toutes, Georges Pompidou tentait de faire comprendre à Chaban et à ses successeurs où se trouve l'autorité. Après trois ans de heurts et de malentendus, ce curieux attelage se brise dans le ressentiment.

Entre ces deux hommes, il y avait — décidément — un président de trop.

ACTE V (*6 juillet 1972-27 mai 1974*)

Entre en scène, le 6 juillet 1972, sans tambour ni trompette Pierre Messmer, légionnaire à la prunelle d'azur et au profil de médaille. Son mérite suprême est d'être l'anti-Chaban par excellence. Ce gaulliste dévot craint comme le diable les « combinazione » de parti. Son passé de héros de Bir Hakeim lui a inoculé une horreur sans bornes des incartades intempestives. Et comme Pierre Messmer n'a rien de l'idéologue retors, il assène à l'auditoire des vérités premières irréfragables. L'Elysée peut dormir sur ses deux oreilles.

Mais avec Georges Pompidou déjà malade, Pierre Messmer ne forme pas un vrai couple. Il n'y a ni liaison, ni même une véritable attirance. Il tient la place d'un monsieur de compagnie qui expédie avec la plus grande probité les affaires courantes. Au passage, il gagne tout de même les élections législatives de 1973 et lance courageusement le programme nucléaire.

Il ne séduit pas la majorité. Il ne fait pas rêver Marianne. Il ne manque pas de dignité quand la mort emporte cruellement Georges Pompidou. Mais, sans Pierre Juillet, Pierre Messmer n'aurait sans doute jamais songé à un destin personnel. Et avec Pierre Juillet, y a-t-il cru plus d'un instant ?

ACTE VI (*27 mai 1974-26 août 1976*)

Nouveau décor, nouveau style... En ce 27 mai de l'an de grâce 1974, un homme, longue silhouette aristocratique, choisit d'entrer à pied à l'Elysée. Seul. Veut-il illustrer ainsi sa courte victoire, remportée d'une enjambée sur le leader socialiste (Valéry Giscard d'Estaing : 50,6 p. 100, François Mitterrand :

11

49,4 p. 100) ? Ou bien signifier aux Français : ce n'est pas la majorité, mais moi qui ai gagné, et seul je gouvernerai ?

Et comment en serait-il autrement, avec ce jeune président de quarante-huit ans ? Il n'a jamais été un gaulliste breveté. Le choix qu'il fait de Jacques Chirac comme Premier ministre le souligne plus encore : une page est tournée.

Qui est-il, ce jeune homme de quarante et un ans, dont le nom claque comme un coup de martinet ? Pendant dix ans, il a été le protégé de Georges Pompidou, l'homme des missions. Il s'intronise lui-même fils spirituel du président défunt. Il a également été le ministre adulé des agriculteurs. Mais sait-on vers quoi il court si vite, cet homme toujours pressé, et pour quelles raisons il a escamoté prestement, pour le compte de Valéry Giscard d'Estaing, le fauteuil présidentiel, lorsque Chaban tentait de s'y hisser ?

Ce nouveau couple au pouvoir surprend plutôt. Un peu trop jeune, un peu trop lisse, un peu trop gâté par l'existence. Pas assez de bobos au cœur et à l'âme, ces deux-là... Certaines pythies l'annoncent : bien trop joli pour durer, ce jeune ménage bon chic.

Et, de fait, après une courte lune de miel, faute d'avoir appris à s'aimer ou à se trouver, faute de se comprendre (la nature a mis entre eux tant de différences), faute de regarder dans la même direction pour conduire le pays, aiguillonnés par leurs entourages, chacun trompant l'autre et se trompant sur l'autre (Valéry Giscard d'Estaing croit Jacques Chirac assez souple et maniable pour lui être soumis ; Jacques Chirac croit le président assez malléable et fragile pour lui imposer ses volontés), c'est la double méprise. Le 26 août 1976, le Premier ministre claque la porte du foyer. Séparation de corps.

Le désamour commence. La passion qu'ils n'ont su faire naître durant leur association, voilà qu'elle les submerge dès qu'ils amorcent leur lutte. D'août 1976 à mars 1978, chacun à tour de rôle envoie l'autre dans les cordes.

Ensuite, malgré une guérilla acharnée, semée d'embûches et de chausse-trappes, résonnant de coups de pistolet ou de pétards, Jacques Chirac mord la poussière plus souvent qu'à son tour.

Mais l'histoire, avec toutes ses péripéties, de ce tandem qui n'a jamais formé un vrai couple, c'est tout le propos de ce livre.

1

Première rencontre

En fin de matinée, ce 23 juin 1969, dans un bureau aux murs lambrissés gris et or de l'austère bâtisse du ministère des Finances, deux hommes jeunes (quarante-trois et trente-sept ans), de taille égale (un mètre quatre-vingt-neuf), pareillement sveltes, enivrés par un identique bonheur de vivre, ont rendez-vous pour la première fois.

Ils ont peut-être ainsi débuté dans le passé, ces grands coups de foudre qui enchaînèrent deux mâles destinées : Louis VI le Gros et Suger, Louis XIII et Richelieu, Napoléon et Berthier. Parfois de grandes histoires commencent de cette façon dans les hebdomadaires politiques.

Et ce jour, en apparence, les deux hommes en présence sont faits pour s'entendre : dame la Chance leur a également été bonne marraine — tous deux ont eu l'enfance heureuse et préservée des univers clos de la grande et de la moyenne bourgeoisie, tous deux ont fait d'abondantes études, tous deux, pour ne pas faire mentir ce cher Sigmund se sont rebellés contre leur papa à l'âge de dix-huit ans : l'un en s'engageant six mois dans la guerre (1944-45) avec le général de Lattre (il est légèrement brûlé au visage); l'autre en s'embarquant pendant trois mois comme pilotin pour faire le tour du monde sur un charbonnier (été 1950) (plus tard, lui aussi partira à la guerre en Algérie et sera pareillement blessé à la face). Tous deux ont fait de beaux mariages : le premier avec Anne-Aymone Sauvage de Brantes, descendante de Louis XV et des maîtres de forges Schneider. Le second avec Bernadette Chodron de Courcel, arrière-petite-nièce de Charles de Lasteyrie du Saillant, ministre des Finances de Poincaré en 1922. Tous deux

13

préfèrent les châteaux aux fermettes aménagées des cadres dynamiques. Enfin, tous deux plaisent aux dames.

Mais en ce 23 juin 1969, personne — ni les proches, ni les entourages, encore moins les intéressés eux-mêmes : Valéry Giscard d'Estaing, le ministre des Finances, et Jacques Chirac, son secrétaire d'Etat au Budget — n'ose pronostiquer ce qui va naître de ce protocolaire tête-à-tête.

Ceux qui les connaissent le savent : tout les sépare. Et d'abord leurs tempéraments.

Observons-les face à face.

Ce qui retient l'attention n'est pas tant le visage longiligne du premier, le front haut tôt dégarni, que l'œil noir, mobile, moqueur, scrutateur, voyageur. Quelqu'un l'importune, il s'ennuie : la paupière se rétracte en un éclair, le regard se fige, s'absente et lui donne cet air particulier de mandarin en exil « auvergnat-asiatique ».

Chez le second, dans le visage anguleux comme dessiné à la règle, ce qui frappe, c'est, encadrée de fossettes d'enfant gâté, la bouche aux lèvres pleines. Elle s'ouvre en un rectangle presque parfait pour éclater d'un grand rire débonnaire ou paillard, comme pour mordre durement l'adversaire.

L'un est toujours vêtu avec la discrète recherche des jeunes gens à l'air un peu emprunté des beaux quartiers.

L'autre peut porter sans plus de façons le même costume-gilet plusieurs semaines d'affilée (on croit apercevoir le maillot de corps sous la chemise). Il a l'air d'un lieutenant en civil qui cherche une chambre en ville.

L'un est gourmet, mange lentement, peu, diététique et de préférence dans de l'argenterie poinçonnée.

L'autre est gourmand, dévore avec une volupté enjouée les plats les plus mijotés (il a une prédilection pour la tête de veau ravigote) comme le casse-croûte le plus rustique. Peu lui chaut de couper le pain à même la toile cirée.

L'un sait aménager son temps de loisir avec prodigalité : il s'en va chasser le grand fauve en Afrique, dévale les pentes à skis (en pull-over et cravate), est hâlé presque toute l'année. Il dit conforter sa réflexion plus dans l'évasion que dans l'atmosphère confinée des bureaux.

L'autre, tel un moteur lancé en surrégime, ne prend guère le temps de vivre. Il est toujours débordé et craint le farniente plus que la maladie. Il ne pratique aucun sport, mais n'est jamais en repos. En pleine lune de miel, quinze jours après son mariage, il partait volontaire en Algérie.

L'un prend plaisir à refaire le monde devant un parterre béat et muet de ducs et de duchesses, de comtes et de comtesses, vrais ou faux, anciens ou récents, royaux ou papaux. Mais toujours couverts de particules.

L'autre a une horreur quasi physique du monde et des dîners en ville. Il n'a pas le « pied parisien », mais goûte fort la poignée de main franche, admirative et rugueuse de ses agriculteurs de Corrèze.

L'un aurait bien aimé savoir écrire comme Flaubert ou Maupassant et rêve d'habit vert (sa couleur préférée). Il lit Apollinaire et Eluard, prise Mozart, Verseau comme lui, jusqu'à l' « idolâtrie » et a, selon sa mère, la « folie du classicisme ».

L'autre ne sombrera jamais dans le désespoir pour n'être pas l'auteur de *Madame Bovary*. Il aime bricoler, plonger le nez dans des romans policiers et a horreur de la musique. Exception faite des fanfares militaires. « *Sambre et Meuse* lui donne les larmes aux yeux », prétend l'un de ses proches.

L'un n'apprécie que les meubles Louis XV et Louis XVI estampillés.

L'autre préfère le style Haute Epoque.

L'un éprouve une certaine nostalgie pour ce xviiie siècle des Lumières, de la tolérance et des élites.

L'autre a trouvé dans le Moyen Age l'époque idéale : « La valeur personnelle y était exaltée, dit-il, et n'importe quel individu pouvait, grâce à son mérite et sa force, être anobli par le seigneur. »

L'un a peu d'amis, est secret, réservé, tout en nuances, sujet aux foucades (il a l'indifférence courtoise mais, en politique, le désamour cruel). Il manifeste très rarement ses humeurs, redoute la violence autant que la familiarité, qu'il juge vulgaires, esquive toujours les heurts en tête-à-tête. Les uns le voient hésitant, les autres le jurent déterminé. Il a le goût du bon compromis (celui qui va dans son sens), de la bienséance, des convenances et abuse des règles du protocole qui le protège des agressions de l'extérieur. L'un de ses collaborateurs le décrit ainsi : « Valéry Giscard d'Estaing est à la fois un homme sensible, qui voudrait que tout le monde l'aime, et un réaliste sans états d'âme excessifs quand la fin justifie les moyens. »

L'autre, quoique peu prodigue de confidences sincères, a des

15

copains. Il semble fabriqué d'une seule pièce, fait tout avec excès, a le tutoiement facile, mais voussoie sa femme. Il interpelle ses supérieurs, ses pairs ou ses électeurs par leurs prénoms, embrasse ses secrétaires. Il explose aussi vite qu'il s'apaise, aime les explications expéditives qui se soldent par de rudes bourrades de conscrit et commande ses hommes, mi-hussard, mi-boy-scout, souvent avec gaieté, parfois avec fureur. Il est tout autant indifférent et cordial que candide et cynique. Un ancien ministre RPR qui l'a toujours soutenu affirme : « Jacques n'est sûrement pas un sentimental, mais il est capable de générosité et de beaucoup de dévouement. [...] C'est un obstiné, qui va toujours jusqu'au bout. Face à une difficulté, il l'attaque toujours de front au lieu de la contourner. » Ce qu'Alexandre Sanguinetti (qui l'a aimé puis a changé d'avis) traduit sans aménité, pour le plaisir de faire un bon mot : « Chirac est un officier de cavalerie. On lui donne un ordre. Il sourit finement. Il sort. Il revient. Il a oublié l'ordre et le cheval. »

L'un est réfléchi, introverti, assuré de sa supériorité intellectuelle. Les idées nouvelles l'attirent autant que la lumière les papillons. Pour son plaisir, il jongle avec les concepts comme avec les chiffres. C'est un joueur d'échecs qui pense toujours dix coups ou dix années à l'avance.

L'autre est spontané, instinctif, tacticien. Il a des enthousiasmes successifs, l'esprit éminemment pratique, agit pour agir, au jour le jour, et pare au plus pressé. Il qualifie ironiquement d' « idéologues » les penseurs et les gens à thèses dont il se méfie. (Il simplifie d'autant plus volontiers qu'il croit que le pouvoir oblige à simplifier.)

Autant que leurs caractères, leurs itinéraires politiques les distinguent, même si tous deux ont été partisans de l'Algérie française. (Une fois élu en Corrèze, Jacques Chirac fera porter régulièrement des colis de vivres aux généraux Salan, Jouhaud, Zeller et Challe, le temps de leur incarcération à Tulle. A Matignon, il s'est employé de son mieux à trouver des emplois aux officiers déchus.)

Si Valéry Giscard d'Estaing débute la tête couronnée (il hérite du siège de son grand-père), sitôt le pied à l'étrier, il ne sera jamais le disciple de quiconque, mais très vite un leader qui s'entoure et conduit seul sa propre carrière avec le plus personnel des objectifs : l'Elysée. De l'adolescence à l'âge mur, ses idées politiques ne varieront pas. Il est viscéralement un modéré, ou plutôt un libéral conservateur centriste, aller gique aux extrêmes.

Jacques Chirac, lui, fait irruption dans le monde politique par hasard plus que par véritable inclination. S'il choisit seul sa circonscription de Corrèze et s'y bat avec acharnement pour la conquérir, une fois saisi par le virus politique, il sera toujours le disciple inconditionnel, le protégé très entouré hissé par Georges Pompidou et son conseiller Pierre Juillet, marche après marche, vers le pouvoir.

Politiquement, il a tardé à se faire une idée précise de son bon choix : à seize ans, il distribuait l'*Humanité* devant l'église Saint-Sulpice à Paris, mais, dit-il, « je n'ai jamais eu de carte de militant du PC ». On l'a connu « mendésiste fanatique ». A Sciences Po, il jugeait « trop à droite » son camarade Michel Rocard. Il a été très anti-gaulliste au moment de la guerre d'Algérie. « C'est une erreur », dira-t-il plus tard. Un temps, il fréquente les gaullistes de gauche. Vers l'année 1969, on l'entendra dire : « Je ne suis pas gaulliste, je suis pompidolien. » Jacques Chirac est peut-être d'un juste milieu.

Si l'un s'entoure, l'autre est entouré ; si l'un s'est trouvé d'emblée, l'autre s'est longtemps cherché. Valéry Giscard d'Estaing a toujours cru en son destin, qu'il savait politique. Jacques Chirac n'a jamais douté de parvenir à un sommet. Deux races d'hommes dont nul ne sait alors s'ils seront irrésistiblement rivaux ou idéalement complémentaires.

VALÉRY GISCARD D'ESTAING

Dans la famille, la politique fait partie du patrimoine. Le grand-père maternel, Jacques Bardoux, « un modéré dans l'âme et dans les fibres », est un anglomane distingué (sa fille se prénomme May), auteur d'une série d'ouvrages dont un essai sur le libéralisme britannique. Il a traduit la correspondance de la reine Victoria. Tour à tour sénateur puis député du Puy-de-Dôme, il tient, lui-même, son mandat parlementaire de son père, le fameux Agénor Bardoux (propriétaire de la pendule qui scande de son tic-tac précieux toutes les interviews télévisées présidentielles depuis 1974), membre de l'Institut, ministre de

Mac-Mahon, qui prépara la loi sur l'instruction publique gratuite. A la demande pressante de Gustave Flaubert, Bardoux intervint auprès de la justice pour qu'un rédacteur appartenant à ses services ne soit pas incarcéré pour avoir publié un poème licencieux : *le Baiser.* Ce rédacteur s'appelait Guy de Maupassant (l'intérêt pour l'auteur de *Bel-Ami* ferait-il aussi partie du patrimoine familial ?).

Aussi peut-on imaginer que, dès le berceau, le bébé Valéry serait destiné par ses géniteurs au gouvernement de la France. D'autant qu'à sa naissance (le 2 février 1926) sa mère, en le voyant, s'écrie, émerveillée : « Oh, le beau petit Napoléon ! » A l'une de ses amies (Mme de Chevigné), elle confie : « Cet enfant n'est pas comme les autres, il ne tète pas comme les autres » (Jean Foyer, ancien garde des Sceaux, rapporte l'anecdote). Dans leurs albums, Edmond et May Giscard d'Estaing conservent des photographies représentant le petit Valy, une couronne sur la tête, son frère et ses sœurs tenant la traîne.

Et pourtant, la famille Giscard d'Estaing n'est pas la famille Kennedy, même si l'on dit « VGE » à la manière de « JFK ». Ses parents voulaient, dit-on, faire de ce fils « tant aimé » un honnête homme (au sens du xviiie siècle), aux dons variés, ayant des clartés de tout et, bien sûr, un talent et un avenir. Il aura les meilleures manières et, si Dieu le veut, les diplômes les plus prestigieux.

Il n'est pas le Petit Prince ni l'héritier d'un royaume. Il n'est pas élevé pour le pouvoir et la puissance, mais pour devenir un homme de qualité qui réussira ce qu'il entreprendra.

Le futur président est un enfant timide et affectueux, qui a, selon ses propres aveux, « peur du noir ». Il est un lycéen doué, sans vocation précise, qui sait improviser un discours en trois minutes pour l'anniversaire d'un cousin. Il prend déjà grand soin de maintenir son budget d'argent de poche en équilibre.

Avec aisance il passe ses baccalauréats. Et comme le faisaient alors les bons élèves, il présente à la fois math élém. et philo. Il est reçu aux deux avec mention « bien ».

L'une de ses cousines l'affirme : « Valy ne voulait pas suivre les traces de son père, le monde des affaires ne l'attirait pas, la tradition Bardoux poussait au service de l'Etat. » Mme Edmond Giscard d'Estaing imaginait volontiers son fils y faisant carrière. Un jeune homme se fait souvent de la réussite une idée qui ressemble aux espoirs de sa mère.

A dix-huit ans, Valéry se rebelle contre son père : « Vous avez eu votre guerre. laissez-nous avoir la nôtre », dit-il avant de s'engager (en décembre 1944). en compagnie de son cousin François. dans l'armée du général de Lattre, la première armée française. Il est brigadier, blessé et décoré.

Démobilisé, il prépare et réussit l'entrée à Polytechnique. Il y est un camarade courtois mais un peu distant, qui se fait remarquer pour son don inouï de la synthèse des dossiers les plus complexes. Il peut tout expliquer, tout démontrer, une chose et son contraire, et habiller les idées les plus abstraites en prêt-à-penser pour M. Tout-le-Monde. Il en sort troisième et fait preuve d'originalité en choisissant alors non point le prestigieux corps des Mines mais une école toute nouvelle fondée par Michel Debré. Elle s'appelle l'ENA.

Il n'est pas le meilleur de la section économique et il n'est pas aussi populaire que son cousin François. Il ne se mêle guère aux joyeuses sorties entre camarades (il est le seul à ne pas figurer sur la photographie de la promotion). Mais il surpasse tout le monde, ce virtuose de la dialectique à l'abondante chevelure couleur de jais.

Sa promotion n'en doute pas : « Il fera carrière en politique, et pas comme simple député. » Valéry en est le premier convaincu. A l'époque, il confie à son ami Philippe de Vandeuvre : « Un jour, je serai ministre des Finances. » Son bon choix semble même déjà fait : « La France veut être gouvernée au centre », répète-t-il autour de lui. Prudent, il s'abstient de préciser davantage ce qu'il entend par « centre ». D'instinct, il est habile.

Sur sa route, ce jeune homme qui voit haut et loin rencontre Edgar Faure — ministre des Finances, puis président du Conseil — au zénith de son brio et de sa notoriété. Confrontations, discussions, séduction réciproque. Valéry entre à son cabinet. Il y est un directeur adjoint compétent, déférent, admiratif, amusé, qui assimile les subtiles leçons de ce patron pour lequel le chemin le plus court en politique prend souvent des allures de ligne brisée. Il n'en sera jamais le disciple (pas plus qu'il ne sera, plus tard, celui du général de Gaulle). Déçu sans doute, Edgar Faure refuse d'aller soutenir ce collaborateur qui se déclare libéral et moderne, mais qu'il juge tout haut trop à droite et trop hostile à la décolonisation et, tout bas, « pas assez fauriste ».

Valéry a vingt-neuf ans et il est candidat dans le Puy-de-Dôme. Il lui a fallu convaincre son grand-père Bardoux, quatre-vingt-deux ans, de céder la place. L'aïeul renâclant, les parents du candidat à la candidature viennent à son secours. Conseil de famille, chantage à l'affection : dans la bourgeoisie cela s'appelle de « tendres pressions » ; en Afrique on dit : « secouer le cocotier ». En maugréant, le grand-père s'efface et se venge : lui non plus n'apportera pas son appui à ce rejeton effronté. Il est tout de même élu...

Les portes du pouvoir s'entrouvrent sur l'Assemblée nationale. Valéry s'y glisse en douceur, assez avisé pour être discret. Il s'inscrit au groupe des indépendants paysans, dont le leader est le président Antoine Pinay. Avec quatre-vingt-deux membres, c'est le troisième groupe à l'Assemblée nationale.

Le jeune Valéry est reçu comme un prince à la commission des Finances par son président, Paul Reynaud, lequel, par amitié pour sa famille, lui porte mille attentions. Raymond Marcellin se le rappelle : « C'était un traitement de faveur dont tout le monde ne bénéficiait pas. »

On le remarque. Il est si grand, et si sourtois et si distant ! Tellement souverain ! Il n'est pourtant pas le plus assidu des parlementaires : il parle bien, mais on l'entend peu avant le 17 janvier 1957, date de sa véritable entrée sur scène.

Lors d'un débat sur le traité de Rome, il répond à Pierre Mendès France lui-même (qui fut son professeur à l'ENA). Pendant quarante minutes, sans notes, il dit un *oui* franc et massif à cet embryon de construction européenne sur un ton si rigoureux d'intellectuel fier de l'être que Mendès France en paraît théâtral.

« L'Assemblée était baba d'admiration », se souvient aujourd'hui Christian Bonnet. « Les députés étaient d'autant plus impressionnés, rectifie un ancien ministre indépendant, que le style de Valéry contrastait avec les redondances du grand-père Bardoux, qui vidait invariablement l'hémicycle tant il était ennuyeux et sa voix de crécelle irritante. »

Valéry fait partie de l'intergroupe des jeunes élus, les jeunes loups de l'époque, rassemblés par un « commun dégoût de la IVe République ». En tout une bonne douzaine de députés de toutes tendances (sauf le PC, naturellement) mendésistes, indépendants, MRP, etc. Parmi lesquels, maître Roland Dumas, l'ami de François Mitterrand, Pascal Arrighi, Joseph

Fontanet, Christian Bonnet Jean-Noël de Lipkowski et le Dr Juskiwiensky.

En quelques mois, sans déclarations intempestives, il en devient le chef naturel « Ses exposés étaient si précis et ses visions si prospectives », note Lipkowski. Un temps, Valéry suggère même à ses jeunes collègues de démissionner de leurs différents groupes pour en former un nouveau à eux tout seuls. Un groupe-charnière dont, bien entendu, il aurait pris la tête. L'entreprise n'aboutit pas.

Ces élus tout neufs tiennent congrès par deux fois, à Biarritz puis à Figeac, chez le Dr Juskiwiensky. « C'était fort gai, nous rédigions des communiqués comminatoires au gouvernement, nous donnions des leçons à la terre entière, nous refaisions le monde[1]. [...] Nous chahutions aussi comme des collégiens. Un soir, avec Valéry, se souvient Lipkowski, nous avons vidé Christian Bonnet de son lit, il s'est retrouvé en pyjama sur la place de Figeac. Et nous criions derrière les volets : " Hou ! que c'est vilain, pour un MRP, de se conduire si mal. " »

Au Parlement, Valéry Giscard d'Estaing critique la « gabegie parlementaire » et rêve tout haut d' « institutions stables ». C'est ce désordre intérieur chronique qui l'amène, avec quelques collègues, à rendre visite au président Coty, en novembre 1956, pour lui suggérer de faire appel au général de Gaulle. « Mais si le Général veut revenir dans la légalité, je lui cède la place, moi », répond le bon monsieur Coty, en tournant trois fois autour de son fauteuil.

En secret, Valéry Giscard d'Estaing, dont la mère a eu le culte de De Gaulle pendant l'occupation (le grand-père, lui, siégeait au Conseil national du maréchal Pétain), croit que le Général serait le seul à pouvoir conserver l'Algérie à la France.

Peu de temps après, Antoine Pinay, pressenti pour entrer à Matignon, lui propose le secrétariat d'Etat à l'Aviation civile. Au dernier moment, Félix Gaillard devient président du Conseil. Une chance pour Valéry. A trente et un ans, il aurait peut-être été le plus jeune des derniers ministres de la IVe République. Mais, aux présidentielles de 1974, cela lui aurait donné un air vaguement archaïque.

---

1. Au moment de l'opération de Suez, Valéry rédige de sa main un communiqué plutôt insolent à l'adresse du ministre des Armées, Bourgès-Maunoury, sur le thème : « Alors, c'est pour quand. votre débarquement, pour le printemps ou pour l'été ? »

Mai 1958 : lorsque le retour du Général se profile à l'horizon — l'un de ses jeunes collègues d'alors le prétend aujourd'hui —, « Valéry s'interrogeait : le Général, une fois à l'Elysée, ne va-t-il pas installer un pouvoir autoritaire ? » (Dans les milieux giscardiens, on raconte volontiers maintenant : « Anne-Aymone n'a pas dû souvent voter *oui* aux référendums du Général. »)

L'hésitation est de bien courte durée. Valéry vote l'investiture le 1er juin, puis les pleins pouvoirs, appuie le référendum constitutionnel de septembre et, réélu député en novembre, apporte son suffrage à de Gaulle candidat à la présidence de la République en décembre. Ainsi devient-il, dans sa trente-troisième année, secrétaire d'Etat au Budget, nommé par Michel Debré, Premier ministre, pas mécontent de promouvoir le jeune député le plus brillant du Parlement, qui sort tout droit de son ENA. N'était-ce pas une façon de dire au Général : « Voici le plus beau produit de l'école que j'ai fondée » ?

Quelques amis le raillent affectueusement — tout se passe si vite et si bien : « Mais comment ! Valéry n'est pas encore ministre des Finances ? »

Les relations personnelles entre le Premier ministre et le benjamin du gouvernement sont assez amicales : Michel Debré se rend plusieurs fois en week-end dans la propriété du Loir-et-Cher du jeune secrétaire d'Etat.

M. Pinay est installé rue de Rivoli. Il a sauvé le franc en 1952. Il vit, depuis, sur son mythe. Le général de Gaulle, sensible aux symboles, l'a recruté pour cette raison. Une année plus tard, l'homme au petit chapeau rond quitte le gouvernement pour incompatibilité d'humeur avec le Général, mais plus encore avec Michel Debré. Lui succède Wilfrid Baumgartner, gouverneur de la Banque de France.

De ce grand argentier, qui l'a connu enfant, le secrétaire d'Etat au Budget ne retient qu'une leçon : « Il faut gouverner au centre, parce qu'il faut toujours avoir une opposition de droite. » C'était prêcher un convaincu.

A ses côtés « VGE » ne perd pas son temps. Il hante les couloirs du Parlement, s'entraîne à séduire les députés, les impressionne, emporte avec aisance une adhésion bien utile pour le vote de la loi de finances ou de la réforme de l'impôt sur le revenu. Il leur ferait presque aimer les taxes ! Son ministre en prend ombrage. A de Gaulle qui l'interrogeait sur son brillant secrétaire d'Etat, ce protestant sévère répond sèchement : « C'est un homme grand, au front large, aux épaules étroites et aux dents longues. » Antipathie sans conséquences : le distingué M. Baumgartner s'en va à son tour. Le jeune secrétaire d'Etat si doué trébuche quand même une fois en chemin. Lors des élections municipales de mars 1959, sa liste est balayée à Clermont-Ferrand où il s'est aventuré. Il n'a peut-être pas le bon profil pour une cité ouvrière. Il est vexé. Malheur vite oublié...

2 janvier 1962 : Valéry Giscard d'Estaing est promu « enfin » ministre des Finances. Il a trente-six ans et réalise son rêve d'adolescent. Le voilà titulaire d'un portefeuille à part entière. Et pas n'importe lequel : la rue de Rivoli, cet Etat dans l'Etat qui a un droit de regard sur chacun et sur tout !

Il y découvre l'enivrement des signes extérieurs du pouvoir : une enfilade de salons somptueux et solennels qui marient les style Louis XVI et Napoléon III, un service quatre étoiles, la plus belle argenterie des hôtels ministériels, des appartements privés sur les jardins du Carrousel. Ce presque jeune homme peut enfin jouir de l'ineffable liberté d'une réussite éclair.

Apparemment, le Général ne lui en veut pas de cette hésitation fugitive avant le référendum instituant l'élection du président de la République au suffrage universel. Pendant quelques heures, Valéry Giscard d'Estaing s'interroge et conseille même vaguement l'abstention, comme le rapporte un ancien ministre indépendant, puis il se reprend et milite ardemment pour le *oui*. C'était faire preuve d'instinct politique. Ses collègues choisissent de devenir le fer de lance du cartel des *non*. Ils seront décimés par les électeurs.

Avec ceux qui reviennent, le ministre des Finances construit un nouveau groupe : les républicains indépendants. Sur le moment, personne n'y prête une attention extrême. A tort : tout futur candidat à la présidence de la République a besoin d'une base de départ. Valéry Giscard d'Estaing vient d'en jeter les fondements.

Le Général ne lui en veut toujours pas de cette drôle d'affaire qui éclate lors du procès de Jacques Prévost, l'un des conjurés du Petit-Clamart. L'avocat de celui-ci, Me Isorni (l'ancien défenseur du maréchal Pétain), met en cause un jeune secrétaire d'Etat qui aurait tranmis au général Salan les comptes rendus secrets du Conseil des ministres. Des déclarations qui ne reçoivent aucun démenti, mais ne suscitent aucune enquête. Explication, en 1980, d'un ministre gaulliste : « Isorni était si violent, ses insultes si énormes, que le Général ne faisait pas attention à ce qu'il disait. »

Estimant que ces insinuations attentent à son honneur, le 11 février 1963, Valéry Giscard d'Estaing porte tout de même plainte. « [Il] entend faire condamner des procédés dont l'usage blesse la conscience et avilit la vie politique française. » L'affaire ne sera jamais jugée sur le fond.

Des hommes de l'OSA affirment aussi que Michel Poniatowski, alors directeur de cabinet du secrétaire d'Etat au Budget, était leur contact au gouvernement et portait pour nom de code « B 12 ». Selon certains gaullistes, Michel Debré aurait exigé pour cette raison de Valéry Giscard d'Estaing qu'il se sépare de Ponia. Le futur président, contraint de s'incliner, fait de son directeur de cabinet le directeur des assurances, rue de Rivoli. Ainsi le garde-t-il auprès de lui. Demi-obéissance ou demi-refus de s'incliner ?

Malgré ces controverses discrètes, la carrière du ministre des Finances n'en est pas ralentie. Le Général, aimant l'intelligence, les grands diplômes et les hommes de haute taille, apprécie la classe et la jeunesse de cet homme de bonne famille qui a aussi fait la guerre à dix-huit ans. En retour, Valéry Giscard d'Estaing est fasciné par le style de ce monarque républicain dont il apprend avec une avidité silencieuse la technique de l'autorité, du secret, bref... du pouvoir.

Pendant leur vie commune, les deux hommes s'observent, s'intéressent l'un à l'autre, se respectent sûrement. Mais ils ne se séduisent pas totalement. « Le Général trouvait que Giscard avait un peu trop d'assurance et de bagou », rapporte un baron gaulliste.

En privé, Valéry Giscard d'Estaing juge le Général trop raide dans son comportement international. C'est l'époque où il confie à son ami Ponia : « Un jour je serai candidat aux élections présidentielles. »

En janvier 1963, il rend visite à Jean Foyer, le garde des Sceaux, et lui dit, comme pour prendre date : « Entre nous deux et de Gaulle, il n'y a rien. » Jean Foyer remercie vivement son collègue pour ce « nous » de politesse.

A Robert Boulin, son secrétaire d'Etat, il déclare encore :

« L'Assemblée nationale idéale est celle de 1952. » Les apparentements y avaient permis l'alliance des modérés et des socialistes dans plus de la moitié des circonscriptions, les communistes et les gaullistes ayant dû se partager les miettes. Est-ce là, selon lui, la traduction parlementaire d'une France gouvernée au centre ? Le ministre des Finances a toujours cru que les familles politiques de la troisième force se retrouveraient un jour, une fois le Général disparu, l'UDR ne tenant sa puissance que de lui.

Au gouvernement, à la manière de Poincaré, l'une de ses idoles (il connaît également par cœur les discours de Joseph Caillaux), Valéry Giscard d'Estaing se veut le champion de l'équilibre du budget, le chantre de l'expansion dans la stabilité. Face au dérapage des prix, il met en place, selon les vœux et les instructions du Général, le plan de stabilisation (blocage des prix, encadrement du crédit, taux de l'escompte à 4 p. 100) qui lui vaut, dans *le Canard enchaîné*, le surnom de « Fiscard d'Estaing ». Il propose aussi l'avoir fiscal, qui encourage l'acquisition d'actions en Bourse par les particuliers, mais facilite en même temps l'adoption de l'amendement Vallon, qui organise la participation des travailleurs aux bénéfices de l'entreprise. Une synthèse qui pourrait ressembler à du libéralisme humanisé.

L'élection présidentielle de décembre 1965 s'approchant, dès le mois d'août, en pleine préparation du budget, Georges Pompidou demande un plan de relance pour apaiser les syndicats et les industriels en colère, dont il reçoit les plaintes à Matignon. Il vaut mieux, dit-il, « un peu d'inflation ». C'est un temps où nul ne sait — ni les gaullistes, ni les barons les mieux renseignés — si le Général sollicitera un deuxième mandat. Rien n'est moins sûr. S'il ne se représente pas, Georges Pompidou confie à quelques amis : « Je serai candidat. »

Valéry Giscard d'Estaing oppose une fin de non-recevoir au Premier ministre : « Tout cela, c'est de l'électoralisme », répond-il avec hauteur. Il doit sûrement se sentir bien soutenu par le Général pour se risquer à défier ainsi la volonté du chef du gouvernement...

Lors de ce budget-là, il chante dans un solo éblouissant son credo de l'équilibre. Pendant trois heures trente, il demeure à la tribune de l'Assemblée, sans notes (il a fait distribuer aux députés un schéma de ses propos) ! Cette performance l'autorise à devenir membre de droit du « grand opéra parlementaire », au même titre que Poincaré, qui avait, en 1920, prononcé un discours de sept heures.

Mais si, jusqu'alors, Georges Pompidou donnait le plus souvent raison à Valéry Giscard d'Estaing contre les ministres les plus gaullistes, cette épreuve de force affecte gravement leurs relations. La suspicion s'installe entre eux. Sans doute éprouveront-ils l'un pour l'autre de l'estime politique et intellectuelle. « Il a du coffre », dit de Pompidou Valéry Giscard d'Estaing. « On peut lui pardonner beaucoup de choses, il parle un si beau français », répond en écho le Premier ministre normalien. Mais de l'amitié, ils n'en auront jamais l'un pour l'autre. Ils sont déjà concurrents et rivaux.

12 décembre 1965 : après un ballottage, le Général l'emporte devant François Mitterrand (54,5 p. 100 contre 45,4 p. 100 des suffrages exprimés). Ce n'est pas l' « adhésion franche et massive » qu'il sollicitait. Déception, mauvaise humeur. Il faut un coupable : le plan de stabilisation.

8 janvier 1966, Valéry Giscard d'Estaing, ulcéré, « congédié comme un domestique », selon son expression, doit quitter la rue de Rivoli. Pour ses familiers, il reprend à son compte ce mot de Lincoln : « Cela me fait trop mal pour en rire et je suis trop grand pour en pleurer. » Il refuse le grand ministère de l'Equipement que lui offre le Général. Il rend le chef du gouvernement responsable de son éviction. Il n'a pas tort. Sa rancune est vive et s'exprime avec aigreur. Il demande aux députés de son groupe de ne pas participer à ce gouvernement par solidarité avec lui. Seul Raymond Mondon, le maire de Metz, sollicité, se récuse. MM. Marcellin, Chamant et Bettencourt passent outre, estimant n'avoir pas à ralentir leurs carrières pour lui faire plaisir. Il leur en voudra toujours un peu. Il va avoir quarante ans.

Ses amis politiques jugent aujourd'hui que ce provisoire éloignement des affaires fut sa chance. Aux Finances, il s'était sculpté un buste de technicien brillant. Désormais, il peut songer à polir son profil politique. En effet, sitôt hors du gouvernement, il construit sa force de frappe de leader à partir de son petit parti — la Fédération nationale des républicains indépendants —, qu'il installe dans un appartement bourgeois du boulevard Saint-Germain. Il implante dans tout l'Hexagone les clubs Perspectives et Réalités grâce à ce qu'il appelle son

« Tour de France de la réflexion et de l'action ». Il en retire une connaissance de la géographie électorale qui lui permet de contrer encore aujourd'hui le ministre de l'Intérieur commentant les résultats d'élections les plus locales. Il peaufine son image lors d'un *Face à la presse* à la télévision, une des premières émissions du genre. 74 p. 100 des télespectateurs se diront satisfaits de lui. Le Général lui fait transmettre son compliment.

VGE, réélu sans mal en 1967, a trouvé le moyen de placer entre les deux tours : « Il faut regrouper les centres », idée fixe, décidément ! A l'époque, le centre siège dans l'opposition. Ses dirigeants s'y distinguent surtout par leurs convictions atlantistes et européennes (Jean Lecanuet, René Pleven, Jacques Duhamel).

Valéry Giscard d'Estaing est le leader de quarante-quatre députés qui pèsent lourd dans une majorité étroite. Comme on ne se pose qu'en s'opposant, il forge sa stratégie de soutien critique, le fameux « OUI MAIS ».

En président tout frais et tout fringant de la commission des Finances, il harcèle à plaisir Michel Debré, son très susceptible successeur rue de Rivoli : « Des résultats différents auraient pu être obtenus. [...] Ils pourront l'être, assurément, demain, si une politique conjoncturelle moderne, s'appuyant sur une analyse objective et scientifique des données du problème, met en œuvre les immenses moyens dont disposent aujourd'hui les responsables de l'économie », écrit Valéry Giscard d'Estaing dans *le Monde* daté du 2 février 1968, jour de son anniversaire.

En juillet 1967, après la guerre des Six Jours, alors que de Gaulle tance Israël, « ce peuple sûr de lui et dominateur », Valéry Giscard d'Estaing signe, avec Mendès France, Lecanuet et Mitterrand, l'appel du Comité français de solidarité avec Israël.

De tout cela, de Gaulle est agacé : « On ne gouverne pas avec des *mais* », grogne-t-il en Conseil des ministres. Pompidou, très irrité, explique à la télévision : « Gouverner, c'est l'art d'éliminer les *mais*. »

Michel Poniatowski pose ses premières banderilles dans l'échine de l'UDR, qui rue d'indignation. Le giscardisme est né.

Les grandes rébellions ont lieu par trois fois.
Contre le Général, en août 1967. Après le : « Vive le Québec

libre », Valéry Giscard d'Estaing dénonce d une plume acerbe l'« exercice solitaire du pouvoir ».

Contre Georges Pompidou, en mai 1968 : pour commencer, il disparaît du Parlement ; on ne le voit plus. Lui qui capte si bien les vents nouveaux a du mal à prendre la mesure d'un événement insolite qui l'a surpris comme toute la France officielle. Il a raconté à Olivier Todd avoir été dans la banlieue parisienne pour parler avec les grévistes et chercher à comprendre. Il a préféré se taire un temps, faute de « sentir » cette tourmente romantique qui s'abat inopinément sur la France.

Il réapparaît le 22 mai, pour mettre en accusation le gouvernement. Il faut, dit-il, « que le président de la République continue à assumer ses fonctions et à représenter la légalité du pays. Il lui appartient de changer les méthodes gouvernementales ». En clair, alors que quelques gaullistes songeaient à préconiser le départ du Général et l'intronisation de Georges Pompidou, lui choisit la méthode inverse et veut consolider le pouvoir du Général en écartant le Premier ministre.

Avril 1969, dernière rébellion : cette fois, contre le général de Gaulle. Le chef de l'Etat, ayant fait savoir qu'il partirait de l'Elysée en cas d'échec du référendum sur la régionalisation, de sa mairie de Chamalières Valéry Giscard d'Estaing conseille aux Français : « Ne votez pas *oui*. » Une façon polie de dire : « Votez *non*. » Les deux tiers de sa troupe ne le suivent pas. Mais le troisième tiers, qui l'écoute, pèse un poids décisif dans la balance. Le leader républicain indépendant a pris consciemment la responsabilité de contribuer à la défaite, donc au départ du Général. Pour nombre de gaullistes, il commet ce jour-là péché mortel.

On connaît la suite : battu au référendum, le Général s'en retourne à Colombey. Georges Pompidou est candidat. Valéry Giscard d'Estaing songe un instant à se présenter et rédige même un schéma de projet de candidature. Mais hormis une poignée d'inconditionnels (Ponia, d'Ornano, Soisson, Chinaud), le groupe des républicains indépendants préfère la candidature de Georges Pompidou. Les sondages qu'il a fait effectuer ne l'encouragent pas.

Il renonce donc. « La France vient de vivre un événement historique considérable avec le départ du Général. Elle ne va pas confier sa destinée à un homme de quarante-trois ans ! Et puis je ne suis pas prêt », explique-t-il à ses amis au cours d'un petit déjeuner auquel il les a conviés en son hôtel particulier de la rue de Bénouville.

Mais il ne se résigne pas encore à la victoire de Georges Pompidou. N'étant pas candidat, il court en personne solliciter, dans le plus grand secret, la candidature d'Antoine Pinay d'abord, puis celle d'Alain Poher ensuite, auquel il rend visite en compagnie de Jean Lecanuet et Pierre Abelin. Il lui suggère en substance : « Présentez-vous et cédez-moi la place au bout de trois ans. » Double refus.

Faute d'alternative, l'ex-ministre des Finances veut bien appuyer Georges Pompidou, après avoir négocié son retour au gouvernement dans un grand ministère et obtenu que la construction européenne soit poursuivie, l'Alliance atlantique maintenue, l'ORTF libéralisée et la majorité élargie dans le septennat à venir.

Valéry Giscard d'Estaing ne plaide pas pour l'accès aux affaires de son grand ami Ponia. Il lui faudra, juge-t-il, un lieutenant au Parlement qui dira tout haut ce que lui, le ministre, devra taire.

Georges Pompidou aurait souhaité faire revenir Antoine Pinay rue de Rivoli (toujours le mythe). Si le maire de Saint-Chamond avait accepté, Jacques Chaban-Delmas le nouveau Premier ministre entendait confier à Valéry Giscard d'Estaing le ministère de l'Education nationale. L'idée le tente, quelques heures, mais il demande avec fermeté son bastion des Finances. « Si vous m'y nommez, je ferai une dévaluation tout de suite », aurait-il même dit au nouveau président de la République.

JACQUES CHIRAC

A la minute même où Georges Pompidou décide d'être candidat, Jacques Chirac a déjà en charge la responsabilité financière de la campagne et court tendre sa sébile. Un an plus tôt, dans l'heure où le futur président quittait Matignon et prenait ses quartiers boulevard de Latour-Maubourg, il accourait lui faire allégeance dans sa retraite forcée mais, suivant ses conseils, allait conserver au gouvernement son demi-porte-feuille de secrétaire d'Etat au Budget. Et pendant les quelque onze mois que dure son éloignement du pouvoir, Georges

Pompidou reçoit chaque jour, qu'il pleuve ou qu'il vente, la visite de Jacques Chirac.

A l'époque, on s'interroge : pourquoi donc tant de zèle et tant d'empressement ? Flagornerie ! Intérêt bien compris ! C'est glandulaire ! moque la classe politique interloquée. Et sans doute y a-t-il toujours un zeste de vérité dans le jugement le plus caricatural. La raison majeure de ce comportement si ardent a tout de l'image d'Epinal : tel saint Paul sur le chemin de Damas, Jacques Chirac, entré par hasard à Matignon un certain jour de novembre 1962 (grâce à un ami fonctionnaire), rencontre la vérité révélée en la personne de Georges Pompidou. « Intuitivement, j'ai le sentiment qu'il a toujours raison, » dit-il alors.

D'emblée, dans ce Premier ministre, fils d'instituteur du Cantal, solide, carré, bourreau de travail, charmeur, autoritaire, esthète, épicurien, qui comprend si bien la France profonde et lui parle si juste (fatigué, il se fait porter un bol de soupe ; en voyage officiel à l'étranger, il fait suivre un panier avec du pain et du fromage de Cantal), Jacques Chirac, lui même petit-fils d'instituteur de Corrèze, vient de trouver son modèle, son maître, son alpha et son oméga. Instinctivement, il se sent fait du même terreau que ce leader madré qui croit au « progrès indéfini et lent » et vit son âge d'or dans ce siècle de la « bagnole » et de l'industrialisation galopante. Il est aussi fasciné par ce Georges Pompidou aux mille facettes, qui raffole des bistrots à la mode et des gens dans le vent.

Par osmose ou mimétisme, Jacques Chirac, qui se flatte publiquement de n'aimer que le cirque, les westerns et la musique militaire, va adopter ses goûts et se prendre d'une passion subite pour l'art moderne, la poésie et la peinture abstraite. (Il a pourtant déjà quelques centres d'intérêts culturels, en particulier, dit-on, l'archéologie et, en 1980, il révélera même avoir écrit, à l'âge de dix-sept ans, un article sur le peintre Kandinsky, dans une revue, hélas, défunte.)

Comme de bien entendu, ce jeune fonctionnaire si zélé ne va plus avoir qu'une idée en tête : la politique, à laquelle il fait désormais don de sa personne et pour laquelle il se damnerait.

Pourtant rien ne l'y prédestinait. « Dans ma vie tout s'est toujours fait par hasard », affirme-t-il souvent. Dans la famille, de souche corrézienne, on vote radical de père en fils, sans jamais être tenté par les préaux d'école, autrement que pour y enseigner. Les grands-pères, tous deux instituteurs laïques et républicains, sont des « rouges », comme on dit entre Meymac et Egletons. L'aïeul paternel est correspondant de *la Dépêche du Midi* et vénérable de la Grande Loge. Le père, directeur de banque puis directeur à Paris d'une filiale de Potez (le constructeur d'avions), est un ami de Marcel Dassault. Il n'a pas d'idées très arrêtées sur la carrière de son rejeton : « Il voulait que je fasse quelque chose de bien. J'ai eu de bons parents », dit, en 1980, le maire de Paris.

Né le 29 novembre 1932, ce fils unique, qui pousse comme un épi, travaille bien en classe. « J'ai été élevé un peu comme un sauvage. Pendant la guerre je vivais au Rayol (Var) avec ma mère, je courais pieds nus dans les broussailles, j'étais très fugueur. »

De retour à Paris, jeune homme sans tourments métaphysiques, il est reçu avec mention bien au baccalauréat math élem. Pendant un an il rêve d'être capitaine au long cours, mais y renonce parce que, dit-il : « J'avais le mal de mer. » Comme il ne sait pas très bien ce qu'il veut faire, il entre à Sciences Po durant l'automne 1951 et s'y distingue comme le fort en thème, bosseur infatigable qui souligne ses devoirs au crayon rouge et intervient plus souvent qu'à son tour. Il est si activiste que ses camarades le surnomment l' « hélicoptère ». Il se situe au-dessus du lot et suscite les sentiments les plus contradictoires et les plus tranchés. Il sort troisième sur cent trente-neuf, avec mention bien.

Quelqu'un lui dit alors : « Tu devrais présenter l'ENA. » Sitôt dit, sitôt fait, il passe le concours et il est reçu.

Avant sa scolarité, il doit accomplir — comme tout le monde, — son service militaire (l'état d'urgence est déclaré en Algérie). Jacques Chirac refuse « la planque » qui lui était proposée au ministère de l'Air : « Je ne voulais pas être un planton », se fait affecter à Saumur dans la cavalerie, en se fixant cette ardente obligation : en sortir major et sous-lieutenant.

La légende veut qu'un « cher camarade » lui ait alors suggéré : « Pour sortir le premier, il faut se faire bien voir des officiers. Va donc à la messe de temps en temps. » Et Jacques Chirac, dit-on, se serait agenouillé tous les matins, à 6 heures, devant le maître-autel...

Il sort major de Saumur. Après quelques péripéties, toutefois : un instant, ses chefs le soupçonnent d'être communiste. Il a signé à dix-huit ans l'appel de Stockholm [1].

On veut lui refuser le rang auquel il peut prétendre. Jacques Chirac se débat. La lumière est faite : il n'est pas communiste. Il sort major.

Le 1er avril 1956, le sous-lieutenant et tout jeune marié Chirac est affecté sur sa demande au 6e régiment des chasseurs d'Afrique. Le voilà dans les djebels, en pleine zone de combats. Une période « exaltante de sa vie ». Il est blessé à l'œil.

La vie militaire lui plaît tant (il en aime la hiérarchie, les ordres tranchés, la camaraderie de combat, l'uniforme) qu'au moment de sa libération, il envisage sérieusement de faire une carrière d'officier. Il engage même les démarches pour se faire activer.

A Paris, le directeur de l'ENA, le très honorable Bourdeau de Fontenaye, ne l'entend pas de cette oreille et l'envoie quérir par deux gendarmes. On n'est pas reçu rue des Saints-Pères pour finir en képi ! La mort dans l'âme, Jacques Chirac revient à Paris se morfondre sur les bancs de l'école. La nuit, il se rêve général sauvant l'Algérie. Le jour, il potasse ses cours. Ses camarades, éblouis par sa vitalité, ne doutent pas de son avenir, mais ne le prévoient pas politique.

L'un d'entre eux, Bernard Stasi, l'atteste : « Lorsqu'il courait à grandes enjambées dans les couloirs, dévorait tous les cours avec voracité, décortiquait les manuels et réduisait les plus volumineux ouvrages à l'état de fiches, on se doutait bien que ce camarade ne se laisserait guère ralentir par les fleurs du chemin. [...] Je n'avais pas deviné quel serait son destin. »

Il sort dixième de l'ENA. Sa promotion est envoyée en renfort administratif en Algérie. Fou de bonheur, Jacques Chirac se retrouve chef de cabinet du directeur général de l'Agriculture, Jacques Pelissier. Pendant la semaine des barricades, en janvier 1960, ses camarades — toutes opinions confondues — décident d'adresser une motion de soutien au chef de l'Etat. « Nous ne fûmes pas surpris, dit encore Bernard Stasi, des réticences de Jacques Chirac. Pendant quarante-huit heures ses

1. Lance en 1950 par le Congrès mondial des partisans de la paix au moment où les Etats-Unis décidaient de fabriquer la bombe H, cet appel, suscité par les Partis communistes, faisait campagne pour l'interdiction de la bombe atomique

convictions en faveur de l'Algérie française tinrent en échec son sens de la discipline. Le serviteur de l'Etat finit en lui par l'emporter, mais comme pour beaucoup de garçons de sa génération, l'Algérie n'en demeura pas moins longtemps pour lui — et peut-être l'est-elle encore ? — l'exaltante aventure de sa jeunesse en même temps qu'une douloureuse blessure ».

Douze mois plus tard, de retour dans la capitale, il débute comme auditeur à la Cour des comptes. Il aurait pu y mener comme tout le monde un train assoupi de sénateur, au contraire, il est le seul à être débordé, son bureau croule sous les dossiers, il circule dans les couloirs le nez au vent, encore plus vrai qu'un dessin de Faizant. Il partage son bureau avec Alain Chevalier, aujourd'hui vice-président du CNPF, avec lequel il trouve tout de même le temps de se lancer dans d'interminables parties de bataille navale.

A l'époque, il anime une « écurie » d'une demi-douzaine d'élèves de Sciences Po. A ses protégés, il donne ce conseil : « A l'oral, ce qui est important, c'est d'avoir l'air de savoir plus que de savoir. Apprenez donc par cœur la table des matières et un chapitre entier de vos cours. Vous vous débrouillerez toujours. »

De l'avis de ses étudiants, il était un professeur très clair, ayant un grand sens de la vulgarisation, mais complètement obsédé par l'Algérie. L'un d'eux raconte : « Le jour du putsch, il nous a dit : " Je voudrais voir les parachutistes fesser Michel Debré cul nu. " » Et commente : « Depuis, je ris toujours quand je vois Jacques Chirac et Michel Debré à la même tribune. »

Avril 1962 : le destin (toujours le hasard) fait un premier clin d'œil à ce grand gaillard remuant. Il entre au secrétariat général du gouvernement (grâce à son ami Jean-Michel Belorgey). Il se rapproche du pouvoir.

Novembre 1962 (encore le hasard) : deuxième clin d'œil. Toujours par l'intermédiaire d'un ami (cette fois Pierre Lelong), qui sera plus tard son secrétaire d'Etat aux P et T, il entre comme chargé de mission au cabinet de Georges Pompidou. On lui confie le secteur de l'Equipement, des Transports et de la Construction.

En quelques mois, sa réputation est faite : « Il avait un culot monstre, convoquait les ministres, leur coupait la parole, donnait des signes manifestes d'autoritarisme, il houspillait les fonctionnaires des Finances alors que tous les autres collaborateurs de Matignon étaient toujours très respectueux, mais Dieu qu'il était efficace ! » se rappelle Jean-Pierre Fourcade. Encore étourdi, Michel Jobert raconte : « Il fallait toujours que l'on se range à son avis. Il n'hésitait pas à plaider un dossier déjà tranché. S'il n'obtenait pas gain de cause, le lendemain matin il revenait à la charge. Quand il avait une idée en tête, impossible de lui faire lâcher prise. Il nous pompait l'air. » « Il nous donnait mal à la tête, raconte un autre collaborateur, au point qu'Olivier Guichard voulait le renvoyer de Matignon. C'est Jobert qui l'a retenu par la manche. »

Georges Pompidou est d'ailleurs autant exaspéré que fasciné par la vitalité sans limites de ce jeune collaborateur. « Si je dis à Chirac : " Cet arbre me fait de l'ombre ", cinq minutes plus tard, l'arbre a disparu », plaisantait le Premier ministre. L'amitié entre eux deux ne viendra que beaucoup plus tard.

Quand certains membres du cabinet se réunissent le soir autour d'un verre chez l'un des deux plus proches collaborateurs de Georges Pompidou — Mme Dupuy ou Pierre Juillet (alors en charge des partis, des investitures et des fonds secrets) —, chacun raconte sa journée. A l'époque, l'ambition déclarée de Jacques Chirac est de devenir directeur des Transports aériens (son bureau est encombré de maquettes d'avions). « Georges Pompidou m'avait promis ce poste si j'étais battu aux élections », dit, en 1980, le maire de Paris.

1966 : le Premier ministre pense aux élections législatives qui auront lieu un an plus tard, et particulièrement à ce Sud-Ouest rebelle à la majorité qu'il faudrait bien conquérir. Le maire de Paris raconte : « M. Pompidou voulait que je me présente dans la région parisienne : " Paris, cela me terrorise, lui ai-je répondu, j'irai en Corrèze. — Mais vous serez battu, me dit le Premier ministre. — Il n'y a que les combats que l'on ne mène pas qui ne sont pas gagnés ", lui ai-je rétorqué. »

Et Jacques Chirac est candidat en Corrèze, le berceau de sa famille, ce pays où l'on naît et meurt de gauche. La droite y subit depuis toujours de cuisantes défaites. Qu'importe, sa décision est prise !

Pendant plus d'un an, chaque week-end, il rejoint la circonscription d'Ussel à quatre cent quatre-vingt-dix kilomètres de Paris, en deux-chevaux d'abord, puis dans une vieille 403 dont il a lui-même gonflé le moteur. Deux jours par semaine, il parcourt les chemins creux, visite toutes les fermes, se rend dans les cent dix-sept communes. Il prend des notes. tient des permanences dès l'aube, travaille comme quinze. Pas une lettre, pas un coup de téléphone ne restent sans réponse.

Il crée un journal *(l'Essor du Limousin)*. Pour le lancer, il bénéficie du parrainage sonnant et trébuchant de Marcel Dassault. Il fait une cour assidue aux maires socialistes et communistes, pratique la décrispation avant la lettre. Il n'a pas d'ennemis, il aide tout le monde, distribue les décorations, les bourses d'études. « Il n'y aura pas une seule commune qui ne me doive pas quelque chose », dit-il à l'époque.

« On le voyait revenir le lundi matin, vers midi, complètement foldingue, klaxonnant bruyamment, relate Michel Jobert. Une fois il était si pressé qu'il en a arraché la chaîne du portail de Matignon. »

Mais il devient le phénomène que l'on cite en exemple. A Jean-Pierre Fourcade, alors fonctionnaire des Finances et peu décidé à tenter sa chance à Marmande, sa ville natale, Valéry Giscard d'Estaing conseille : « Vous devriez faire comme Chirac, il est courageux, lui. »

« Il nous faudrait un Chirac dans chaque circonscription ! » s'exclame Georges Pompidou, qui, le 11 février 1967, vient en personne soutenir sur place ce poulain qu'il présente ainsi aux électeurs d'Ussel : « A mon cabinet, on n'a jamais réussi à trouver quelqu'un qui lui résiste. Et la preuve en est que, malgré un emploi du temps extrêmement chargé, je me trouve ici, n'ayant pu résister moi non plus. J'espère quand même qu'il ne me poussera pas trop vite hors du gouvernement. Mais avec une telle activité, une telle puissance de travail, une telle capacité de réalisation, je peux tout craindre et vous, vous pouvez tout espérer. »

En entendant le Premier ministre, les paysans de Corrèze hochent la tête. Avec Chirac, ils l'ont compris, ils le tiennent, leur nouveau Queuille, ce président du Conseil qui veilla pendant plusieurs décennies sur le département

12 mars 1967 : le jeune loup modèle est élu. Il l'emporte avec cinq cent trente-sept voix d'avance sur son adversaire communiste. Vingt-sept jours plus tard, il est récompensé et devient, à trente-quatre ans, le benjamin de gouvernement.

Il est secrétaire d'Etat à l'Emploi auprès du ministre des Affaires sociales, Jean-Marcel Jeanneney. Il fait connaissance avec le cérémonial grisant du pouvoir — des préfets en uniforme aux ordres (Jacques Chirac adore les uniformes), des voitures à cocardes, des chauffeurs obséquieux, des motards qui ouvrent la route.

En 1967, les problèmes de l'emploi n'ont rien de crucial — époque bénie où l'on ne compte que trois cent cinquante mille chômeurs en France.

Néanmoins, il a un rôle précieux : il est l'antenne du Premier ministre auprès des organisations syndicales. Il noue des contacts avec André Bergeron (FO), Eugène Descamps (CFDT) et Henri Krasucki (CGT). Aussi bien, en Mai 68, quand la France sera en grève, il devient l'un des hommes clefs du gouvernement. Il maintient le dialogue, sonde les reins et les cœurs des syndicats. Parfois dans des conditions rocambolesques.

Jacques Chirac a raconté qu'il était allé, revolver à la ceinture, négocier avec la CGT, dans des chambres de bonnes, sous la surveillance ambiguë de deux costauds du service d'ordre syndical. Michel Jobert relate : « Le jour de la fameuse manifestation du 13 mai, pendant quelques instants nous avons cru que la fin du cortège, qui s'étirait de la Bastille à Denfert-Rochereau, allait marcher sur l'Elysée. Nous étions inquiets. Devant moi, Chirac a téléphoné à Krasucki pour lui demander d'y veiller et d'y mettre bon ordre. »

Les liens d'affection entre Georges Pompidou et Jacques Chirac se nouent ce mois-là. « A cette époque, où le pays était sens dessus dessous, il n'y avait pas grand monde pour soutenir le Premier ministre, raconte le maire de Paris. Un soir, c'était le 27 mai, à minuit, je venais de me coucher, quand Georges Pompidou m'a téléphoné. Il m'a dit : " Jacques, ça ne va pas, venez me voir. " Je me suis rhabillé, j'ai foncé à Matignon ; quand je suis arrivé, le Premier ministre allait très bien, mais il avait besoin de parler à quelqu'un. Nous nous sommes vraiment compris ce soir-là ! »

Pendant toutes les négociations de Grenelle, nuit et jour, il est auprès de Georges Pompidou et d'Edouard Balladur (conseiller technique à Matignon). Aussi bien, le 31 mai, lors de la constitution du nouveau gouvernement, Jacques Chirac est promu secrétaire d'Etat au Budget de Maurice Couve de Murville, le nouveau ministre des Finances. Il le mérite bien !

Quarante jours plus tard, Georges Pompidou est remercié par le Général et entame sa courte traversée du désert. Cela ne l'empêche pas de se battre pour le référendum sur la régionalisation. Jacques Chirac lui emboîte le pas et déclare même, à

Clermont-Ferrand : « La victoire du *non* plongerait notre pays dans des troubles graves et mettrait en cause l'équilibre de notre économie et de notre monnaie. » Dans son journal, *l'Essor du Limousin,* le secrétaire d'Etat au Budget stigmatise même Valéry Giscard d'Estaing en ces termes : « Il n'a été exceptionnel que dans la trahison. »

Presque un an, jour pour jour, après son départ de Matignon, le député du Cantal est élu à l'Elysée et Jacques Chirac devient le secrétaire d'Etat de Valéry Giscard d'Estaing devenu ministre de l'Economie et des Finances.

On le devine, point n'est besoin de confidences, en ce 23 juin 1969, le bonheur de ces deux hommes assis face à face, dans un bureau du ministère des Finances, n'est pas celui d'être ensemble.

Si Valéry Giscard d'Estaing est fort aise de retrouver le décor Napoléon III de la rue de Rivoli et de revenir au pouvoir après trois ans d'absence, sa joie n'est pas complète : son avenir est, il le sait, incertain, tant est lointain l'horizon présidentiel : au plus tôt, 1976. Et, avec un Georges Pompidou apparemment si solide, un deuxième septennat n'est pas à exclure.

S'il en avait eu le choix, Valéry Giscard d'Estaing aurait sûrement préféré avoir auprès de lui un secrétaire d'Etat au Budget moins ouvertement et inconditionnellement lié au nouveau président de la République. Ce Jacques Chirac risque fort d'être un espion dont il faudra sans cesse se méfier. Bref, tout n'est pas rose. Ainsi va la vie politique.

Jacques Chirac, lui, exulte. Son seul maître après Dieu est à l'Elysée. Il le sent, il le veut, il n'en doute pas : Georges Pompidou y est installé pour quatorze ans. Tout peut donc arriver, croit-il, et rien que du meilleur. Ses pieds ne touchent plus terre.

Le secrétaire d'Etat au Budget n'aurait sans doute pas décidé d'être sous les ordres de M. Giscard d'Estaing. Combien de fois, ces dernières années, n'a-t-il pas entendu l'ex-Premier ministre se plaindre de cet allié si personnel qui sème des cactus à tout vent ! Combien de fois, depuis les douze mois qu'il est installé rue de Rivoli, les fonctionnaires du ministère ne lui ont-ils pas dit : « Giscard est un patron difficile qui délègue peu, il est exigeant et distant. »

Robert Boulin le lui a maintes fois raconté : lorsqu'il a fait, comme lui, tandem avec le ministre des Finances, sa tâche n'a pas toujours été aisée : « Si je ne m'étais pas battu, je n'aurais eu que le droit d'inaugurer des foires-expositions. » En somme, Jacques Chirac n'a qu'une crainte : que ses vastes attributions lui soient retirées par ce ministre à la réputation sévère.

Et pourtant, ceux qui écoutent aux portes, ce 23 juin, peuvent le rapporter : ce premier tête-à-tête se passe pour le mieux, même si personne n'est sous le charme. Jacques Chirac entend démontrer à Georges Pompidou qu'il est le meilleur secrétaire d'Etat au Budget de toute la Ve République, aussi est-il bien décidé à servir de son mieux ce ministre dont l'intelligence l'impressionne. Il pourra, juge-t-il, beaucoup apprendre à ses côtés. Et il ne veut pas d'histoires ! « Vous êtes celui que j'aurais choisi », affirme gracieusement Valéry Giscard d'Estaing, qui sait combien il serait dangereux et inutile de mécontenter le poulain de l'Elysée.

Comme ce jeune secrétaire d'Etat hyperactif peut rendre de grands services, il n'y a pas lieu de rogner ses attributions. « Sous l'autorité du ministre, le secrétaire d'Etat au Budget est chargé des questions relevant de la direction du Budget (préparation et discussion), de la direction générale des Impôts, de la direction de la Comptabilité publique, du Service des pensions, du Service juridique et de l'agence judiciaire du Trésor, du Service d'exploitation industrielle des tabacs et des allumettes, du secrétariat général de la Loterie nationale. » Voilà ce que l'on peut lire, le 27 juin, dans le *Journal officiel*.

Bref, ce 23 juin, dans ce bureau gris et or, tout va plutôt pour le mieux dans le meilleur des mondes. Un nouveau couple vient de se former. Il va diriger les Finances.

2

Le mariage à l'essai

Il en va des liaisons politiques comme des liaisons privées : il faut toujours un temps d'adaptation.

Pendant de longues semaines, Valéry Giscard d'Estaing s'avoue très étonné par les manières de son secrétaire d'Etat. Il est en mouvement perpétuel : assis, il remue les pieds et fait trembler ses longues jambes comme si une colonie de punaises avait élu résidence dans le fil-à-fil de son pantalon gris. Debout, il accompagne ses moindres propos d'amples gestes à en donner le tournis. Il a tout un jeu de mains et de lunettes à rendre jaloux un illusionniste. Il fume cigarette sur cigarette.

N'est-il pas entré une fois sans prévenir dans le bureau ministériel, déboulant ventre à terre, tel un labrador mal dressé ? Il a fallu très vite y mettre le holà. Non, vraiment trop chien fou, ce Jacques Chirac, pour vous donner l'idée de le convier un soir, comme cela, pour l'agrément.

Ces détails ne seraient que balivernes si ce bouillant secrétaire d'Etat n'avait en outre la fâcheuse habitude de se rendre chaque soir à l'Elysée. Un indiscret bien intentionné a prévenu le ministre des Finances, qui s'interroge : qui va-t-il donc y voir ? Georges Pompidou ? Ses conseillers privés, Pierre Juillet et Marie-France Garaud ? Que va-t-il y faire ? Sa cour de disciple favori ou bien jouer les petits rapporteurs de la rue de Rivoli ? Bizarre.

Le secrétaire d'Etat au Budget, lui, met plusieurs lunes à s'acclimater à son nouveau ministre. Il est si compliqué, ce VGE ! Il ne dit jamais ni oui ni non, mais plutôt : « Croyez-vous que tout cela soit bien nécessaire ? » ou bien encore : « Il faut

39

voir. » Pis : un brin sadique. Il se contente trop souvent d'un
« vu » hermétique, griffonné à l'encre verte en marge des notes
qui lui sont adressées. Heureusement, ses collaborateurs les
plus proches — Jean Serisé, directeur de cabinet, et Jacques
Calvet, directeur adjoint — ont l'habitude de la traduction
simultanée, au grand soulagement du secrétaire d'Etat.

A Matignon, avec Georges Pompidou, il suffisait de faire
passer une note à Mme Dupuy, son chef de cabinet. Le soir
même, on avait la réponse. C'était oui, c'était non. Quelle
simplicité !

Et puis, avec ce ministre, il faut toute une stratégie pour
l'approcher, il y a tout un cérémonial à respecter. Il faut
prendre rendez-vous, accéder à son bureau par celui de son
directeur de cabinet, transformé en véritable salle d'attente.

Certains jours, on ne l'aperçoit même pas. Quand une
lumière rouge est allumée au-dessus de la porte (comme dans
les blocs opératoires), personne n'est autorisé à le déranger, ni
même à lui téléphoner. Que fait-il ? Où est-il ? Travaille-t-il sur
un dossier ? Médite-t-il ? Est-il même là ? Mystère...

Un week-end, tous les membres de son cabinet doivent se
mobiliser pour le retrouver, en téléphonant à travers le monde.
On a perdu sa trace. Et Georges Pompidou qui le demande
avant de prendre quelque décision monétaire d'importance !

Parfois, fou d'impatience, Jacques Chirac s'emporte et
lâche : « Giscard ne fout rien. »

Non, vraiment trop chat étrange, ce Valéry Giscard d'Estaing, pour vous mettre tout à fait à l'aise. Il est impénétrable,
toujours sur ses gardes. Il griffe aussi, à sa manière : quand il
demande, par exemple, une tasse de thé sous le nez de son
visiteur, sans songer à lui en proposer... Comme Jacques Chirac
(franchement piqué) n'ose penser qu'il s'agit là d'un manque de
tact — ce serait inimaginable pour un fils de si bonne famille
—, il est perplexe. Le ministre veut-il ainsi le défier pour
éprouver son caractère ? Est-ce un sens trop marqué de la
hiérarchie ? Ou déjà le sentiment d'un destin qui le situe au-
dessus des simples mortels ? Allez savoir...

Déjà, dans les années 1963-64, il se faisait porter pareillement, par un huissier du ministère, du thé et des petits gâteaux
secs en pleine séance de travail, sous le nez de René Blot,
directeur général des Impôts, Max Laxan, directeur adjoint des
Finances, et Jean-Pierre Fourcade, conseiller technique sans se

soucier davantage de leur en offrir. On en parle encore dans les couloirs du ministère.

Il doit donc être ainsi fait, ce ministre des Finances, à l'humour caustique, qui terrorise un tantinet ses collaborateurs. L'un d'entre eux raconte : « Chaque année, il offrait un verre aux membres du cabinet. Une fois, la fête tombe le jour de l'Epiphanie. On tire les rois. Valéry Giscard d'Estaing lance à la cantonade : " Celui qui aura la fève fera un discours. " Il n'y a jamais eu de discours, parce que celui qui a eu la fève a préféré l'avaler plutôt que de plancher sous le regard trop ironique du patron. »

Mais après quelque cinq mois de vie commune, ces (petites) agaceries qui acidulaient l'atmosphère ne semblent plus que broutilles. Un sentiment de considération réciproque, fait d'une pincée de vraie fascination, pimentée d'une bonne dose d'incompréhension et relevée d'un zeste de réserve mutuelle, se forge jour après jour, petite touche par petite touche.

M. Giscard d'Estaing loue publiquement l'activité débordante et la loyauté de son secrétaire d'Etat. Il en est presque ébloui et en reste quelque peu songeur. Le vote du budget 1970 (un budget en équilibre, le premier depuis Poincaré), discuté en novembre 1969 à l'Assemblée nationale, est la preuve tangible de sa droiture et de son efficacité.

Autant, comme collaborateur du Premier ministre lorsqu'il avait charge du secteur coûteux de l'Aéronautique et de la Marine marchande, il lui arrivait de déclencher des crises d'urticaire chez les fonctionnaires des Finances en leur réclamant sans cesse des subsides pour débloquer les dossiers (au besoin, il passait par-dessus leurs têtes et téléphonait directement au ministre), autant, comme secrétaire d'Etat au Budget, il désespère les parlementaires UDR, qui pleurent en vain pour arracher quelques crédits. Pendant le vote du budget, nuit et jour, il monte la garde et tient les cordons de la bourse d'une main inflexible.

Il n'a pas son pareil pour faire voter les textes fiscaux (entre autres, simplification et allégement de la TVA). Il devient le grand héros de la rue de Rivoli, où l'on ne jure plus que par lui. « Je suis payé pour contrôler, je contrôle. » Ainsi prévient-il ceux qui viennent solliciter quelque largesse.

Lors des conférences de presse du ministre des Finances,

Jacques Chirac est à ses côtés, opinant du chef, muet, si consentant !

En Conseil, le mercredi, quand certains ministres dépensiers harcèlent Valéry Giscard d'Estaing pour obtenir une rallonge budgétaire, après que celui-ci leur a rétorqué avec philosophie : « Dans un monde où le total des désirs est supérieur au total des ressources, la satisfaction n'existe pas », il n'est pas rare d'entendre Jacques Chirac voler à son secours : « Je dirai même plus, pour une gestion saine il faut respecter l'équilibre du budget », surenchérit-il, tel Dupont après Dupond, sous l'œil entendu de Georges Pompidou (le président est d'autant plus compréhensif que, songeant avant tout à l'industrialisation de la France, chaque grande dépense qui n'est pas d'équipement lui paraît sans urgence).

Certains ministres renâclent et tempêtent (dont Jacques Chaban-Delmas, le premier d'entre eux qui n'obtient pas tous les crédits qu'il souhaiterait). En 1970, un seul accepte de bon gré de sacrifier ses ambitions dépensières sur l'autel de la raison budgétaire : Michel Debré lui-même, ministre de la Défense et chantre de l'indépendance nationale. Dressé aux sacrifices héroïques, il laisse les crédits militaires n'augmenter que de 6 p. 100, alors que l'accroissement budgétaire moyen est de 10 p. 100.

Parlant de Jacques Chirac : « Il était si empressé que nous nous demandions parfois s'il était encore pompidolien », moque Jean-Pierre Fourcade. « Jacques Chirac a fait tant de zèle que Giscard a cru qu'il n'était qu'un cireur de parquets », commente, en 1980, un proche du maire de Paris.

« Erreur d'appréciation, réplique aujourd'hui un conseiller du président. Très tôt, VGE a vu ce tempérament se profiler et grandir dans l'ombre de Pompidou. Il se disait que si cette ombre disparaissait un jour, il faudrait utiliser ce talent. Et rien d'autre. »

En prenant son rôle tellement au pied de la lettre, le secrétaire d'Etat au Budget ne fait que son devoir. Il n'en est pas moins vrai que, cette superbe orthodoxie, clamée la main sur le portefeuille et l'œil fixé sur la ligne argentée des Finances, provoque quelques quolibets dans les cabinets ministériels.

On y souligne à l'envi combien, chez le jeune secrétaire d'Etat, l'habit fait vite le moine : ce Jacques Chirac, si avare des deniers de l'Etat est, en Corrèze, un député prodigue, qui autorise les dépenses les plus abracadabrantes. « Il promettait quinze CEG [collèges d'enseignement général], alors que le budget était bouclé depuis longtemps », se rappellent certains collaborateurs d'Olivier Guichard, ministre de l'Education nationale.

Encore médusé, Albin Chalandon, alors ministre de l'Equipement, relate : « Je recevais sa visite quatre fois par mois. Il venait quémander de petites sommes : pour la réfection d'un chemin, le prolongement d'une route. Je ne pouvais les lui refuser et, au bout de l'année, je m'apercevais que sa circonscription était de toutes les circonscriptions rurales celle qui avait le plus reçu. »

Et, de fait, le touriste anonyme qui parcourt la Corrèze a l'impression de changer de contrée en pénétrant dans la circonscription de Jacques Chirac. On entre sur les terres du marquis de Carabas ! Des nationales, larges comme des autoroutes, succèdent aux chemins criblés de nids-de-poule ; les adductions d'eau traversant la campagne narguent les humbles ruisseaux ; les centres sportifs font des pieds-de-nez à ces champs pelés qui, ailleurs, tiennent lieu de terrains de jeu.

Les week-ends en Corrèze du secrétaire d'Etat au Budget sont devenus légendaires. C'est à table qu'il faut le voir, au milieu de ses paysans, avalant, ici, trois assiettées pointues de tête de veau (son plat favori), avant de décamper pour engloutir, là, une écuelle entière de petit salé aux lentilles. Ce svelte Pantagruel semble habité par quelque insatiable ténia...

Jacques Chirac aime la Corrèze, et la Corrèze le lui rend bien. Il est le fils, le frère, l'ami de tous. L'un de ses anciens collaborateurs se souvient de cette anecdote plutôt comique : « Quand Jacques arrivait en Corrèze, il était suivi, pas à pas, par un journaliste de la Montagne, lequel s'obstinait à lui faire des cadeaux : invariablement, des chaussures... Mais, hélas, toujours trop petites. Pour ne pas le contrarier, Jacques les portait continuellement en Corrèze et souffrait le martyre. »

Evidemment, cette technique d'enracinement politique et cette vitalité sans limites impressionnent aussi le ministre des Finances...

De son côté, Jacques Chirac regarde Valéry Giscard d'Estaing avec une fascination croissante, au point de l'imiter dans sa façon de s'exprimer, d'emprunter ses intonations, ses tournures de phrases, ses tics. En fermant les yeux, on s'y tromperait.

Qu'importent les petits travers du ministre ! Les préventions fondent comme sorbets au soleil devant une telle virtuosité intellectuelle. « Il est fortiche », dit Jacques Chirac d'un homme qui incite peu à ces privautés de langage.

Certains collaborateurs le rapportent : « Le secrétaire d'Etat était très petit garçon, très bluffé, complètement soumis devant VGE. » D'ailleurs, comment résister aux prouesses de cet ordinateur monté sur longues jambes distinguées ?

A cette époque, tout spécialement, il jongle avec les prévisions, manipule les dérivées, les ratios, les corrélations avec l'agilité du prestidigitateur, glisse sur les indices tel le danseur de corde, déclame d'interminables suites de chiffres, inspiré comme un poète parnassien. Tous ses exposés en trois points et quatre propositions sont si incroyablement précis — « l'inflation, dit-il, sera de 5,384 et la croissance de 4,328 » —, si invariablement clairs, qu'avec lui, l'auditoire a l'impression subite de s'envoler vers cet empyrée de l'intellect où tout est merveilleusement dominé et assimilé.

M. Giscard d'Estaing sait tout, comprend tout, regarde l'avenir avec l'acuité du rayon laser. Jamais le doute ne semble assaillir ce dieu horloger de l'économie française.

En Conseil des ministres, pendant ces exercices de virtuosité, Georges Pompidou, comme envoûté, ne le quitte pas de ses yeux pers, même si, deux jours plus tard, il le raille en privé : « En Conseil, Giscard aligne sur son buvard des équations compliquées. Je suis sûr qu'il essaie de m'épater et qu'il gribouille n'importe quoi. »

Certains jours, il dit aussi : « Giscard est un esprit faux. » Commentaire, en 1980, d'Olivier Guichard : « Georges disait cela quand il s'en voulait d'avoir été trop séduit par Giscard. C'était de l'autodéfense. »

Les ministres, comme hypnotisés, demeurent le plus souvent bouche bée. Parfois l'un d'eux, sortant de sa réserve circonspecte, lève la main pour avancer que l'éminent argentier fait erreur ou souligner que les faits se sont tout de même grossièrement permis de donner tort à ses belles prédictions. Ainsi interpellé, le giscardordinateur se crispe, la machine se cabre, une seconde, deux peut-être, juste le temps de réviser sa programmation intérieure, puis la riposte s'abat, prompte comme la foudre. Le fâcheux est submergé sous une avalanche de calculs et de taux qui le laissent coi. Quand il ne s'est pas trompé, il a le rouge au front d'avoir osé être dans le vrai, même s'il rage en sortant du Conseil des ministres : « Giscard est infaillible dans l'erreur. »

A l'Assemblée nationale, le scénario est classique. Avant le discours du ministre, ils sont légions, les députés UDR embusqués derrière leurs pupitres, prêts à armer leurs fusils à tirer dans les coins. « Giscard, disent-ils en relevant le menton, n'a qu'à bien se tenir. »

Comme Zorro, VGE arrive. Sans chapeau, ni lunettes, ni notes, ni trac. Pendant deux heures, souriant, à l'aise sous les caméras de la télévision, il va réciter de mémoire plus de trois cents chiffres et dresser un tableau de l'économie française d'une rationalité idyllique. Pour un peu, les députés crieraient : « Bis ! » Evidemment, ces admirables démonstrations ne sont pas destinées à l'usage exclusif des quatre cent quatre-vingt-sept députés en séance, mais à celui du pays tout entier, que le ministre des Finances voudrait bien, en toute modestie, convaincre de son mérite exceptionnel.

Le surlendemain de ce superbe *one man show*, des députés UDR auxquels le ministre n'a rien cédé ni promis se précipitent à l'Elysée pour se lamenter. Immanquablement, Georges Pompidou grogne : « Ne venez surtout pas vous plaindre du ministre des Finances, alors que vous êtes béats lorsqu'il est devant vous. »

Et, de fait, il fascine beaucoup de monde, ce VGE, qui participe avec tant d'adresse à l'élaboration de sa propre mythologie. Il n'est pas, il ne veut pas seulement être, le ministre le plus doué du gouvernement. Il a bien d'autres cordes à son arc. Il veut que cela se sache, il veut que cela se dise.

Ainsi laisse-t-il négligemment traîner un manuel de chinois sur la banquette arrière de sa DS noire. Il reçoit certains visiteurs avec, pour tout dossier, quelque bonne édition de Claudel posée sur son bureau. On le voit aux commandes d'un avion, puis d'un hélicoptère. Il joue les routiers bien sympa en acheminant un poids lourd bourré de vivres vers ce Niger qui se meurt, faute d'eau.

En toute simplicité, il joue du piano à bretelle et se rend à Montmorency, au deuxième festival de l'accordéon, aux côtés d'Yvette Horner. Il y prononce cette phrase historique : « Si tous les hommes politiques jouaient de l'accordéon, ils s'enten-

draient mieux. » Sidérée, la foule regardera repartir le ministre, seul au volant de sa DS noire, au moment même où André
Verchuren (un autre grand de l'accordéon) fera son entrée dans
une Mercedes 600 noire, conduite par un chauffeur à casquette,
escorté de deux motards.

S'il n'offre pas le thé, pour séduire, VGE peut se montrer très
attentionné. Il sait envoyer, quand il le faut, une carte de sa
main pour féliciter un élu de son élection ou du mariage de ses
enfants. En Conseil des ministres, il fait passer des petits mots
presque affectueux à ses collègues. C'est ainsi qu'Olivier
Guichard est chaudement félicité, après les élections municipales de 1971 (il est devenu maire de La Baule). Ses collaborateurs reçoivent des petits cadeaux, ici un disque, là une cravate
choisie par Anne-Aymone. Le ministre des Finances précise
toujours ce détail avec gourmandise.

L'opposition elle-même se laisse parfois impressionner par
ce ministre qui semble touché par la grâce. Dans un débat à
Europe 1, François Mitterrand veut bien lancer à VGE : « Je ne
me serais sûrement pas déplacé si ce n'était vous. »

En manifestant tant d'empressement, Jacques Chirac ne fait
donc que participer, comme beaucoup d'autres, au culte de
VGE. Sans trop d'arrière-pensées. En effet, entre Georges
Pompidou, depuis son installation à l'Elysée, et VGE, s'est
instauré un modus vivendi d'une grande cordialité apparente.
Il est le fruit d'une longue réflexion menée par le ministre des
Finances pendant son éloignement du pouvoir. Il en a tiré deux
sages conclusions : premièrement, ne jamais défier le président
en exercice ; deuxièmement, ne jamais défier le Premier ministre en place (une réflexion dont Jacques Chirac ne s'inspirera
pas, quelques années plus tard).

Et la classe politique de remarquer sa déférence appuyée à
l'égard du chef de l'Etat et ses efforts pour faire de chacune de
ses audiences hebdomadaires dans le bureau de l'Elysée un
examen de passage d'où il doit sortir avec mention très bien.

Même s'il est parfois agacé par ce qu'il a appelé une fois
« tout ce tintouin de Giscard », le président de la République
ne peut se retenir d'admirer, en son ministre des Finances, une
belle mécanique qui tourne rond et vite. Une collaboratrice du
président défunt précise : « Giscard n'était pas toujours à
l'heure à ses rendez-vous de l'Elysée, c'était la seule chose qui
agaçait le président. »

Toutefois, personne n'est dupe. Les initiés le savent : derrière ce *gentlemen's agreement*, se cache le plus courtois des chacun-pour-soi et le moins catholique des Dieu-pour-soi-aussi. Mais si loin des grandes échéances électorales, Jacques Chirac peut tout à fait s'autoriser de touchantes attentions pour son patron. D'ailleurs, aucun différend théorique ne les oppose.

En août 1969, le secrétaire d'Etat au Budget se dit quand même très vexé de ne pas avoir été mis dans la confidence de la dévaluation de 11,1 p. 100 du franc décidée alors. « Me faire ça à moi ! » ronchonne-t-il devant quelques journalistes.

L'une des conditions de réussite d'une telle opération est, on le sait, l'effet de surprise. Il faut donc qu'un minimum de personnes soient dans le secret. Elles sont huit — Georges Pompidou le président, Jacques Chaban-Delmas le Premier ministre, Valéry Giscard d'Estaing et cinq hauts fonctionnaires : Olivier Wormser, gouverneur de la Banque de France, Bernard Clappier, premier sous-gouverneur de l'Institut d'émission, responsable des questions internationales, Michel Jobert, secrétaire général de l'Elysée, Jean Serisé, directeur de cabinet du ministre des Finances, et René Larre, directeur du Trésor. Georges Pompidou lui-même avait donné son accord pour qu'il n'y en ait pas neuf !

Quant à la cause de la dévaluation, Jacques Chirac ne s'interroge pas sur son opportunité. Déjà, en 1968, lorsque le général de Gaulle a songé à effectuer une telle opération, il a été l'un des rares ministres à plaider en sa faveur. Au dernier moment, le Général y a renoncé. Le secrétaire d'Etat au Budget sait trop bien (on le lui a assez enseigné sur les bancs de l'ENA) que lorsque les salaires augmentent trop fort — comme après Mai 68 —, les patrons, manquant de trésorerie, sont obligés de répercuter cette hausse des salaires sur les prix de vente. Du coup, les produits français ne sont plus compétitifs. Il faut dévaluer. C'est une recette éprouvée.

Jacques Chirac fait volontiers siens les grands principes économiques de VGE : l'équilibre du budget (un temps, le ministre des Finances songe à faire inscrire ce principe de l'équilibre dans une loi organique, ce qui poserait quelques problèmes aujourd'hui), l'équilibre du commerce extérieur, la non-augmentation de la pression fiscale.

Le jeune secrétaire d'Etat s'accommode d'autant mieux de ce ministre si libéral par principe et si dirigiste par tempérament

— qui a des théories sur tout, mais laisse venir l'événement et s'y adapte — que lui-même ne passe aux yeux de personne pour un doctrinaire enragé. En effet, on n'imaginerait vraiment pas Jacques Chirac se dressant la nuit sur son lit pour se demander, l'angoisse au ventre, si telle mesure discutée la veille donne, tout compte fait, plutôt raison aux visions de Keynes qu'aux raisonnements de Samuelson ou de Milton Friedman.

Avec le recul, comme il semble doux, le temps du début des années soixante-dix ! L'inflation est tout juste rampante (5 p. 100 par an), l'expansion l'une des plus fortes du monde, il y a peu de chômeurs (trois cent cinquante mille), l'énergie est bon marché, les carnets de commandes sont pleins, les industriels euphoriques et actifs.

Un très sérieux rapport de l'Hudson Institute prédit : « En 1980, la France sera la quatrième puissance économique, après les Etats-Unis, l'URSS et le Japon et avant l'Allemagne. » On parle de miracle, de renaissance française. Heureux Français, qui ne savent pas leur bonheur !

Dans tous ses discours, M. Giscard d'Estaing déploie un talent inné pour persuader ceux qui l'écoutent que cet air du temps si grisant est pour partie un chef-d'œuvre personnel.

Devant ses visiteurs, Georges Pompidou se félicite de celui qui a mené à bien la dévaluation : « C'est, dit-il, Giscard qui en a choisi et le taux et la date. Il l'a réussie dans une période de haute conjoncture économique. Chapeau ! »

Politiquement, le ministre et son secrétaire d'Etat, qui appartiennent à deux clans rivaux, ont la particularité commune d'être l'un et l'autre peu aimés de la troupe gaulliste, forte du poids de deux cent quatre-vingt-treize députés (la majorité de l'Assemblée à elle toute seule).

Mais, paradoxalement, des deux hommes, c'est encore le pompidolien inconditionnel, le protégé de l'Elysée dont la cote d'amour est la plus maigre. Les barons gaullistes ne perçoivent en lui qu'un gamin arriviste qui ferait mieux de faire ses classes au Parlement que de se pavaner en Conseil. Il a un peu trop tendance, jugent-ils, à voler la place qui leur revient de droit dans l'attention du président de la République. En novembre 1970, le jour de la mort du général de Gaulle, Georges Pompidou ne l'a-t-il pas retenu à déjeuner avec les barons à l'Elysée, lui qui n'a ni galon ni chevron dans le gaullisme historique ? Ils n'ont pas apprécié.

Les députés, un peu envieux, éprouvent, eux, une pointe d'irritation envers ce pair qui monte trop vite, sans avoir jamais siégé au Parlement, et qui n'a même pas la correction de paraître s'intéresser à leurs soucis.

En regard, VGE est beaucoup mieux loti. Il n'entraîne sûrement pas l'adhésion du cœur et des tripes du bataillon gaulliste. Mais quand le député de base UDR parle du ministre des Finances, il emprunte tout naturellement les accents de l'office pour parler du château.

Le paradoxe éclate à propos de la « Nouvelle Société » de Jacques Chaban-Delmas. Ce n'est sûrement pas la personnalité du Premier ministre qui captive le plus le ministre des Finances. Il lui semble même un tantinet désinvolte, ce Chaban qui dégouline de bonheur, ruisselle de gentillesse et déborde d'affection.

Il affuble ses interlocuteurs de petits noms familiers : « Je vous aime, mes petits chats », lance-t-il d'une tribune aux députés UDR réunis le 10 septembre 1969 à Amboise. Ils n'en reviennent pas. « Tiens, voilà l'oisillon. » C'est ainsi qu'il accueille Jacques Chirac à Matignon.

Et puis il est agaçant, avec sa façon de courir plus que de marcher, de grimper les escaliers quatre à quatre comme un cabri quand on le regarde, « alors qu'il prend l'ascenseur comme tout le monde quand il est seul », soutiennent les méchantes langues.

Et puis il émaille ses commentaires politiques d'expressions qui relèvent plus des vestiaires et des chambrées (pourtant il sait user d'un beau français bien classique).

Pour VGE, tout cela manque un peu de classe...

En fait, peu de personnes le savent : Chaban, ce faux extraverti, inonde ceux qui l'approchent sous des flots de compliments pour mieux s'en protéger. A chacun ses défenses.

Les thèmes du grand discours lancé par le Premier ministre de la tribune de l'Assemblée, le 16 septembre 1969, sont allés, en revanche, droit à l'intelligence du ministre des Finances.

Alors que la France fume encore de l'explosion de Mai 68, Jacques Chaban-Delmas nourrit la conviction intime qu'il faut débloquer la société, rajeunir le paysage français. Et passer « de la pompe espagnole dans un décor à la Sadi Carnot », comme le dit Alexandre Sanguinetti, à une mise en scène plus naturelle · celle d'un happening savant qui offrirait aux Français l'ivresse sage de la liberté, la griserie retenue de l'égalité et l'illusion polie de la fraternité.

Face à une grosse majorité bien placide qui n'en croit pas ses oreilles, il propose une modernisation des rapports entre l'Etat et les entreprises publiques, avec ces fameux contrats de programme qui donnent plus d'autonomie à leurs dirigeants. Il veut changer les relations industrielles entre les patrons et les syndicats, grâce à la concertation permanente et ces célèbres contrats de progrès où les deux parties décident ensemble une élévation raisonnable du pouvoir d'achat. Il réfléchit aussi à la formation permanente, qui devrait permettre aux travailleurs de s'épanouir à la tâche. Il croit à l'autogouvernement des universités. Il lance l'idée de libéralisation à la télévision, en créant la compétition entre les deux chaînes et, innovation inouïe, deux journaux d'information concurrents chaque soir. (Qui se rappelle qu'avant 1969, la France entière était condamnée à un journal de 20 heures, unique et indivisible ?)

Beaucoup de commentateurs — même avancés — jugent le propos authentiquement novateur et d'inspiration presque mendésiste.

Dans ce grand discours, le Premier ministre accommode à la sauce Chaban une série de réflexions menées depuis cinq ans par le club Jean Moulin, cette association de gauche moderniste.

Pour mettre en forme sa Nouvelle Société, il reçoit l'aide d'un ancien syndicaliste CFDT, imaginatif, au tempérament d'écorché vif : Jacques Delors. D'un brillant et séduisant inspecteur des finances, venu de la Résistance et de la gauche, ex-conseiller technique de Pierre Mendès France : Simon Nora. Un jeune normalien, semblant sortir tout droit d'une des *Nuits* de Musset, y est allé de sa plume. Il s'appelle Yves Cannac. (Quelques années plus tard, VGE lui demandera de venir dans son cabinet.)

Or, dans cette Nouvelle Société, Valéry Giscard d'Estaing, qui n'aime rien tant que les idées nouvelles, hume l'exquise senteur d'un libéralisme avancé encore dans les limbes. Il perçoit l'ébauche d'un lifting des rapports sociaux. Il s'émerveille d'y voir la promesse d'enfantement d'une majorité nouvelle plus ouverte. Il s'agit là, croit-il, de l'évolution indispensable du gaullisme vers cette France du centre dont le destin, il l'espère, lui promet d'être un jour le bénéficiaire. Et lui seul. En un mot, en applaudissant si fort cette Nouvelle

Société, VGE fait du chabanisme en le sachant, alors que Jacques Chaban-Delmas fait du giscardisme sans le savoir. A la mi-décembre 1969, le ministre des Finances invite le Premier ministre à clôturer le séminaire de réflexion des républicains indépendants, qui se tient à Courbevoie (Hauts-de-Seine). Au-dessus d'une tribune bleue, fleurie, comme il se doit, d'anémones, une grande pancarte blanche proclame : « Séminaire permanent de propositions pour la Nouvelle Société. »

Devant une assemblée de jeunes cadres en blazer et cravate club et de militants qui en seront presque tourneboulés, Valéry Giscard d'Estaing et Jacques Chaban-Delmas vont rivaliser d'audace. C'est à celui qui sera le plus moderne, le plus progressiste. L'un parle de participation, l'autre de réforme de l'entreprise. L'un parle d'amour du prochain, l'autre forme le projet de libérer l'homme. Les deux compères d'un jour, tout sourire, communient dans un grand élan libéral. C'est le temps des : « Cher Valéry, cher Jacques. » Dans sa conclusion, M. Giscard d'Estaing annonce même à Jacques Chaban-Delmas, qui n'en demande pas tant : « Dans les mois à venir, les RI organiseront une série de séminaires régionaux où les militants auront pour tâche d'affiner et de préciser le contenu de la Nouvelle Société. »

Mais, curieusement, après cette belle réunion chabano-giscardienne, jamais plus le leader des républicains indépendants ne prononcera en public le terme « Nouvelle Société », qui disparaît de son horizon personnel sans laisser d'adresse. Au congrès d'octobre 1971 à Toulouse, il l'a remplacé par celui, plus prudent sinon plus élégant, de : « Société protectrice de l'homme » (SPH).

Comme il est peu concevable que M. Giscard d'Estaing, notoirement sain de corps et d'esprit, ait été frappé d'amnésie foudroyante, l'évanouissement de la Nouvelle Société dans ses discours n'est pas le fruit du hasard. Bien évidemment, il l'a décidé pour une raison simple : il ne veut en aucun cas déplaire au président de la République, en vertu de la ligne de conduite qu'il s'est tracée. Car, au moment où il s'enthousiasme pour les projets de Jacques Chaban-Delmas — qui reçoit justement des échos favorables dans tout le pays « profond » —, l'Elysée fait la moue, pince les lèvres et tord le nez.

C'est qu'il se trompe de république, le Premier ministre, en jouant les présidents du Conseil qui fixent de leur propre chef les grandes orientations de la politique gouvernementale sans songer à en référer au chef de l'Etat... Apparemment, il n'a pas compris que, depuis 1958, le pouvoir et son inspiration ont traversé la Seine. Georges Pompidou en est rouge de colère. Et puis, juge-t-il, tout ce programme, « c'est de la poudre aux yeux pour épater la gauche parisienne qui lit *le Nouvel Observateur* ».

Ah ! ce n'est pas lui, Georges Pompidou, qui se réclamerait d'un tel slogan : « La Nouvelle Société. » La preuve ? Pendant sa campagne présidentielle, en juin 1969, tout inspirée de cette idée clef : « Le changement dans la continuité », il cherchait la formule magique qui aurait symbolisé ce thème tout en le personnalisant : « La petite faveur rose pour nouer le paquet », commente, en 1980, Marie-France Garaud.

Avant le premier tour des élections, Olivier Guichard lui avait apporté, consignées sur un papier, une série de formules dont justement la « Nouvelle Société ». Après y avoir jeté un œil, le candidat Pompidou avait rayé ce terme en expliquant : « Si je dis " nouvelle ", les Français croiront que je rejette le passé et même le général de Gaulle. Impensable ! Quant a " Société ", on pourrait penser à la " Jet Society ", il faut être sérieux ! »

Alors, quelle n'est pas la surprise du président de la République d'entendre, quatre mois à peine après son élection, ce Premier ministre soigneusement choisi par lui reprendre à son compte ce slogan sans en avoir même demandé la permission ! « Il en a les sangs tournés », comme on dit à Cajarc. Car les propositions contenues dans le discours du Premier ministre sont dangereuses à plus d'un titre.

Georges Pompidou juge qu'il est parfaitement stupide de vouloir faire la politique de la gauche alors qu'elle vient de se faire battre à plate couture et que le gouvernement peut s'appuyer sur une majorité comme on en rêve toute une vie (trois cent cinquante députés sur quatre cent quatre-vingt-onze). Avec cette politique, croit-il, on mécontente infailliblement ses électeurs à soi, sans en gagner un seul dans l'opposition. « Chaban ne connaît qu'une recette magique : sa cuisine bordelaise, qu'il mijote depuis vingt-deux ans à Bordeaux avec les socialistes et les radicaux », grince l'entourage du président.

Quant à l'égalité, cela n'existe pas. En tentant de placer tout le monde au même niveau, on frustre ceux qui descendent, les cadres par exemple. et ceux qui montent n'en savent jamais gré au gouvernement.

Et puis ces idées sont largement inspirées par la CFDT. En les reprenant à son compte, Chaban court le risque de mécontenter la CGT, qui a été si coopérative pendant les événements de Mai 68. Cela peut inutilement troubler l'alchimie syndicale si fragile. Proposer la concertation permanente entre patrons et syndicats, cela revient à instaurer l'anarchie, attenter à l'autorité des dirigeants, qui vont perdre leur temps en conciliabules stériles. Le chef de l'Etat l'a répété à plusieurs reprises : « On ne négocie pas avec les syndicats. Quand une crise survient, il faut qu'elle se développe jusqu'au moment où il faut savoir céder. »

En fait, Georges Pompidou n'a jamais cru à ces chamboulements qui se décident entre intellectuels inspirés dans des cénacles enfumés. Son credo à lui est simple : c'est l'industrialisation, le plein emploi, le pouvoir d'achat des citoyens qui progresse chaque année. « Rien n'est plus gratifiant, dit-il, qu'un peu d'inflation. »

Enfin, en suggérant la compétition et l'ouverture à la télévision par la création de deux journaux concurrents, mais surtout en confiant la responsabilité de l'un d'eux au diable Pierre Desgraupes le Premier ministre ne fait rien d'autre que de confier l'information à un ramassis de gauchistes qui ne rêvent que de pagaille — en 1980, Charles Pasqua, conseiller de Jacques Chirac, précise : « Avec son arrivée, quatre-vingt-dix journalistes de nos amis, qui avaient tenu le coup en Mai 68, étaient écartés. » Et l'Elysée prend d'autant plus mal cette nomination que, quelques jours plus tôt, dans un tête-à-tête, Chaban avait bien avancé le nom de Pierre Desgraupes. Georges Pompidou avait grogné : « Bon, on verra. » Façon de dire : « Non. » Le Premier ministre avait compris, ou voulu comprendre, qu'il avait le feu vert.

Certes, dans une lettre ouverte publiée par *Télé 7 jours*, le candidat Pompidou avait vertueusement écrit : « Une démocratie qui respecte la dignité de l'individu doit lui apporter nécessairement une information complète et l'exposé contradictoire des diverses tendances de pensée, en lui donnant le choix de l'information, que ce soit par la presse, le cinéma, la télévision ou la radio. Nulle part il ne faut que ce soit la carte forcée. »

Mais, une fois élu, Georges Pompidou n'a demandé à personne de prendre ses engagements au pied de la lettre. Surtout pas au Premier ministre ! Chacun le sait, le roi de France doit oublier les promesses du dauphin. Et Jacques Chaban-Delmas est bien naïf de ne pas savoir que la couronne vous change un homme et le sceptre un caractère.

La réaction ne tarde pas. Peu à peu, Matignon se voit dépossédé d'une grosse portion de pouvoir. Tout doit passer de plus en plus par l'Elysée. Les conseils restreints, présidés par Georges Pompidou en personne, vont peu à peu se substituer aux comités interministériels réunis par Chaban. Malgré tout, la Nouvelle Société sera mise en musique. Mais, dans la loge, le président n'applaudit que de deux doigts.

Le 19 septembre, trois jours après le grand discours sur la Nouvelle Société, le désaccord est scellé entre les deux hommes. Témoin, ce curieux dialogue entre le président de la République et son Premier ministre, certifié en 1980 par ce dernier :

G. POMPIDOU. — Alors, monsieur le Premier ministre, vous voulez flanquer la pagaille ? Comme si nous n'en sortions pas !

J. CHABAN-DELMAS. — Si nous ne tentons pas une ouverture vers certains radicaux de gauche et quelques socialistes, vous verrez, ils finiront par signer un programme avec les communistes avant les législatives de 1973.

G. POMPIDOU (railleur). — C'est de la rigolade ! D'abord, nous sommes en 1969, nous avons le temps de voir venir, et puis, vous voyez des socialistes comme Guy Mollet, et même des François Mitterrand signer plus qu'un accord électoral avec des communistes ? Vous n'y pensez pas !

J. CHABAN-DELMAS. — Si vous jugez que nos lignes politiques divergent de trop, je suis prêt à vous remettre ma démission.

Mais un changement de Premier ministre à l'automne 1969, c'est trop ou c'est trop tôt. Le président de la République ne veut pas se séparer d'un chef de gouvernement qu'il vient de nommer. Il se désavouerait lui-même (son conseiller Pierre Juillet l'y pousse pourtant).

Il serait maladroit de renvoyer un homme dont 60 p. 100 des Français se disent satisfaits, alors que le président de la

République lui-même, pour la première et seule fois sous la Ve République, est distancé de dix points par son Premier ministre. Mais Georges Pompidou le sait, il ne pourra pas non plus gouverner très longtemps avec un Premier ministre plus populaire que lui et qui se fait une autre idée de la France. Quelques jours après cet échange pour le moins tendu, Robert Poujade, le secrétaire général de l'UDR, qui s'est abandonné jusqu'à dire tout haut son enthousiasme pour la Nouvelle Société, est à son tour fraîchement reçu par le chef de l'Etat.

Georges Pompidou : « Alors, monsieur le secrétaire général, vous aimez les idées neuves ? Vous qui êtes un universitaire, vous devriez savoir qu' " idée neuve ", en latin, cela se dit " Res nova ". Mais " res nova ", cela veut dire aussi " révolution. » Et, de ce jour, le président interdit à l'UDR d'employer le terme de « Nouvelle Société ».

Dans ce contexte, il est donc inimaginable que Jacques Chirac, le fidèle mameluk de Georges Pompidou, puisse considérer avec une once d'indulgence la politique du Premier ministre. Dès octobre 1969, il confie — en toute solidarité gouvernementale — à des journalistes qui ne lui demandent rien : « Chaban n'est pas un homme d'Etat. »

Il serait toutefois trop simpliste de penser que le secrétaire d'Etat au Budget soit hostile aux idées défendues par le Premier ministre uniquement pour ne pas déplaire au président de la République. En réalité, le jeune homme lige de l'Elysée a une conviction intime : la vocation des hommes politiques n'est pas d'anticiper les mouvements sociaux, mais de les canaliser, de les désamorcer. Quand le tissu social se déchire, il faut, croit-il, colmater les brèches à coups de subsides. La recette a admirablement réussi en Corrèze et personne ne l'ignore : la Corrèze, c'est la France.

Quatre ans plus tard, cette vision des choses l'empêchera d'adhérer jamais aux idées de réformes de Valéry Giscard d'Estaing, président de la République. Il le regardera toujours comme les paysans du centre de la France contemplaient, la bouche grande ouverte, au début du siècle, les premières De Dion-Bouton, qui fonçaient à soixante à l'heure.

Mais si Jacques Chirac n'hésite pas à condamner un Jacques Chaban-Delmas qui a fourbi des idées si hétérodoxes, en revanche, il ne tient pas rigueur au ministre des Finances d'avoir succombé publiquement aux délices de l'innovation. Car il en est sûr : la saison suivante l'aura complètement démodé aux yeux de Valéry Giscard d'Estaing. Et l'abandon rapide par celui-ci des termes de « Nouvelle Société » dans ses discours lui confirme, quelques semaines plus tard, la justesse de cette analyse.

En ce début de septennat pompidolien, la préoccupation majeure de Jacques Chirac n'est ni de refaire la France, ni de rebâtir le monde. Il veut tout simplement conduire au mieux sa carrière.

Tous les espoirs lui sont permis : le président ne lui a-t-il pas confié la gestion de la fondation Claude-Pompidou, de la même manière que Georges Pompidou avait été chargé par le général de Gaulle de s'occuper de la fondation Anne-de-Gaulle ? Pour la classe politique, ce signe ne trompe pas. Jacques Chirac fait bien partie du cercle des privilégiés.

Lorsqu'on a trente-sept ans et qu'on brûle d'impatience, comment savoir si l'Elysée pense à vous tous les jours et si vous êtes bien en tête de liste des espoirs de la nouvelle génération ? Le mieux est encore d'aller contrôler sur place l'évolution de votre propre cote.

Or, au premier étage de l'Elysée, se trouve dans un bureau le meilleur des baromètres : un couple tout-puissant, aux couleurs de muraille, qui fait la pluie et le beau temps dans le Landerneau majoritaire. Pierre Juillet et Marie-France Garaud ont la réputation de surveiller les élus de la majorité avec le flair et l'esprit de décision d'un bon agent de change devant les variations d'un portefeuille d'actions. Pour eux, un ministre, un député, ce sont des valeurs qui montent ou qui descendent, soudainement et à leur gré. On les achète ou l'on s'en débarrasse.

Sur Jacques Chirac, c'est clair, ils ont décidé de faire une OPA. Ils achètent. Jacques Chaban-Delmas, lui, avec sa Nouvelle Société, a préparé son vendredi noir. A leurs yeux, il faut le rayer de la cote. Ils vendent.

Mais que sait-on vraiment de ce tandem en cet été 1969 ? Il a quarante-sept ans, elle en a trente-cinq. Peu de gens ont le privilège de connaître le timbre de voix de cet homme râblé, noir de poil, au front têtu. C'est bien ce qu'il veut : Pierre Juillet adore le complot et l'ombre (à condition que tout le monde sache bien qu'il s'y dissimule), il ne déteste pas mettre en scène ses propres mystères. Tel Dracula. il s'enroule dans des capes de bure et s'appuie sur une canne à pommeau d'argent (il boite légèrement, séquelle d'un accident de voiture dans sa jeunesse). On lui prête des liens passés avec le SDECE, où « Belvédère » aurait été son nom de code.

Elle est grande, belle, brune. Elle se coiffe souvent d'un strict chignon noué sur la nuque. Quand elle s'installe à l'Elysée, elle s'habille encore de classiques twin-sets de cachemire, avec un rang de perles sage, comme toutes les cousines de bonne famille de province. Elle ne porte pas encore les somptueux tailleurs Chanel qui accompagneront son ascension auprès de Jacques Chirac. Elle a le nez retroussé, la lèvre moqueuse. altière, gourmande. Un air très étrange de biche dominatrice. Elle parle net et cru, abuse de métaphores amoureuses, rustiques et guerrières. Sacher-Masoch serait mort de plaisir sous ses coups de fouet.

Lui est un provincial sorti tout droit de la *Comédie humaine*. Il est avocat de formation et a exercé à Aubusson. Il est frère et fils de préfet de la IIIᵉ République. Il a des terres et une maison de maître à Puy-Judeau, dans la Creuse (à soixante kilomètres du château de Bity de Jacques Chirac), où il élève des moutons et se passionne pour les croisements ovins français et écossais. C'est bien sa seule façon d'être européen. Il a été résistant. Un baron explique : « A la Libération, il a failli être trucidé par les FTP, dans les maquis de la Creuse. Il en a déduit pour toujours que les communistes n'étaient pas des Français. »

Il est gaulliste et s'est donné corps et âme au RPF (Rassemblement du peuple français) dès sa création. En 1947, il devient délégué pour la Creuse. En 1948, il est chargé de mission pour le Sud-Ouest. Il s'y fait une réputation d' « homme pas très communicatif, qui aime la solitude et la tranquillité, mais plein d'humour ».

Il pousse la fidélité jusqu'à épouser une secrétaire du général de Gaulle, Mˡˡᵉ Annick Mousnier. Il ne sera jamais l'intime de l'homme du 18 Juin. Il ne sera jamais un baron. Ceux qui le connaissent prétendent qu'il y a là une blessure qui ne s'est jamais cicatrisée en lui.

Pendant la traversée du désert du général de Gaulle, il s'exile en Belgique comme directeur de l'agence de presse Opera Mundi, dont le patron est Paul Winckler (aujourd'hui directeur général de *France-Soir*). Il faut bien vivre ! Ses amis assurent :

« Avant de partir pour Bruxelles, Pierre a mangé de la vache enragée. Il avait des fins de mois difficiles. Il s'est occupé de fret aux Halles..Mais il n'a jamais voulu demander à son préfet de frère de lui trouver un emploi. » Aucun des barons ne lui tend la main.

Quand le Général revient aux affaires, Pierre Juillet revient aussi... par la petite porte. Le voilà chef de cabinet d'André Malraux, ministre de la Culture. Avec lui, ce notable modeste parcourt le monde.

Mais quand Georges Pompidou est nommé à Matignon en avril 1962, Pierre Juillet est l'un des premiers appelés. L'homme fort du cabinet est Olivier Guichard. Il trône à l'étage noble : au premier. Juillet est au rez-de-chaussée, dans un grand bureau : celui des présidents du Conseil de la IVe République. Il veille sur le parti gaulliste, les fonds secrets et les investitures. A ce titre, il prépare les élections de 1967.

Il poursuit déjà les barons de son animosité : « C'est une confrérie de la courte échelle pour se partager les postes et les honneurs. Ce n'est pas le gaullisme, les barons. » Il ne cesse de répéter à Georges Pompidou : « Les barons vous trahiront un jour. » En 1974, on l'entend gronder : « C'est de leur faute si l'on a pu parler d'Etat UDR. »

Avant 1969, quand leur règne est à son apogée, Pierre Juillet est ulcéré de ne pas être convié au déjeuner hebdomadaire qui réunit Michel Debré, Jacques Chaban-Delmas, Roger Frey, Olivier Guichard, Pierre Lefranc et Jacques Foccart. Chaque fois, la mine défaite, il se demande quel complot ils peuvent bien ourdir sans lui. Il ressemble alors au Petit Chose sous les fenêtres du château.

Une fois installé à l'Elysée, Georges Pompidou appelle près de lui Pierre Juillet. Il a su se rendre indispensable. Aux yeux du nouveau président de la République, le pessimisme de son conseiller politique sur les hommes et les événements ressemble tant à de la perspicacité qu'il en fait son chargé de mission : le numéro un dans la hiérarchie élyséenne. En 1967, Juillet n'avait-il pas prédit : « Si nous ne faisons pas quelque chose avec les universités, nous allons au-devant d'ennuis graves » ? Marie-France Garaud assure même qu'il aurait avancé : « Ce régime mourra des scandales. »

Là où il est installé, Pierre Juillet veut un pouvoir fort, droit, sans peur et sans reproche. Il aime la vertu musclée, les idées carrées, les hommes tout d'une pièce. Il ne finasse pas. Il a une

sainte horreur des communistes, exècre les socialistes —
« Pierre Juillet voit la gauche comme une armée d'occupation
sur le territoire national », raille Alexandre Sanguinetti —, fuit
les centristes comme la peste, se gausse des réformateurs et
voit des combinards partout.

Dans son vivier personnel, nagent à grandes brassées Jacques Chirac, Pierre Messmer et Jean Royer, maire de Tours (un
ancien délégué du RPF, comme lui), baptisé le Père-la-Pudeur,
en raison de sa lutte inlassable contre la pornographie, et dont
la maxime favorite est : « Mieux vaut une serrure bien faite
qu'une tête bien pleine. »

Elle, Marie-France, est native du Poitou. Fille d'avoué cossu
Femme d'avocat discret. Elle est la mère aimante de deux
garçonnets. Elle possède un château, des terres, des moutons.
Si elle n'était pas montée à Paris, cette belle impérieuse aurait
brûlé ses feux à faire tourner la tête de la *gentry* locale. Les
femmes l'auraient épiée derrière leurs jalousies. Un jeune sous-
préfet se serait suicidé aux champs. Un chef d'escadron aurait
été muté à la hâte à Tombouctou. Elle aurait été l'Anna
Karénine de la Vienne. Enfin, voilà tout ce qu'on imagine en la
voyant, superbe et triomphante.

Dans la réalité, enfant, elle a été élevée pieusement chez les
sœurs et en a gardé mille préventions contre l'enseignement
privé. Elle aime les sports violents. L'équitation et la chasse.
Elle a dressé des chevaux. Selon de nombreux parlementaires,
il lui en est toujours resté quelque chose.

Elle a aussi beaucoup travaillé : d'abord dans son Poitou
natal où elle trouve le moyen d'achever ses études de droit et
d'accéder au barreau à tout juste vingt ans. Jean Foyer, alors
chargé de cours à la faculté de Poitiers, se souvient : « Je lui ai
enseigné la procédure civile. Elle passait pour l'étudiante la
plus intelligente de sa promotion. » Elle est reçue au concours
de la magistrature. Comme elle s'ennuie « comme une croûte
de pain derrière une porte » au ministère de la Marine, où elle
est contractuelle (elle a accompagné son mari dans la capitale
où il prépare l'agrégation de droit), l'un de ses cousins la
recommande à Jean Foyer, qui est passé des chaires universitaires aux fauteuils ministériels : il est garde des Sceaux. De
1961 à 1967, elle sera son attachée parlementaire, avec la
mission de faire voter à des sénateurs plutôt récalcitrants un
arsenal juridique pas très libéral avancé — création de la Cour

de sûreté de l'Etat, levée de l'immunité parlementaire de Georges Bidault.

C'est une période de travail intensif pour le ministère de la Justice (refonte du Code civil, du Code du commerce, réforme de l'adoption, des régimes matrimoniaux, etc.) Pendant le vote des projets, les parlementaires peuvent la rencontrer, tard le soir, dans les couloirs du Sénat ou de l'Assemblée nationale. Elle a du charme, du caractère, de l'opiniâtreté, et fait merveille. Mais elle acquiert en même temps, sur le tas, une certaine idée des élus et de leur maniement. Elle connaît leurs secrets intimes : « Pendant six ans, j'ai traité plus de onze mille dossiers d'intervention. Rares sont les députés auxquels je n'ai pas rendu service », avoue-t-elle en 1980.

En six ans, sa formation achevée, elle est devenue sans bruit la manipulatrice la plus efficace de Paris. Quand, en avril 1967, Jean Foyer quitte le ministère de la Justice, un certain Pierre Juillet (elle n'a jamais entendu parler de lui), du cabinet de Georges Pompidou, lui a trouvé une noble tâche : celle de veiller sur les députés de la majorité à l'Assemblée nationale, et particulièrement sur les élus centristes. Il s'agit de les convaincre de bien voter pour le gouvernement. Elle en accepte l'augure : elle connaît le métier !

Pendant dix ans, ce couple singulier va faire trembler la majorité.

D'emblée, tout les rapproche. Ces deux provinciaux aux racines bourgeoises et anciennes regardent avec les mêmes lorgnons la France éternelle, agreste et réaliste (la seule vraie France à leurs yeux). Tous deux ont la tripe nationale et droitière.

A posteriori, elle jure qu'elle penchait alors plutôt à gauche (elle a voté *non* au référendum de 1958). Jeune, elle lisait avec avidité Emmanuel Mounier. Quand elle arrive au cabinet de Georges Pompidou, elle est plutôt étiquetée comme centriste, parce qu'elle connaît bien René Pleven, Joseph Fontanet, Jean Poudevigne et Jacques Duhamel, ces centristes qui rallieront Georges Pompidou en 1969.

En fait, la vraie nature de Marie-France est d'être impitoyable pour les médiocres. Comme Pierre Juillet, elle abhorre les idées molles, déteste ce qu'elle appelle aujourd'hui l' « esprit centriste », qu'elle stigmatise comme le refus de faire un choix et d'en assumer les conséquences. « C'est, dit-elle, être complaisant avec le plus fort. »

Leur mode de travail est assez singulier. Avant d'entrer à l'Elysée, Pierre Juillet a posé ses conditions : « Pas d'horaires fixes et pas de notes. » (Pierre Juillet n'écrit jamais, il charge sa femme d'envoyer pour lui des missives. Des députés ont reçu des lettres de la main d'Annick Juillet ainsi libellées : « Pierre me charge de vous dire », etc.)

Il veut pouvoir revenir quand bon lui semble à ses moutons, mais aussi à sa Compagnie générale de voitures. Georges Pompidou l'y a fait nommer président en 1965. C'est un holding coté en Bourse, filiale de l'UAP, qui gère un domaine immobilier de garages, aujourd'hui spécialisé, entre autres, dans la fabrication et l'exportation de tuyaux en plastique.

Marie-France, au contraire, assure la permanence. Elle campe dans un bureau du premier étage de l'Elysée. Inlassablement, elle offre le thé aux visiteurs de passage. Elle a ce sens inné de la mise en scène chaleureuse, un don spontané de la formule qui pique et qui mord. Ainsi anesthésie-t-elle ceux dont elle attend discipline et soumission.

Officiellement, tous deux ne poursuivent qu'un seul but : celui d'être informés le mieux du monde des variations climatiques de la majorité et de la vie intérieure des partis pour l'édification de Georges Pompidou.

Mais deux autres desseins affleurent dans leur stratégie : ils veulent tenir en laisse les groupes parlementaires et y repérer les sujets d'avenir qui pourront faire pièce aux barons et progresser dans leurs propres carrières en leur devant, à eux deux, une reconnaissance éternelle.

Pour arriver à leurs fins, ils ont le tour de main. Marie-France sait tout : les espoirs secrets, les fautes inavouables de toute la classe politique. Pour se faire obéir, elle peut être tour à tour charmeuse, menaçante, voire cruelle. Georges Pompidou l'apprécie : « Il n'y a pas de problème dont elle ne vienne à bout avec vingt coups de téléphone. » Pierre Juillet convoque froidement les ministres dans son bureau. C'est là le prix qu'ils doivent payer pour une audience avec le président.

Elle règne sur les députés et se réalise dans le gouvernement des hommes. Il commande les ministres et exulte dans son rôle de faiseur de rois. « Ce sont des Médicis », dit Edgar Faure.

A eux deux, ils auront beaucoup promu, beaucoup déclassé,

beaucoup fait, beaucoup défait, beaucoup pesé et beaucoup humilié. Ils en tirent sur l'âme humaine des conclusions définitives dont l'excès de cynisme et d'intransigeance finira par les rendre myopes, à force de voir clair.

Tel est le couple peu banal auquel Jacques Chirac rend, chaque soir, religieusement visite et devoir. Et que Jacques Chaban-Delmas commet le crime d'ignorer. Le Premier ministre, qui ne veut pas de pouvoir parallèle, se fait ainsi deux ennemis jurés.

Auprès d'eux, le secrétaire d'Etat au Budget fait ses classes. Du pouvoir, il apprend les secrets, les nouvelles, les recettes. Quant il plaît, on le cajole, on l'entoure, on le conseille. Quand il agace, on le boude ou on l'ignore. Les ministres peu en cour auprès de ce duo racontaient alors : « Quand Chirac était aimable, nous étions tranquilles. Quand il nous battait froid, nous étions inquiets. C'était peut-être que nous n'allions pas tarder à être démissionnés. »

Ces cours du soir particuliers portent leurs fruits : le 7 janvier 1971, Jacques Chirac est promu ministre plein. Il hérite d'un portefeuille hautement politique : les relations avec le Parlement. Mieux, c'est un grand baron, Roger Frey, l'ami de Chaban, qui en est dessaisi au profit du poulain. Pierre et Marie-France ont fait coup double.

Le secrétaire d'Etat au Budget va donc devoir quitter la rue de Rivoli et Valéry Giscard d'Estaing. Lors de la présentation des vœux du cabinet, Jacques Calvet, le directeur, sort son mouchoir et s'afflige courtoisement du départ de Jacques Chirac. Le ministre des Finances ne veut pas de ces adieux de Fontainebleau larmoyants. Il rétorque : « Il faut au contraire se réjouir de cette belle promotion pour un ministre qui ira loin... Un jour, il me remplacera au ministère des Finances... Félicitons-nous d'une collaboration qui a été fructueuse. »

Evidemment, ni Valéry Giscard d'Estaing, ni Jacques Chirac ne se doutent qu'à peine trois ans plus tard l'un sera président de la République et l'autre son Premier ministre. Pour l'instant, ils ont fait connaissance, ils se sont épaulés, ils se sont appréciés, ils ne se sont pas confiés, ils ne se sont pas liés.

A l'aube de cette année 1971, la silhouette de Georges Pompidou s'est un peu épaissie. Sa démarche s'est sans doute alourdie. Mais chacun lui trouve bon pied, bon œil. Il semble plus attentif et perspicace que jamais. En normalien qui a lu

Gobineau, il range volontiers les hommes en quatre catégories : « Les fils de roi, les drôles, les imbéciles et les brutes. » Dans son esprit, à coup sûr, Valéry Giscard d'Estaing est fils de roi. A ses yeux, Jacques Chirac n'est pas un drôle, encore moins un imbécile. Pour l'instant, il est encore un tout petit peu à l'état brut. Si Dieu le veut, il deviendra, lui aussi, enfant de souverain.

3

La montée vers le pouvoir

En politique, seul l'imprévisible arrive toujours. Pour les acteurs de cette histoire — Valéry Giscard d'Estaing, Jacques Chirac et leurs conseillers —, l'inattendu surgit avec la maladie de Georges Pompidou. En quelques mois, elle bouleverse leurs plans, fait exploser leurs stratégies et bouscule leurs trajectoires.

Jusqu'à l'été 1972, personne, hormis le président de la République lui-même, ne se doute qu'un mal inexorable le ronge depuis plus de cinq ans et prépare, jour après jour, la vacance du pouvoir. La classe politique et les Français qui regardent la télévision sont simplement intrigués : Georges Pompidou se laisse aller, pensent-ils. Ses joues ont doublé de volume, il ne peut plus boutonner ses costumes. Il a « trop bon appétit », répond aux curieux le service de presse du palais présidentiel.

Quand certains députés UDR sont conviés à déjeuner à l'Elysée, chaque fois, sitôt le café avalé, ils s'en retournent dans les couloirs de l'Assemblée nationale raconter, sur le ton de la réprobation stupéfiée : « Pompidou a repris deux fois du sauté d'agneau et trois fois de la charlotte aux fraises. »

Les députés ne savent pas que, pour se soigner, le président doit absorber, entre autres médicaments, de la cortisone, qui exige un régime strict et sans sel pour éviter toute prise de poids. Mais Pompidou, en Auvergnat têtu qui refuse la maladie, ne veut pas se plier à cette discipline : sa façon à lui de nier une maladie qui le révulse.

Et tout ce beau monde innocemment cruel de se gausser d'une gloutonnerie qui vous a un petit air plébéien. A une époque où la mode impose à tous d'être jeune, mince, frugal, certains jugent même presque indécent ce robuste coup de fourchette et ce tour de taille trop avantageux.

Mais, pour tous, Georges Pompidou ne souffre que d'un trop-plein de santé. Comme la France ! Celle-ci va toujours bien, merci. On s'en congratule dans la majorité. Elle s'industrialise à pas de géant — des groupes de dimensions internationales se forment : Creusot-Loire, Pechiney-Ugine-Kuhlmann, Saint-Gobain-Pont-à-Mousson, BSN Gervais-Danone —, peu à peu elle s'équipe d'autoroutes grâce au financement privé (au grand dam de l'administration), le téléphone commence à sonner plus facilement et fait vieillir le sketch de Fernand Raynaud, « le 22 à Asnières ». Le niveau de vie du Français s'élève à une vitesse de rêve, la croissance galope au rythme de 5 p. 100 l'an, le chômage, avec quatre cent cinquante mille demandeurs d'emploi structurels (minimum incompressible selon les experts), ne fait pas vraiment problème.

Certes, quelques symptômes plutôt alarmants pointent çà et là : l'inflation, de rampante, commence à devenir grimpante — 5 p. 100 en 1971 et 7,3 p. 100 en 1973 — et le Marché commun a attrapé un curieux virus, qui fera plus tard des ravages, sous le nom de « mal britannique » (la Grande-Bretagne entre dans la Communauté européenne [1] le 1er janvier 1973).

Le président de la République, lui aussi, est affligé de symptômes curieux qui intriguent mais n'alertent pas encore. Des ministres le racontent : en Conseil, il est le plus souvent maussade, grognon, parfois même d'une humeur de dogue. Un geste lui est devenu familier : il ne cesse d'ouvrir et de refermer le poing et d'étirer les doigts. Devient-il acariâtre ? Souffre-t-il des articulations, est-ce un signe de nervosité ou de surmenage ? Personne ne tranche ni ne devine encore une catastrophe pathologique.

A la Noël 1972, le président est grippé. Pour recevoir les vœux de la presse présidentielle, il demeure calé dans son fauteuil. Cette mauvaise grippe dure des mois. Successivement, le président doit renoncer à présider un Conseil des ministres, à inaugurer le Salon de l'aéronautique du Bourget. Il annule la réception prévue pour la fête des Mères. « Il a attrapé froid dans le train en se rendant à Cajarc », explique son

---

1. Les Français se sont prononcés par référendum, en avril 1972, pour l'entrée de la Grande-Bretagne dans le Marché commun.

entourage. On apprend, à cette occasion, que l'Elysée serait parcouru de courants d'air persécuteurs. Bref, Georges Pompidou ne tient pas la forme. Mais il fait si froid dans son palais !

Et la gauche ? Elle va trop bien. On s'en afflige dans la majorité. Contre tous les pronostics, communistes et socialistes ont signé, le 26 juin 1972, un programme commun. Dès lors, dans l'opposition, la nostalgie n'est plus ce qu'elle était. Les militants sont ragaillardis et mobilisés.

Aux élections de mars 1973, les résultats sont encourageants. Ce n'est pas le raz de marée qui fait les renversements de majorité, mais la gauche passe de 96 à 176 députés (sur 487). Tout le monde gagne : le PC 39 sièges, les socialistes 48 et même les radicaux de gauche 3. Symétriquement, la majorité se déplume. L'UDR, qui partait fièrement avec 293 députés, ne retrouve que 184 élus, les républicains indépendants, un peu moins dégarnis, perdent 7 sièges et conservent 54 députés. Les petits centristes de Jacques Duhamel et de Joseph Fontanet ne sont plus que l'ombre du peu qu'ils étaient. L'UDR leur « prête » même cinq ou six députés élus sous sa bannière pour leur permettre de former un groupe. Un vent de panique souffle en rafales sur les états-majors. Mais tant que la majorité reste la majorité, plaie électorale n'est pas mortelle. Très vite on se console.

Est-ce l'inconscient qui l'inspire ? Comme s'il voulait, sans le savoir, adapter le terme de son mandat à l'évolution de son mal, Georges Pompidou choisit ce moment (le lendemain des élections législatives) pour proposer une réforme de la Constitution : la réduction du septennat en quinquennat — pour la fois d'après, bien sûr. Michel Jobert, qui est alors secrétaire général de l'Elysée, pense que « si la réforme avait été votée, Georges Pompidou aurait anticipé la mesure et serait parti avant la fin de son premier septennat ».

Les giscardiens sont enthousiastes. Les gaullistes se dressent vent debout contre ce successeur du Général qui ose défier les tables de la loi constitutionnelle. Michel Debré tempête, Maurice Couve de Murville lève un sourcil. La gauche refuse de se prêter à ce qu'elle prend pour une manœuvre.

C'est *non*. Le projet rentre dans son tiroir. Georges Pompidou semble très déçu. Une porte de sortie légale se ferme. Plusieurs députés attentifs supputent soudain que le chef de l'Etat ne se sent peut-être pas d'attaque pour rester quatorze ans à son poste. « Après les élections de 1973, il étudiait moins les

66

dossiers. Ses décisions étaient prises plus sur des notes que préparait son cabinet que sur une connaissance directe des affaires », confiera, en septembre 1974, Pierre Messmer.

Les yeux ne s'ouvrent vraiment que le 1er juin 1973. Georges Pompidou se rend à Reykjavik, en Islande, pour rencontrer le président Richard Nixon. A sa descente d'avion, les télévisions du monde entier renvoient l'image d'un homme au pauvre sourire, bouffi sous son chapeau, empourpré, mal assuré sur ses jambes, vulnérable. A coup sûr, malade.

De ce jour, la France est alertée. Dans les dîners politiques — dans les autres aussi —, dans les déjeuners d'affaires comme sur le formica des cuisines, on ne parle plus du chef de l'Etat que pour épiloguer sur le sort d'un homme éprouvé, dont la santé hésite et trébuche. A mots couverts, se propagent des termes qui font peur : cancer, bombe au cobalt et cortisone.

Si l'entourage élyséen veut bien admettre que le président soit fatigué, il nie la maladie : « Nous étions aveugles à vivre auprès de lui. Il prenait, certes, beaucoup de médicaments, mais il en a toujours pris. A Matignon, il en avait déjà plein ses tiroirs. Il se moquait de moi, qui n'ai jamais pris que de l'aspirine », dit Michel Jobert aujourd'hui.

En septembre, lors de son voyage en Chine populaire, il doit limiter ses déplacements et ménager ses forces. Déjà, ses hôtes apprennent à lui épargner tout effort inutile. Le mot d'ordre fait le tour des chancelleries.

Janvier 1974 : en visite à Poitiers, Georges Pompidou peut à peine marcher et semble dominer à force de caractère des douleurs qui jetteraient sur-le-champ neuf Français sur dix tout au fond de leurs lits. Il a des gestes d'impatience à l'égard de photographes trop empressés. A la télévision (qui sert un peu de bulletin de santé indiscret), le visage du président apparaît gonflé, déformé, presque tuméfié.

Quelques semaines plus tard, malgré tout, il s'en va encore retrouver Léonide Brejnev à Pitsounda, sur les bords de la mer Noire. Il dit à ses familiers : « Mes médecins me feront ce qu'ils voudront, mais j'irai. » A côté de lui, le numéro un soviétique, que l'on dit malade depuis si longtemps, a l'air juvénile et presque fringant. Leurs entretiens durent sept heures.

Au dernier moment, par courtoisie, les dirigeants du Kremlin renoncent d'eux-mêmes à l'un de ces lourds dîners officiels qu'ils affectionnent tant, au grand soulagement du président français.

Retour à Paris quelques jours plus tard. Il annule sa participation au grand dîner offert, une fois par an, au corps diplomatique, dans les salons de l'Elysée. Mme Pompidou fait seule, avec beaucoup de dignité, les honneurs de la présidence. Mais chacun se le dit : que ce président si dur au mal ait accepté de garder la chambre est bien le signe que la maladie empire. Un jour, n'a-t-il pas rétorqué à Denis Baudoin, chef du service de presse, qui lui conseillait de se reposer : « Chez moi, on ne se couche que pour mourir » ?

Le fait est si public qu'il faut bien l'expliquer. Un communiqué fameux, signé d'un spécialiste éminent, le Dr Vignalou, parle de « lésion bénigne d'origine vasculaire, située dans la région recto-anale ». Cette litote douloureuse est suivie aussitôt par l'annulation des voyages au Japon, puis en Allemagne fédérale. Tout déplacement est interdit. Toute cérémonie est un calvaire. Tout effort est un exploit.

La France profonde s'émeut. On songe au pire. Dans les états-majors, on révise en hâte les stratégies. On parle de démission ou d'élections anticipées. Le nouveau ministre de l'Intérieur, Jacques Chirac, dément tous les échos : « Rien ne permet d'imaginer que les élections présidentielles ne se feront pas à leur échéance normale. »

27 mars : dernier Conseil des ministres présidé par Georges Pompidou. L'atmosphère est poignante. « Je passe par des moments bien difficiles, confie-t-il à ses ministres, tout cela n'est pas agréable, mais n'aura qu'un temps. J'ai besoin de repos. J'irai à Cajarc. Ensuite, cela devrait aller mieux. » « Le ton du président est à la fois celui du courage, de la lassitude et de l'optimisme », relate Jean Mauriac, de l'AFP. A l'issue de cet émouvant Conseil, Jean-Philippe Lecat, porte-parole du gouvernement, déclare aux journalistes : « Dans trois mois, le président sera en pleine forme. »

30 mars : Georges Pompidou passe le week-end dans sa maison d'Orvilliers. Le 1er avril, on le transporte en hâte chez lui, dans son appartement de l'île Saint-Louis. Il y meurt quelques heures plus tard. Une septicémie a eu raison de ses dernières forces. La France a du chagrin et le pouvoir est vacant.

Dans la majorité c'est l'affolement. Y a-t-il un testament ? Un successeur explicitement désigné ? On égrène des noms, il y en a trois, il y en a quatre, c'est dire qu'il n'y en a pas.

De fait, Georges Pompidou n'a voulu choisir personne. Cela s'explique aisément : d'abord, en bon républicain, on ne choisit pas son successeur.

Ensuite, en homme malade qui évoquait, sur un ton sarcastique, son cancer hebdomadaire dans des déjeuners de presse, pour conjurer le mauvais sort, et qui oscillait chaque jour entre l'idée qu'il était perdu et l'illusion qu'il allait guérir, privilégier un successeur, ç'aurait été accepter sa mort, narguer la camarde et rapprocher la fin. Or rien ne presse et, dans ce cas-là, rien ne presse jamais.

En homme tout court — ainsi vous fait la nature —, il est bien rare d'éprouver une inclination spontanée pour celui qui va prendre votre place, quel qu'en soit le mérite ou la réputation. En politique, comme ailleurs, le prédécesseur est toujours un incapable et le successeur un imposteur.

Enfin, en homme politique madré, Georges Pompidou savait trop qu'un dauphin désigné, c'est un rival qui naît, qui s'installe, qui intrigue, qui vous pousse vers la sortie et attente à votre autorité. « C'est un homme qui vous prend le pouls chaque fois qu'il vous serre la main », disait le général de Gaulle. En outre, plusieurs prétendants guerroient les uns contre les autres, s'affaiblissent et se neutralisent. Il faut donc susciter plusieurs candidatures. Pour avoir bonne conscience, il suffit de se dire que c'est ainsi garder plusieurs fers au feu, pour le plus grand bien de l'Etat. Etant plus prosaïque ou plus réaliste, on s'avouera que diviser, c'est encore régner. Voilà pourquoi, plusieurs mois durant, on entend Georges Pompidou proférer successivement tant de jugements apparemment contradictoires.

Au lendemain des législatives, de mars 1973, il confie à des journalistes : « Si je ne me représente pas, Chaban [qui a quitté Matignon en juillet 1972] et Giscard seront candidats, et c'est Mitterrand qui gagnera. »

Le 4 avril 1973, il reçoit à déjeuner le groupe des républicains indépendants et leur leader. Après le bœuf mode aux carottes (il en reprend deux fois), Georges Pompidou se lève et déclare, en se tournant vers Valéry Giscard d'Estaing, assis à sa droite : « Je vous ai toujours dit que si vous étiez UDR, vous auriez la bénédiction de tous les députés de ce groupe que vous fascinez dès que vous leur parlez et qui vous maudissent dès que vous avez le dos tourné. Il faut que vous dépassiez ce cadre-là et que, tout en ayant vos amis autour de vous, vous apparaissiez comme une personnalité nationale. Il n'y en a pas beaucoup, trois, peut-être quatre, c'est tout. » Michel Poniatowski, assis à la gauche de Georges Pompidou, a enregistré ce petit discours au magnétophone, qui devient bientôt le tube de l'été pour les giscardiens.

Décryptons les propos présidentiels : il y a trois ou quatre hommes capables de me succéder, et vous, Valéry Giscard d'Estaing, êtes l'un d'entre eux. Georges Pompidou ne dit rien d'autre.

Pour le monde politique, en 1973, la plus claire des évidences est qu'il ne s'agit pas d'une intronisation en bonne et due forme. Néanmoins, les giscardiens jugeront ce pluriel suffisamment singulier pour pouvoir comprendre que leur leader vient ainsi d'être désigné comme le successeur. Dès lors, ils ne cesseront de s'en réclamer et de le faire savoir. Cette publicité portera ses fruits.

L'idée fait son chemin dans les cervelles majoritaires. Des ministres s'interrogent tout haut. Au point qu'en février 1974, une journaliste de *l'Express*, Michèle Cotta, retient de divers entretiens avec des excellences, notamment avec Jean-Philippe Lecat, ministre de l'Information, que Georges Pompidou a bel et bien choisi Giscard et pourrait le préparer à cette haute fonction en le nommant, par exemple, à Matignon, cette dernière marche avant l'Elysée. Or l'élection présidentielle n'aura lieu que dans deux ans.

Comme depuis des mois, Pierre Messmer n'a pas réussi à faire sa percée et qu'il n'est question que de son remplacement, Jean-Jacques Servan-Schreiber juge l'affaire assez mûre pour en faire la révélation fracassante dans son journal. Il titre : « Pompidou choisit Giscard. » C'est osé...

Avant la publication de l'article, il faut tout de même, quand on est prudent, obtenir confirmation de ce que l'on avance. Philippe Grumbach, directeur d'information de l'hebdomadaire, s'en va dans Paris, sa lanterne à la main, chercher la lumière. Où court-il ? A l'Elysée ? Nenni : rue de Rivoli. Il rend visite à Valéry Giscard d'Estaing. Lequel ne confirme pas, bien sûr, mais ne voit que des avantages à une publicité si opportune.

J-J S-S, qui n'est jamais timide, complète l'article de sa main : « C'est Valéry Giscard d'Estaing qui remplacera, avant la fin du mois, Pierre Messmer. » Stupeur à l'Elysée, mécontentement à l'UDR. C'est l'explosion.

Quinze jours plus tard, lors du remaniement, Messmer III

succède à Messmer II. En 1980, Marie-France Garaud est catégorique : « Jamais Georges Pompidou n'a songé à nommer Giscard à Matignon. » Quarante jours plus tard, Georges Pompidou rend l'âme.

Revenons en arrière : quelques semaines après son déjeuner avec le groupe RI, le président reçoit le bureau du groupe UDR et les anciens Premiers ministres gaullistes. Au dessert, après la glace au café, il explose : « Ah ! on me dit que Giscard est jeune, et intelligent, et en bonne santé, et prêt à me succéder. Et Chaban alors ! Il y a Chaban aussi, qui est très bien... » Et Chaban (gêné) de répondre : « Pour le cent mètres au sprint, je peux tout à fait le battre, mais pour l'état civil, je suis battu, hélas ! »

A l'automne 1973, recevant Roger Frey, Georges Pompidou dit encore : « Si je ne me représente pas, Chaban et Giscard seront candidats, et que le meilleur gagne ! » Chaban-Giscard, Giscard-Chaban, on n'en sort pas...

Dans l'avion qui le ramène de Pitsounda, où il a refusé à Léonide Brejnev de tenir à Paris une conférence sur le désarmement, le président de la République confie à l'un de ses collaborateurs : « Aujourd'hui le pouvoir politique, c'est le tir atomique. Aucun président de la IVe République n'aurait appuyé sur le bouton et vous voyez, vous, des Chaban ou des Giscard appuyer sur ce bouton ? » Chaban-Giscard, Giscard-Chaban, même refrain...

En février 1974, Georges Pompidou juge qu'il est grand temps de susciter un troisième larron. Au début du mois, il convoque Michel Aurillac, un ancien collaborateur de Matignon devenu préfet de Picardie, et lui tient ce langage : « Vous allez quitter votre préfecture et venir au cabinet de Pierre Messmer. Il faut que le Premier ministre monte dans les sondages, se fasse connaître et apprécier des Français. Il peut être candidat un jour. » (Deux semaines plus tôt, le même Georges Pompidou, examinant les mauvais sondages de son Premier ministre, disait, devant Michel Jobert : « Messmer ne pourra jamais être candidat. »)

A l'issue de sa visite, Pierre Juillet et Marie-France Garaud le confirment au préfet : « Si le président ne se représente pas, Pierre Messmer sera effectivement candidat. »

Au même moment, Denis Baudoin, chef du service de presse, est nommé à la direction de la délégation pour l'Information et reçoit lui aussi pour mission d'aider le Premier ministre à mieux se faire connaître de la France profonde. Las, celui-ci n'aura pas le temps de prendre son envol dans le cœur de Marianne. Mais avait-il des ailes ?

Pourquoi ce troisième prétendant ? Essentiellement pour freiner Valéry Giscard d'Estaing, qui, depuis six mois, fait ouvertement campagne, mais surtout pour contrer l'irrésistible ascension de Jacques Chaban-Delmas.

Depuis quatre mois, Georges Pompidou et ses conseillers ne décolèrent pas. En effet, aux assises de l'UDR, réunies à Nantes le 20 novembre précédent, les quatre mille militants se sont comportés comme si Georges Pompidou était enterré. Et sans fleurs ni couronnes...

Ils ont ovationné le maire de Bordeaux, au point d'en faire leur candidat aux élections présidentielles futures. Lequel Chaban, dans un grand élan lyrique, a entamé sur-le-champ sa campagne et demandé, sous les applaudissements, rien moins qu'un exécutif européen.

Michel Debré, lui, sous les vivats de la salle, s'est porté candidat à la présidence de l'UDR. Un poste de haut rang, dont nul n'ignore que le président de la République n'a jamais voulu entendre parler (ce n'est pas l'usage dans la Ve République). « Vous voudriez un Brejnev à côté de moi ! » bougonne-t-il quand Albin Chalandon agite l'idée devant lui.

Dissimulés dans la foule parmi les militants, Pierre Juillet et Marie-France Garaud écument de rage, et ce d'autant plus que, malgré leurs efforts, leurs protégés, Pierre Messmer, Jacques Chirac et Bernard Pons, venus en service commandé pour faire applaudir Pompidou, ne soulèvent guère l'enthousiasme.

Certes, le Premier ministre est frénétiquement applaudi quand il parle d'ordre et d'autorité. Mais c'est une froideur polie et délibérée qui accueille ses exhortations à l'unité dans la mouvance du chef de l'Etat.

Jacques Chirac provoque quelques sifflets en lisant un texte à la gloire de la politique pompidolienne, texte publié par *le Monde* avant même d'avoir été prononcé. Seule, Marie-France Garaud, assise parmi les militants du Poitou, exprime sa satisfaction à haute voix : « En voilà un jeune homme qui parle bien », dit-elle. Et c'est sous les huées que Bernard Pons lance de la tribune : « Critiquer le ministre des Finances, c'est s'en prendre à la majorité tout entière, donc au choix du président de la République. »

Evidemment, aujourd'hui, on croit rêver. « J'ai dit cela, explique en 1980 le même Bernard Pons devenu secrétaire général du RPR, parce que le président m'avait dit qu'au nom de la solidarité gouvernementale, il ne voulait pas que l'on attaque Giscard. » « Pons n'a rien compris : " Ne dites rien contre Giscard au nom de la solidarité gouvernementale ", cela voulait dire : " N'en faites pas trop contre lui, mais vous pouvez l'attaquer quand même! " », traduit curieusement Michel Jobert aujourd'hui.

En cet hiver 1973, les charmes du pompidolisme semblent déjà épuisés aux yeux des bataillons de l'UDR. Pour les stratèges de l'Elysée, il faut donc réagir, d'où le lancement de la candidature Messmer, la seule qui ne risque pas de nuire au président. En attendant mieux!

A cette même époque, Georges Pompidou confie à Michel Debré : « Je ne laisserai sûrement pas la France à M. Giscard d'Estaing. Ce n'est pas lui l'héritier. »

Plus tard, en février 1974, dans un dîner privé, il dit à l'un de ses bons amis, Michel Guy (futur secrétaire d'Etat à la Culture de VGE) : « Si des élections présidentielles avaient lieu aujourd'hui, Chaban gagnerait et c'est pourtant Giscard le meilleur. »

A Alain Peyrefitte, il déclare aussi : « La Nouvelle Société, ce n'était pas si mal, cela faisait rêver les Français. »

Mais que croyait vraiment, au fond de son cœur, cet homme malade qui ne pouvait penser et agir autrement qu'en sursitaire ? Dieu seul le sait...

Lorsqu'il était élève rue d'Ulm, à l'Ecole normale Supérieure, Georges Pompidou avait fait sienne cette pensée confucéenne : « Il faut laisser venir à soi la vie. » Et la vie était venue à lui, déversant sur sa tête une corne d'abondance de lauriers et de succès. Parvenu au sommet de la gloire, voilà qu'elle se retirait, la vie, jour après jour, et lui, impuissant à la retenir, il la laissait repartir comme il l'avait regardée venir. Il n'y avait rien d'autre à faire.

Mais les autres acteurs de cette histoire ne pouvaient se transformer pour autant en simples spectateurs. Ils étaient peut-être inquiets, sans doute touchés. Pourtant il leur fallait agir. Nous allons les saisir dans cette action.

VALÉRY GISCARD D'ESTAING

Quand on nourrit l'ambition de gouverner un jour la France, il faut toujours se tenir prêt. Pendant seize ans de vie politique, jamais Valéry Giscard d'Estaing ne laisse passer l'occasion de faire savoir au bon peuple qu'il est le plus doué, le meilleur des prétendants à la couronne. Que l'occasion tarde à venir ? Il la provoque. Anne, ma sœur Anne, ne vois-tu rien venir sur la route élyséenne qui poudroie ? A tout instant, le ministre des Finances peut faire surgir un Valéry Giscard d'Estaing inédit, encore plus beau, toujours le même et chaque fois différent.

26 juin 1972 : pour éblouir les campus, les Deux Magots, les lecteurs du supplément économique du *Monde,* il s'offre le plus spectaculaire des feux d'artifice intellectuels.

Tout ce que le monde entier compte d'économistes à la mode, de futurologues en vogue, de sociologues réputés, d'intellectuels *in* (Herman Kahn, Olof Palme, l'Africain Senghor, Bertrand de Jouvenel, Roger Garaudy, etc.) accourt à son invitation au palais de l'UNESCO (un lieu de réflexion chic) disserter sur le thème : « Finalité et Croissance ». C'est un succès. Quelle prestigieuse gerbe de penseurs éclairés !

Pendant trois jours, ces éminents spécialistes ou ces amateurs célèbres (la tête dans les mains) s'interrogent : la croissance (autrement dit : métro-boulot-dodo) peut-elle être un but, voire le seul dans la vie d'un honnête homme ?

Valéry Giscard d'Estaing, que rien n'enivre plus que les parfums de son temps (la violente odeur de soufre de Mai 68 l'entête encore), lance de la tribune cette réponse quasi révolutionnaire : « Je me range parmi les "objecteurs de croissance"... » Il faudrait, selon lui, reléguer cette croissance au troisième ou au quatrième rang des préoccupations humaines et il prophétise, devant son docte auditoire : « Bientôt la montée culturelle prendra le relais de la croissance économique. »

Fascinée, l'intelligentsia parisienne crie au génie. Peu convaincu, Georges Pompidou grommelle dans son palais : « Tout ça, c'est de la poésie. » Mais le bon peuple, qui a du goût pour le grand théâtre et les visionnaires. admire ce ministre des Finances qui sait regarder plus loin que le bout de son ministère. Et Valéry Giscard d'Estaing peut ranger dans son coffre une réserve de prestige supplémentaire, dans laquelle il pourra puiser le moment venu.

6 octobre 1972 (six mois avant les élections législatives) : pour séduire les élus comme les électeurs de la majorité, le leader RI prononce à Charenton un discours politique resté célèbre. Un modèle du genre pour qui sait décoder le message giscardien.

Que dit-il ? « Il faut que la majorité actuelle soit reconduite. » (Les UDR, qui sont encore la majorité de la majorité. soupirent d'aise.) « Il faut que la France soit gouvernée au centre. » (Les centristes, qui piaffent dans l'opposition, se congratulent.) « Il faut que la politique soit mise en œuvre par le président de la République. Nous sommes dans un régime " à direction présidentielle ". » (A l'Elysée, M. Pompidou devrait se rengorger de satisfaction.)

Tout le monde est content. Mais, au-delà de ce flot d'amabilités, Valéry Giscard d'Estaing n'a rien fait d'autre que de décrire le fonctionnement d'un régime tel qu'il le concevrait si lui-même était un jour au pouvoir.

Quelques jours plus tard, les sondages en témoignent, c'est à lui que 55 p. 100 des Français promettent le plus bel avenir.

24 mai 1973 : Valéry Giscard d'Estaing fait mieux encore : alors que sa gestion suscite quelques critiques, il dresse devant l'Assemblée nationale le réquisitoire le plus sévère qui ait jamais été prononcé contre la politique économique menée depuis dix ans (en majeure partie, la sienne).

Sur ce ton mesuré qui convient à notre époque scientifique, il dénonce ici des inégalités choquantes, là des équipements scandaleusement insuffisants, partout une « croissance sans but » et une « économie sans maître ».

L'hémicycle est stupéfait, car, enfin, qui donc a modelé la fiscalité française depuis une décennie ? Qui a bâti tous les budgets, sinon Valéry Giscard d'Estaing ? Toutes les mesures prises pour encourager l'épargne (l'avoir fiscal, l'emprunt à 7 p. 100) et dont on s'avise qu'elles bénéficient quand même plus aux gens fortunés qu'aux autres ont eu son aval. Si les comptes rendus des débats interministériels sur le relèvement des bas salaires pouvaient être publiés, les Français sauraient que le ministre des Finances était moins favorable à leur augmentation que ne le sera le futur président de la République.

Bref, l'homme politique, le candidat à la magistrature suprême, parvient à tirer gloire autant de la colonne actif que de la colonne passif de son bilan personnel. Mieux même : au nez et à la barbe de ses censeurs, il se dédouane de sa propre politique. Il la jauge. Il la juge. Il la regrette. Il s'en dépouille. Pouah ! il s'en absout. Conquis, les députés applaudissent. Du grand art...

31 mai 1973 : dans l'avion qui se rend à Reykjavik, Valéry Giscard d'Estaing, qui accompagne Georges Pompidou, se forge cette conviction : le président ne pourra pas se représenter. (Selon Michel Poniatowski, c'est bien à cette date qu'il s'en persuade.)

Dès lors, comme s'il voulait façonner à grande vitesse sa silhouette de successeur et se défaire de la tunique de grand bourgeois conservateur qui lui colle à la peau, VGE sera partout à la fois. (Sauf dans son ministère, disent les ministres ou les jaloux qui ont du mal à le joindre au téléphone.)

A peine les Français ont-ils pris conscience qu'un homme malade, physiquement délabré, présidait à leur destinée que Valéry Giscard d'Estaing se montre au mieux de sa forme. Sur le stade de Chamalières, il dispute un match de football contre des commerçants. Et la télévision de faire des gros plans sur un homme bien campé sur ses longues jambes rapides. Et les photographes de dévoiler le torse nu, doré, musclé du ministre sous la douche. « Tiens, c'est un faux maigre », se dit Margot dans sa chambrette, avant de s'endormir et de rêver à quelque prince charmant et athlétique qui ressemblerait comme un frère à l'élégant Valéry...

Ne vous en souvenez-vous pas ? A l'époque où la maladie du président Pompidou s'aggravait, les ministres n'avaient de cesse de se dévêtir devant les caméras pour dévoiler leur anatomie. Même le sage Joseph Fontanet s'était laissé photographier dans les alpages, après avoir jeté sa chemise aux orties.

15 juin 1973 : quelques jours après avoir vertueusement affirmé devant ses amis : « Pas de précampagne, cela serait nuisible et déplacé », VGE préside un débat de journalistes

éminents sur le thème : « le Pouvoir et la Presse ». Il y affirme · « Le pouvoir a besoin d'un antipouvoir. » Il s'agit de celui qu'exercent les journaux. « Comme il est libéral ! » se disent les participants — tout de même un peu circonspects. Et la foule crie bravo.

Huit jours plus tard, il affronte, dans le rôle du bon justicier qui attaque les vilains fraudeurs du fisc, Georges Marchais à la télévision. Le sourire modeste, la prunelle grave, le ministre lance à son adversaire communiste, comme si d'aucun en doutait : « Je suis honnêtement préoccupé de justice, spécialement de justice fiscale. » Et la foule crie bravo.

Sans reprendre souffle, il envoie quelque deux cent mille lettres d'invitation aux maires et conseillers généraux pour les « journées de Vincennes », où ses amis RI doivent s'interroger sur l'avenir de la France.

Dans une ambiance mi-comtesse de Ségur, mi-foire aux haricots, sous les regards d'une trinité rassemblée par le hasard — le père Daniélou, Lino Ventura et Walter Spanghéro —, il s'écrie : « Il faut intégrer la classe ouvrière à la classe moyenne. » (C'est déjà l'esquisse du thème central de *Démocratie française*.) Et la foule crie bravo.

2 juillet : première incartade. Quelques jours après que Georges Pompidou s'est déclaré hostile au régime présidentiel, le ministre des Finances explique à la radio qu'il serait, lui, favorable à un tel régime. L'Elysée s'agace : « Le régime présidentiel, qu'est-ce que c'est ? interroge le président qui a convoqué son ministre des Finances. C'est la suppression du droit de dissolution. Je trouve cela bien dangereux. C'est concevable dans un système anglo-saxon. Car les Anglo-Saxons ont des réflexes de compromis en cas de crise entre le législatif et l'exécutif. Les Français ont, au contraire, des réflexes de guerre civile. Si le législatif met à la porte l'exécutif, c'est une révolution. » Et Georges Pompidou de conseiller à Valéry Giscard d'Estaing : « Croyez-moi, ne remettez jamais en cause le droit de dissolution. Que feriez-vous le jour où vous auriez une chambre contre vous ? » Et la foule ne bronche pas.

13 août : en pleines vacances gouvernementales, il fait expédier à tous ses collègues du gouvernement une lettre les invitant à une plus grande rigueur budgétaire. Les caprices du courrier et la léthargie estivale des secrétariats des ministres

font que plusieurs d'entre eux découvrent dans les journaux le contenu du message qu'ils auraient dû lire, les premiers, dans leurs cabinets. Ils n'en sont pas positivement ravis. Mais, sur les plages, les vacanciers peuvent bronzer tranquilles : un bon gestionnaire veille. Et la foule crie bravo.

A la fin de l'année, Valéry Giscard d'Estaing rend visite aux francs-maçons lors d'un convent spécial. Il s'y confie et laisse percer quelques projets, qui, miracle, s'accordent justement avec la sensibilité de ce groupe influent. Quand il a terminé, c'est tout juste s'il n'a pas droit à un tablier d'honneur.

Après la deuxième hausse du pétrole, le 19 décembre 1973, VGE convoque les reporters de *France-Soir*. Ceux-ci doivent immortaliser l'image d'un ministre des Finances se rendant à pied de son bureau de la rue de Rivoli à l'Elysée, où se tient le Conseil des ministres. Il entend ainsi montrer aux automobilistes gloutons comment l'on peut économiser 0,36 litre d'essence en période d'énergie chère.

Plus tard encore, avec son ami Ponia, nouveau ministre de la Santé, il visite des hôpitaux et rêve déjà d'aller tendre la main dans les prisons. Ponia n'y voit aucune urgence. VGE prend position pour l'avortement contre l'avis de ses fantassins horrifiés.

Bref, pendant ces six mois, il se démultiplie. Il est partout. S'il est encore ministre, il est déjà candidat...

Lui parle-t-on de la maladie de Georges Pompidou ? Il fait taire les rumeurs. A un dîner devant les clubs Perspectives et Réalités, il déclare même : « Actuellement, je considère que cette place est occupée par le meilleur. Et, à l'heure actuelle, je préfère servir la présidence de la République que d'y aspirer. » Néanmoins, pour rassurer son auditoire, il conclut son propos par ce clin d'œil : « J'appartiens à une région dont la spécialité est de fournir à la France des fromages, des pneumatiques et des hommes d'Etat. »

Comme un postulant au fauteuil élyséen a toujours besoin d'une rampe de lancement solide pour ses combats, il faut enrégimenter les giscardiens. En juillet 1973, le très autoritaire et admirablement courtois Michel d'Ornano (secrétaire général des RI, dont on dit communément : « C'est une main de fer dans un gant de chevreau ») met en place des structures toutes neuves, avec quelques secrétaires et une poignée de permanents. Les militants auront une carte (c'est-à-dire qu'ils paieront une cotisation), comme n'importe quel UDR ou n'importe quel communiste.

Comme un président doit toujours nouer des alliances politiques — et avec VGE, ce sera au centre, évidemment —, Michel Poniatowski courtise le très européen Jean Lecanuet. Tous deux sont de vieilles connaissances : en 1958, ils appartenaient tous deux au cabinet de Pierre Pflimlin. Pour sa part, Michel d'Ornano, encore lui, convie chaque week-end à Deauville (ce fief dont il est le député-maire) des Pierre Abelin ou autres centristes, et pas uniquement pour le seul plaisir de leur faire voir la mer ou admirer les planches.

La machine giscardienne se met en marche. A l'automne, elle roule. Dans la plus grande discrétion, les premières équipes se constituent boulevard Saint-Germain, au siège du parti. Objectif : chercher des thèmes et des propositions pour une campagne électorale.

Georges Pompidou s'en formalise un brin. Mais, s'il gronde début 1974 contre la rue de Rivoli, c'est surtout parce que les prix du pétrole ayant quadruplé, l'inflation ayant tendance à s'emballer, il voudrait bien que son brillant ministre se décide à prendre quelques mesures drastiques.

Or VGE ne paraît vraiment pas pressé de le faire. Est-ce le souvenir du plan de stabilisation qui le hante encore, ou bien l'approche probable d'une campagne électorale qui le dissuade de prendre des mesures trop évidemment impopulaires ? Michel Debré tempête, lui aussi, contre le laxisme de la rue de Rivoli.

Mais tout à sa précampagne, Valéry Giscard d'Estaing se cantonne toujours sur les hauteurs du débat d'idées. Il suggère ici, persuade là. Jamais de polémique, point d'attaque personnelle. De la dignité. Encore de la dignité. Toujours de la dignité. Serait-il naïf, ce ministre des Finances, au point de ne pas savoir que l'homme politique est un loup pour l'homme politique, et que les chemins élyséens sont encombrés d'importuns qu'il faut écarter et réduire ?

Il ne veut pas le savoir ou le sait trop bien... De toute façon, depuis 1967, quelqu'un qui n'est certes ni un moujik ni un mercenaire se charge des besognes déplaisantes et des opérations désagréables. Un prince de sang presque royal l'ami fidélissime, le cousin par alliance, malmène, pique, mord, talonne l'adversaire avec une maestria vorace Michel

Poniatowski provoque, persécute, terrorise et fait perdre son sang-froid à la troupe UDR. A sa seule vue, les godillots gaullistes ont les doigts de pieds qui se recroquevillent.

Car Ponia est un antigaulliste viscéral. Par tradition familiale, par sentiment personnel (il a été très Algérie française et très compréhensif à l'égard de l'OAS) et par décision politique. Dans son livre *Cartes sur table*, cet ex-très jeune engagé volontaire qui a voulu faire partie du bataillon de choc et s'est fait parachuter dans les maquis en 1943 (il a la médaille militaire), s'en est expliqué à Alain Duhamel : « De Gaulle a cherché à diminuer les mouvements de résistance qu'il ne contrôlait pas. Il les a parfois laissés disparaître. Ce sont des choses connues qu'il n'est pas de bon ton aujourd'hui de répéter et pourtant elles sont vraies. [...] Il a sacrifié des résistances parce qu'elles n'étaient pas d'allégeance gaulliste. [...] A Alger, il y avait un petit clan de gaullistes résistants de l'arrière qui faisaient déjà preuve de ce manque de tolérance que je retrouverai fréquemment par la suite lorsque le clan sera transformé en mouvement politique. »

Bref, il les aime si peu, ces gaullistes, qu'à ses yeux, seuls sont aimables les gaullistes battus.

Quand l'UDR règne sur la majorité avec deux cent quatre-vingt-onze députés, il ne cesse de rêver tout haut à une grande fédération regroupant tous les centristes. Ceux de l'opposition y compris. Une opération qui ferait évidemment des RI la clef de voûte du nouvel édifice.

Aussi Michel Poniatowski n'a-t-il pas son pareil pour lancer des petites phrases assassines, semer du poil à gratter dans le dos de ses petits camarades de la majorité, propager des ragots sur tel ministre ou tel député, répandre des insinuations parfois quasi diffamatoires sur tel ou tel hiérarque UDR.

Ses victimes ne sont pas choisies au hasard : autant d'amis zélés des rivaux de VGE, autant de cibles naturelles. Pour se faire peur, le soir à la veillée, les gaullistes se racontent entre eux que Ponia possède chez lui un fichier privé, plus compromettant que celui de la police, sur toutes les personnalités politiques.

Lorsque grands et petits scandales éclaboussent l'UDR, dans les années 1971-72 (l'affaire de la Garantie foncière, le scandale de La Villette), Ponia s'en donne à cœur joie et déploie tout son talent pour dénoncer « les copains et les coquins » ou « l'affairisme qui hante certaines antichambres ministérielles ou politiques ». Plus tard, quand, à son tour, il sera atteint par les remugles de l'affaire de Broglie, pas un gaulliste ne sortira son mouchoir pour pleurer (à moins que ce ne soit de rire). Et Claude Labbé se réjouira publiquement de ce salutaire « effet boomerang ».

Lors de la publication de la feuille d'impôts de Jacques Chaban-Delmas, la ville retentit des prêches moralisateurs du révérend père Ponia. Les Français, qui ne se rendent pas très bien compte de la contribution réelle que représente l'avoir fiscal, imaginé par VGE, pour ceux qui en bénéficient, apprennent que le Premier ministre ne paie guère plus d'impôts qu'un ouvrier spécialisé. Scandale !

Aujourd'hui encore, bien des chabanistes restent persuadés — même s'ils n'en ont jamais eu la preuve — que c'est le ministère des Finances, pour ne pas dire son patron de l'époque, qui a organisé ces fuites afin de perdre celui qui devenait un concurrent trop dangereux pour les présidentielles.

En novembre 1972, Ponia, utilisant son porte-plume comme un sabre, écrit dans son livre *Cartes sur table* (revu et corrigé par VGE) : « Chaban est un homme trop confiant, qui s'entoure mal. [...] Sa gentillesse naturelle le conduit à manquer d'autorité. [...] Il a toléré des choses qui n'auraient pas dû être autorisées. »

Pêle-mêle, Ponia critique la politique de défense de Michel Debré, le traite au passage de Basil Zaharoff (célèbre marchand de canons) quand la France livre des Mirage à la Libye et l'immortalise dans son livre sous ces traits : « Il a une singulière vocation pour l'erreur. [...] Son aveuglement rejoint celui de Daladier. » Il demande des candidatures primaires pour les élections législatives, quand Georges Pompidou exige des candidatures uniques. Il dit tout haut qu'il n'est pas un inconditionnel du gouvernement et se réjouit à la télévision des mauvais résultats de l'UDR aux élections législatives de 1973.

Le soir du deuxième tour, Marie-France Garaud le morigène ainsi : « Vous ne dites que des bêtises. Vous ne vous rendez pas compte qu'en attaquant les UDR, vous vous attaquez vous-même. 36 p. 100 des Français croient que les giscardiens et les gaullistes, c'est la même chose. »

Pendant des mois, Georges Pompidou, le Premier ministre et la troupe UDR ne cessent de se plaindre de Ponia auprès de

VGE. Invariablement, celui-ci prend un air affreusement navré qui n'empêche pas Ponia de continuer de plus belle, ni le ministre des Finances de le féliciter pour son bon travail à la tête des républicains indépendants lors de chaque congrès giscardien.

Il faut que Michel dépasse les bornes pour que Valéry se fâche. Le fidèle lieutenant ayant réclamé, durant l'été 1972, « de nets et clairs changements de direction », le ministre de l'Economie ne peut faire moins que juger « inopportune toute initiative qui rendrait plus difficile l'exercice de la solidarité entre ceux qui assurent en commun la tâche exaltante de conduire la France ».

Ponia est un tel empêcheur de tourner en rond que, pour le faire taire, l'Elysée n'a qu'une issue : le faire entrer au gouvernement. En avril 1973, il devient ministre de la Santé. « A cette date, note Roger Chinaud, VGE ne voit plus que des avantages à ce que son ami participe enfin aux affaires. Il est temps qu'il fasse ses classes, avant les prochaines élections présidentielles. »

A cette occasion, le président Pompidou reçoit le turbulent Ponia, lequel lui jure, la main sur le cœur : « Maintenant que je suis ministre, je vous serai fidèle. » Le président a raconté l'anecdote à Jean Foyer en s'esclaffant. Mais, réaction prévisible, les gaullistes sont atteints d'une sorte de prurit nerveux. Ils se couvrent de boutons. « Ah ! disent-ils, nous, nous n'avons que le droit de nous taire, sans en retirer beaucoup de reconnaissance de l'Elysée. Ponia embête tout le monde depuis des années et il devient ministre ! » Dix députés UDR menacent de démissionner.

Le prince ne se cantonne toutefois pas uniquement dans ce rôle de picador. S'il use sans avarice de tous ces moyens, grands et petits, pour faire vaciller l'adversaire, il est aussi un bon esprit politique, qui calcule, intrigue et tisse une toile d'amitié ou de ralliement autour du ministre des Finances. En somme, ce chasseur redoutable tire sur les uns et rabat les autres, pour la plus grande gloire de son ami Valéry. « L'ennui, soupire l'un de ses familiers, c'est que Michel a tendance à tirer les moineaux avec du 11,43 et cela fait trop de dégâts. »

Curieux homme, ce Ponia. S'il joue sans hésiter les bretteurs et se plaît dans le rôle de conseiller avisé, il apporte aussi des idées en pagaille. Il se fait déjà une spécialité de la futurologie. Les livres d'histoire qu'il a publiés, sur Talleyrand (son ancêtre) ou sur Louis XVIII, sont pris en considération. De surcroît, il fournit partie de la future idéologie giscardienne. Cet assemblage de talents si divers fait de lui un personnage fort baroque.

Avec sa tête de Tintin qui aurait mangé trop de confiture sur un corps d'Obélix — dont il souligne la rondeur avec des pulls jaune canari ! —, il pourrait être une des vedettes du *Muppet Show*. Avec ses amis, il est chaleureux, disert, démonstratif, inébranlablement fidèle. Avec les autres, c'est un timide qui s'empourpre à la moindre émotion.

Ce sanguin colérique a des passions d'homme tranquille. Avec une patience de dentellière, il cultive des iris délicats dans son parc du Rouret (Alpes-Maritimes).

Il est imprévisible aussi, Ponia. On l'entend dire des choses fort intelligentes avec un air fort pataud, proférer les accusations les plus énormes avec le visage pur d'un angelot de la chapelle Sixtine. Il écrit avec brio des discours acérés et parfois déroutants, mais, orateur malhabile, il arrive que la vue d'un simple micro lui fasse dire le contraire de ce qu'il voulait avancer.

Saura-t-on vraiment jamais pourquoi cet authentique aristocrate, qui a l'air d'un *gentleman-farmer* (encore qu'au musée du Prater, à Vienne, se trouvent de célèbres portraits de burgraves hongrois qui lui ressemblent), s'est pris de passion et a consacré sa vie à Valéry Giscard d'Estaing (si heureux d'avoir, lui, l'air d'un Valois dessiné par Clouet) ? Là réside le mystère Ponia.

Est-ce parce que Valéry Giscard d'Estaing, de cinq ans son cadet, séduisant pour les dames, brillant sans effort devant de petits cercles d'amis comme face à un vaste auditoire, capable de recomposer le monde sans hésiter ou de trousser le madrigal sans bredouiller, a, de naissance, des grâces inaccessibles que lui ne possède pas ?

« Il y a du pur-sang dans Giscard », dit souvent Ponia, avec tant d'affection qu'il ressemble alors à une pouliche frémissant devant l'étalon. Ce que Marie-France Garaud formule à sa manière : « Chez Ponia, il y a une femelle et un spadassin dans le même corps. »

Mais la vraie raison de cette vénération active ne vient-elle pas plutôt de ce que Valéry Giscard d'Estaing a su lui raconter à l'âge où l'on fait encore des rêves (Ponia avait à peine trente ans), le plus merveilleux des contes de fées ? Pour les messieurs, on le sait, les contes de fées tournent toujours autour de trois thèmes : les dames, l'argent, le pouvoir. Les dames ? Ponia est bien et heureusement marié, dit-on. L'argent ? Sa famille n'en manque pas. Reste le pouvoir. C'est justement ce que Valéry promet à son ami Michel : « Un jour, nous gouvernerons tous les deux la France. » Et Ponia, écarquillant ses yeux couleur de bleuet, ne va plus se départir devant Valéry du sourire espiègle et confiant du croyant. A juste titre, Michel croit en son grand ami. Et d'autant plus facilement que, dans son illustre famille, ce ne sont pas les seconds et les confidents de souverains qui manquent. On en rencontre, presque à chaque génération, aux côtés de princes italiens, d'électeurs allemands, de rois de Pologne ou d'un empereur français : Napoléon III. Bon sang ne peut mentir...

Sans VGE, Ponia aurait sans doute été un haut fonctionnaire un peu original, gros mangeur, solide buveur, partageant ses loisirs entre la chasse, la vie de famille et la rédaction d'ouvrages historiques. Avec VGE, il peut espérer laisser trace dans l'histoire. Ainsi a-t-il franchi son Rubicon.

JACQUES CHIRAC

Comment l'esprit vient-il aux filles ? On connaît la chanson ! Comment l'ambition vient-elle à Jacques Chirac, propulsé dans la politique par les hasards de la vie ? Le goût du pouvoir submerge-t-il cet affamé perpétuel, tout comme la boulimie, chez d'autres, vient en mangeant ? Mystère...

Lui qui a sacrifié tant de week-ends en famille, tant de nuits, tant de jours de vacances pour se faire élire en Corrèze, lui qui trouve le temps d'aller soutenir quotidiennement Georges Pompidou pendant son purgatoire, lui qui va chaque soir à l'Elysée visiter Pierre Juillet et Marie-France Garaud, lui qui s'est si ardemment dévoué à Valéry Giscard d'Estaing, ministre des Finances, bref, lui qui se donne tant de mal ne confie guère ses espoirs secrets. A quoi rêve-t-il donc, ce néophyte à la mâchoire de loup qui monte et qui monte dans les allées du pouvoir ? Au sommet de l'Etat ? Peut-être ! Sans doute ! Sûrement ! Mais comme s'il craignait que ses songes ne le trahissent, il se barde d'une attitude délibérément détachée et dévote.

Témoin, cette anecdote relatée en 1980 par un ancien ministre pompidolien et ex-dignitaire de l'UDR à l'esprit caustique : « En 1968, Chirac, alors secrétaire d'Etat à l'Emploi, me dit un jour : " Moi, par goût, je suis un fonctionnaire, je ne suis pas fait pour la politique. Si je reste au gouvernement, c'est uniquement à cause du général de Gaulle. S'il partait, je retournerais à la Cour des comptes. " Deux ans plus tard, alors que le Général s'en est retourné à Colombey et que Georges Pompidou lui a succédé, le même Chirac, alors secrétaire d'Etat au Budget, m'aborde en ces termes : " Tu sais, je n'ai pas d'ambition. Mon rêve, c'est d'être un grand commis de l'Etat, et si je reste au gouvernement, c'est uniquement à cause de M. Pompidou. " Alors quand en 1974, au lendemain des élections présidentielles, Jacques Chirac m'a apostrophé pour me dire : " Je vais te faire une confidence : je n'ai pas d'ambition ", je lui ai coupé la parole pour terminer sa phrase : " Oui, et si Giscard n'était pas à l'Elysée, tu serais déjà revenu à la Cour des comptes. " Et Chirac, éberlué, m'a demandé : " C'est vrai, mais comment le sais-tu ? " »

De fait, combien de fois ne l'aura-t-on pas entendu évoquer tout haut son possible retour dans l'administration ! Sans jamais susciter, il est vrai, la moindre crédulité chez ses interlocuteurs. Car qui peut imaginer que Jacques Chirac déploie tant de zèle pour renoncer en si bon chemin ? Et qui peut voir en lui une violette sous la mousse, égarée dans la jungle politique ? Personne !

Certes, au début du septennat de Georges Pompidou, il affirme — et sans doute est-il sincère : « Mon rêve le plus cher serait de travailler auprès du président. — Vous voulez donc notre place », rétorquent aussitôt, mi-vexés, mi-amusés, les anciens secrétaires généraux de l'Elysée, Michel Jobert et Edouard Balladur.

Deux ans plus tard, le jeune ministre commence à braquer avec prudence ses lunettes sur Matignon (un peu plus de trois ans après son accession au gouvernement). « Me nommer Premier ministre maintenant serait une mauvaise idée. Cela suppose des qualités que j'ai peut-être, mais une expérience que je n'ai pas encore », confie-t-il aux auteurs d'un livre [1]. Soudain, plus audacieux, il précise : « Je suis favorable à une évolution vers le régime présidentiel. Le Premier ministre doit se conduire comme le lieutenant du président de la République et prendre à son compte tout ce qui est un peu désagréable et difficile. Chaban-Delmas, lui, avait un peu trop tendance à confondre sa popularité avec celle du président. »

Cette profession de foi a le mérite d'être nette et claire. Pas hypocrite pour un sou. Si, d'aventure, Georges Pompidou cherchait un Premier ministre de remplacement, Jacques Chirac ne vient-il pas de lui signifier qu'il serait le plus dévoué et le plus docile des chefs de gouvernement ? Il jouerait, vient-il de promettre, le rôle d'un bouclier. Il prendrait tous les coups. Mieux, il se délecterait, tels les premiers martyrs chrétiens, sous les flèches impies de son impopularité prévisible auprès des Français, pour le plus grand bien du chef de l'Etat !

Quand les choses doivent être dites, autant faire d'une pierre deux coups. Par la même occasion, Jacques Chirac laisse entendre à ses mentors, Pierre Juillet et Marie-France Garaud, qui se sont juré la perte de Jacques Chaban-Delmas, que lui, à Matignon, ne ressemblerait en rien à l'insoumis député-maire de Bordeaux. Et si, d'aventure, Valéry Giscard d'Estaing parcourt le livre où Jacques Chirac fait ses confidences, il sera prévenu du loyalisme indéfectible de ce candidat à Matignon envers tout président de la République.

Ces points sur les *i* délicatement posés, Jacques Chirac, nouveau ministre des relations avec le Parlement (nommé à ce poste par la volonté de l'Elysée, sans l'aval du Premier ministre, Jacques Chaban-Delmas), n'a plus qu'à prospérer dans sa fonction hautement politique. Et attendre son heure...

Justement, les dieux sont avec lui. La période est faste, les élections municipales ont lieu en mars 1971. Deux ans plus tard, ce seront les législatives. Il va donc falloir préparer la troupe au combat, marchander les investitures avec l'UDR et les partenaires de la majorité. Un exercice fort excitant et rentable, qui lui donne barre sur toute une génération de futurs députés. « S'il réussit à ce poste, il deviendra réellement le fils

1. *Jacques Chirac ou la république des cadets*, Catherine Clessis, Bernard Prevost, Bernard Wajsman, Presses de la Cité, 1972.

adoptif de Georges Pompidou », note Georges Suffert dans *le Point*. Dans cette fonction, il a en tout cas un rôle à jouer et une occasion à saisir.

Sa tâche quotidienne consiste à convaincre les parlementaires UDR (la majorité de la majorité), comme ceux des groupes alliés (républicains indépendants et centristes), de voter sans trop barguigner les projets de loi gouvernementaux. Un jeu d'enfant pour lui, qui a si bien su persuader les rebelles électeurs de Corrèze de le faire député.

Mais, curieusement, il s'avère que cet emploi à mi-chemin entre diplomatie et négoce n'est pas fait pour lui. Surprise à l'Elysée. Très vite, il devient même flagrant qu'avoir chargé Chirac des relations avec le Parlement est une idée aussi saugrenue que celle qui consisterait à offrir à Jacques Lacan les Charbonnages de France... Pour la première fois de sa vie, il échoue. Les raisons en sont multiples.

D'abord, cet énarque est totalement désorienté dans son nouveau ministère. Aux Finances, il avait une administration à commander, des services à houspiller, des crédits à distribuer, des textes à élaborer, une politique à mettre en branle aux côtés de VGE.

Aux relations avec le Parlement il n'y a pas de crédit, pas de service, juste une poignée de fonctionnaires et un cabinet fort restreint. Certes, comme n'importe quel ministre, Jacques Chirac a un grand bureau (le sien est somptueux, face à l'esplanade des Invalides), des secrétaires, du papier à en-tête, une voiture à cocarde, un chauffeur, un officier de police. Mais, avec si peu de monde autour de lui, Jacques Chirac n'est pas à l'aise. Il lui manque quelque chose. A-t-il l'impression vague de rétrograder ? Il n'est pas vraiment heureux.

Et puis, ce Parlement, quelle drôle de machine pour quelqu'un qui n'y a jamais siégé ! (Il est devenu ministre huit jours après avoir été élu en Corrèze.) Il faut en saisir le fonctionnement dans ses moindres rouages, connaître dans le détail les subtilités du règlement. Cela peut s'apprendre très vite. Mais, en outre, il faut se frotter quotidiennement aux états d'âme à répétition des deux cent quatre-vingt-onze députés UDR. Jacques Chirac ne s'y fait pas.

On l'avait bien prévenu : dans tout parlementaire gaulliste, aussi sincèrement attaché soit-il à la Constitution de la Ve République, il y a toujours un élu de la IVe République qui sommeille et ne rêve que plaies et bosses au gouvernement. Si un élu UDR finit toujours par se résigner à voter, il est normal qu'il tente de jouer son rôle de contrepoids au gouvernement. Avant d'obtempérer il y a donc tout un rituel à respecter. Quand un texte vient en discussion, il y a toujours de la grogne, des menaces, des bouderies, des invectives. Le gouvernement gronde, tempête, flatte, recule parfois. Puis tout finit (presque toujours) bien.

Pour rallier plus aisément des parlementaires toujours trop récalcitrants, un bon ministre chargé des relations avec les élus doit arpenter pendant des heures les couloirs de l'Assemblée nationale, bavarder avec tout le monde, s'armer de patience et de gentillesse, expliquer inlassablement le bien-fondé de la politique gouvernementale pour mieux emporter l'adhésion des parlementaires, sourire, écouter et regarder avec des yeux de cocker ces gaullistes dont le ressort principal est l'affectivité.

Il lui faut aussi se laisser entraîner avec complaisance à la buvette ou bien sur une de ces banquettes recouvertes de velours rouge fané qui meublent les salons autour de l'hémicycle, et là, s'abandonner aux confidences de tel député qui tient à raconter, en lui soufflant dans le nez la fumée de son cigare ou en s'agrippant aux revers de sa veste, ses derniers démêlés avec le préfet, les déboires d'un maire de sa commune avec l'administration, sa mauvaise opinion du gouvernement ou le mariage de sa petite dernière.

Dans ce rôle, Roger Frey (le prédécesseur de Jacques Chirac) faisait merveille. Cet homme si subtilement discret savait s'asseoir de bonne grâce auprès de ceux qui l'y conviaient. Et le temps qu'il fallait, l'air énigmatique, un demi-sourire de Joconde aux lèvres, il fixait intensément ses interlocuteurs de sa prunelle bleu lagon. Ecoutait-il vraiment tout le temps, ou rêvait-il de sa Nouvelle-Calédonie natale ? Allez donc savoir ! Quoi qu'il en soit, les députés de base, une fois délivrés de leurs petites confidences, gardaient une reconnaissance éternelle à ce grand baron gaulliste si chargé de secrets et de mystères, auréolé de sa familiarité avec Charles de Gaulle et des responsabilités difficiles qu'il avait assumées au ministère de l'Intérieur pendant six ans.

On se demandera toujours pourquoi Jacques Chirac, si pressé de bien faire et de réussir et qui possède quand il veut séduire un vrai don de sympathie, ne parvient pas à conquérir des députés qui ne lui sont pas vraiment hostiles. A-t-il mal mesuré l'importance de la fonction qui lui est confiée ? Où sont-ce tout simplement son tempérament et sa hâte chronique qui lui jouent un mauvais tour ? De l'avis de tous, Jacques Chirac se montre trop agité, trop brusque avec des députés de base qu'il faut apprivoiser piane-piane à force de bonhomie.

Pourtant, quelque temps il fait des efforts louables. Mais les longs conciliabules l'assomment. Il ne peut maîtriser son impatience. Lui qui est toujours en mouvement s'exaspère vite. Un député tente-t-il de le retenir par la manche ? Au bout de cinq minutes ; le ministre regarde sa montre et coupe : Excuse-moi, je dois m'en aller. J'ai un rendez-vous à l'Elysée. »

Ou bien, croyant satisfaire son interlocuteur, il use du dithyrambe le moins léger et le député, mi-flatté, mi-inquiet, finit par se persuader que le ministre vient de le moquer effrontément.

Ou bien encore, à court d'imagination, Jacques Chirac met fin au dialogue par une phrase du genre : « C'est comme cela, ce n'est pas autrement. » Un peu comme en Corrèze, où il dit à ses paysans : « Ne m'embête pas, je te la ferai goudronner, ta cour de ferme ! »

Mécontents, les députés UDR jugent Jacques Chirac bien trop enfant gâté, mal policé même, lorsqu'en réunion de groupe il fait ostensiblement son courrier en se fichant comme d'une guigne de ce qui se dit alentour. En Conseil des ministres même, Jacques Chirac ne cesse d'écrire, sous l'œil goguenard de son voisin, Olivier Guichard : un décès, une naissance, un mariage, une communion, une médaille, une promotion, une rougeole du petit, la retraite du grand-père, un accident, des noces d'argent, tout est prétexte à cartes postales pour la Corrèze.

Parfois, lui qui se fait une gloire de n'aimer que les romans policiers sort subrepticement de sa poche, pendant une séance à l'Assemblée ou une réunion de groupe UDR, un volume de poèmes (Saint-John Perse par exemple) et s'y plonge avec avidité, sous les regards médusés des parlementaires, qui se demandent s'il est plus sincère quand il se jette sur un James Hadley Chase ou lorsqu'il paraît savourer quelques vers déli-cats. En 1974, Françoise Giroud le surprend lisant des poèmes de Patrice de La Tour du Pin sur ses genoux, pendant que l'orateur s'évertue à la tribune. « Alors qu'il y a des gens, dit-elle, qui lisent *Play-Boy* dissimulé sous une revue écono-mique. »

A cette époque, reconnaissons que la vie ne lui est pas facile. 20 septembre 1971, premier déboire : après avoir potassé tout l'été une série d'ouvrages sur le Parti communiste français, comme un étudiant de première année de sciences politiques, il affronte Georges Marchais à la télévision. Branle-bas de combat. L'Elysée, les plus fins stratèges, les téléspectateurs avides de nouveaux talents dardent leurs regards sur le petit écran. Il va y avoir du spectacle, se dit-on. Jeune loup tourbillonnant de Corrèze affronte, dans l'émission *A armes égales,* taureau faussement rigolard du Val-de-Marne. Quelle belle affiche ! En fait, tout le monde attend un petit quelque chose en plus. « Etonnez-moi », comme disait Diaghilev à Cocteau.

Las ! ceux qui attendaient un spectacle d'avant-garde n'ont droit qu'à du théâtre de boulevard. C'est : « Vous êtes un menteur, Jacques Chirac », contre : « Vous en êtes un autre, Georges Marchais ! » Faucille et marteau contre glaive et masse d'arme. Ce ne sont sûrement pas là les feux croisés d'un phare de la pensée occidentale télescopant les projecteurs du marxisme-léninime... Mais peut-il en être autrement, avec un interlocuteur tel que Georges Marchais ?

Nonobstant, Georges Pompidou est déçu. Ce jeune mousquetaire n'a pas la maîtrise des vieux bretteurs. « Le gouvernement n'a rien à gagner à se colleter avec Marchais », grogne-t-il.

15 novembre 1971 : première gaffe. « Le bon fonctionnement des institutions suppose l'existence, au sein de la majorité, d'un parti détenant à lui tout seul la majorité absolue de l'Assemblée nationale. » Evidemment, c'est franc et, d'un point de vue purement pratique, Jacques Chirac a peut-être raison. Mais ses détracteurs y décèlent une glorification du parti unique, comme dans les démocraties populaires, et un tempérament d'homme à poigne pas très souriant.

25 novembre : le ministre met le feu aux poudres. Invité par une radio périphérique, il se demande « si le régime parlementaire n'appartient pas au passé ». Emoi dans l'hémicycle. On s'alarme. On s'indigne. M. Chirac veut-il instituer la dictature de l'exécutif ? *L'Humanité,* qui s'y connaît en régimes totalitaires, tance un homme qu'elle compare à un « Rastignac débile » qui voudrait instituer un régime fasciste. Le communiste Guy Ducoloné dénonce, lui, le « ministre de la liquidation du

Parlement ». La presse s'agite, les plus éminents professeurs de droit constitutionnel sont appelés en consultation. Jacques Chirac doit s'expliquer en séance : « Ces propos, dit-il, s'inscrivaient dans la perspective de l'évolution à long terme des sociétés industrielles et dans le cadre d'une discussion philosophique sur l'avenir des sociétés. » L'affaire est vite close et démontre que le ministre est encore un peu maladroit dans ses exercices libres de futurologue politique. Mais, pour l'Elysée, cela a encore été une petite phrase de trop.

Décembre 1971 : une vague odeur de scandale se rapproche de lui. *Le Canard enchaîné* révèle que le député de Corrèze n'a pas payé d'impôts l'année passée : il a été autorisé — c'est légal et courant — à défalquer de sa contribution fiscale les frais de restauration de son château de Bity, classé monument historique, quelques mois avant son acquisition. L'opposition crie au scandale. Cela lui vaut le tenace surnom de « Château Chirac ». Bref, pendant ces deux ans, les bonnes fées l'ont oublié. Les astrologues diraient que Saturne a plané sur son signe astral.

Pendant toute cette période, aucun conflit ouvert ne l'oppose à Valéry Giscard d'Estaing. Mais ce n'est plus l'amour zélé du temps du ministère des Finances. Loin des yeux, loin du cœur. Ainsi lui décoche-t-il çà et là quelques petites perfidies. Devant les jeunes gaullistes de l'UJP, réunis le 27 octobre à Paris, Jacques Chirac affirme qu'il n'a « aucune vocation pour le trapèze volant ». On applaudit en huant ce trait longuement amené qui vise le ministre des Finances.

Aux assises de Strasbourg, en novembre 1971, face à des militants qui lui réservent un accueil peu chaleureux, il stigmatise — et là sous les applaudissements — « tous ceux qui, de l'opposition comme de la majorité, ont, à un moment ou à un autre, collectivement ou individuellement, manqué à l'appel gaulliste ». Et qui donc a manqué à l'appel lors du référendum sur la régionalisation en 1969, si ce n'est VGE ?

A cette époque, Jacques Chirac a aussi maille à partir avec Ponia. Au cours d'un déjeuner entre les trois secrétaires généraux des partis de la majorité (Tomasini : UDR, Poudevigne : CDP et Ponia : RI), on aborde le sujet des scandales. Une idée se glisse dans la conversation : pour allumer des contre-feux, on pourrait peut-être sortir certains dossiers contre l'opposition ? Les tiroirs en débordent, paraît-il.

Le lendemain, Chirac, stupéfait, reçoit de Ponia et par

motard un pli l'avertissant en substance que si un jour des républicains indépendants étaient mis en cause, il ne manquerait pas, lui, Ponia, d'affaires compromettantes susceptibles d'être rendues publiques sur-le-champ contre tel ou tel UDR. Jacques Chirac, qui ne voit vraiment pas le rapport entre l'opposition et les RI, demande à VGE des excuses de son ami Michel. Il les obtient. Il n'oublie pas.

Ces quelques piques ne dégénèrent toutefois jamais. En politique et entre alliés, c'est ce qu'on appelle des rapports globalement positifs.

5 juillet 1972 : Jacques Chaban-Delmas démissionne du gouvernement. Il est remplacé par Pierre Messmer. Bénéficiant de l'indulgence du jury élyséen, Jacques Chirac a droit à un ministère de repêchage : l'Agriculture. Pour beaucoup de monde, il s'agit plus d'une belle promotion que d'une sanction. Georges Pompidou et Pierre Juillet, qui a beaucoup poussé le président à prendre cette initiative, veulent bien donner une nouvelle chance à leur trop fougueux protégé. Son éclatante réussite dans une circonscription rurale laisse augurer, jugent-ils, qu'il sentira et comprendra mieux le monde agricole que la gent parlementaire. Une délicate mission lui est aussi confiée : à huit mois des élections législatives, il va devoir rassurer l'électorat paysan et le ramener dans le giron majoritaire. Plus même : il fera son entrée sur la scène européenne et internationale de Bruxelles. Pour le nouveau ministre de l'Agriculture, il s'agit presque d'un quitte ou double.

Beaucoup d'avis concordent, c'est un succès. De la France rurale montent de vibrantes clameurs. Successivement, on entend un président de la Fédération nationale bovine vanter, lyrique, le « meilleur ministre de l'élevage depuis Sully », et des betteraviers s'enthousiasmer sans réserve : « Il est absolument providentiel d'avoir à la tête de notre Agriculture un homme de cette taille. » « C'est notre Chirac », clament les organisations syndicales agricoles, FNSEA en tête. Des éleveurs manifestent aux cris de : « Chirac, bats-toi, on est avec toi ! » le jour de la discussion des prix agricoles à Bruxelles. Cela autorisera plus tard Georges Pompidou à saluer en Jacques Chirac un « excellent ministre de l'Agriculture ».

Dans ce milieu agreste, le député de la Corrèze s'ébroue, piaffe, rue avec un bonheur d'alezan dans un pré. Il est HEUREUX. Pour conquérir son monde, il use d'une recette infaillible : il déverse d'abord un tombereau d'argent sur les fermes, les plaines, les champs.

Ensuite il dépose une charretée d'amabilités aux pieds des syndicalistes agricoles, le 1er août 1972. Il accable d'éloges ces hommes « sérieux, responsables et compétents que sont les représentants des grandes organisations professionnelles ». Mis à part le MODEF (proche du PC), les syndicalistes chanteront ses louanges. Il charrie des brouettées de promesses à longueur de discours. (A l'entendre, il n'y aura pas un problème agricole sans solution chiraquienne. Les fermiers pourront même abandonner leurs champs pour partir en vacances.)

Enfin, sur la grande scène de Bruxelles, il danse une grande bourrée auvergnate. En un mot, il fait beaucoup de théâtre. (Quelque peu irrité, son homologue allemand, Ertl, lui conseillera même un jour, publiquement, d'aller consulter un psychiatre.)

Pour ses censeurs, M. Chirac fait beaucoup d'esbroufe pour, finalement, ne régler ni le prix du lait, ni celui de la viande bovine et ne pas triompher des redoutables montants compensatoires. « Il a été le ministre des agriculteurs plus que de l'Agriculture », note un ministre pompidolien.

Or, n'est-ce point ce que Georges Pompidou lui demande : mettre en musique son discours sur le développement de l'exploitation agricole familiale, prononcé à Saint-Flour au printemps 1970 ? Un discours dont Jacques Chirac a au moins deux raisons de se souvenir : d'abord, c'est son maître qui l'a prononcé ; ensuite, dans la foule, d'habiles pickpockets lui ont subtilisé son portefeuille, ainsi que celui de Raymond Marcellin, le ministre de l'Intérieur. Quelques jours plus tard, les gendarmes de Saint-Flour ont retrouvé dans les fourrés les papiers et les portefeuilles, débarrassés des billets et de la monnaie.

Pour beaucoup de monde dans la majorité, le ministre de l'Agriculture a fait de la « belle et bonne ouvrage ». N'a-t-il pas ramené les agriculteurs dans le giron majoritaire pour les élections de 1973 ? Et puis, avec la manne gouvernementale, il a réglé plus d'une question et satisfait ses ouailles (subvention à l'installation des jeunes agriculteurs dans les départements défavorisés, rallonge substantielle pour les crédits d'équipement, aide à l'agriculture de montagne). Il met au point un statut des aides familiales, une organisation inter-professionnelle du lait. Il lance la réforme du statut du fermage, la réorganisation de l'enseignement agricole, etc., etc.

Encore aujourd'hui, une majorité d'agriculteurs affirme : « Il nous faudrait un Chirac pour lutter contre Margareth Thatcher. »

Pendant les deux ans où il est à l'Agriculture, Jacques Chirac bénéficie de l'assentiment permanent et de la sollicitude sourcilleuse de Georges Pompidou. Un ancien collaborateur de l'Elysée témoigne : « Quand il y avait une négociation à Bruxelles, jamais Jacques Chirac n'y est parti sans avoir consulté le président, qui lui disait : " Soyez ferme. Tenez bon. " Parfois Chirac en faisait trop, le président jugeait qu'il y allait trop fort, mais il le soutenait toujours. »

« Je vais lui donner un coup de règle sur les doigts », disait affectueusement Georges Pompidou devant le chef du service de presse de l'Elysée, Denis Baudoin.

Bernard Stasi, alors ministre des DOM-TOM, dit de la même manière : « Lorsque Chirac affirmait sa volonté de défendre à Bruxelles les intérêts de l'agriculture française, on plaignait à l'avance ses collègues européens d'avoir à s'opposer à une résolution aussi ardente et on ne doutait pas de l'issue du combat. [...] Georges Pompidou ne parvenait pas toujours à dissimuler l'estime affectueuse qu'il lui portait. »

De même, la bienveillance et la compréhension du ministre des Finances ne font pas défaut à Jacques Chirac, malgré les perfidies qu'il lui a décochées de temps à autre. La rue de Rivoli a de belles largesses pour la paysannerie. (Sont-ce les élections présidentielles qu'il devine proches qui décident VGE à tant de prodigalités ?)

Recevant à déjeuner, en juin 1973, quelques femmes journalistes, VGE ironise : « Avant les élections législatives, Chirac est venu me voir. Il m'a dit : " Donnez-moi des subventions pour la viticulture du Midi et je vous apporte quatorze députés pour la majorité ". J'étais sceptique. Il a beaucoup insisté. J'ai cédé. Résultat : quatorze députés pour l'opposition. »

Tous les observateurs politiques le remarquent : « Autant, comme ministre des relations avec le Parlement, Jacques Chirac titillait volontiers l'hôte de la rue de Rivoli, autant, comme ministre de l'Agriculture, il chante sur tous les tons les grands mérites de VGE. » Est-ce parce qu'il a dénoué avec tant de complaisance les cordons de la bourse ?

En deux ans, un seul différend les oppose : l'affaire de la taxation des fruits et légumes. (Et encore Jacques Chirac y est-il poussé par l'Elysée.)

Au début du mois de novembre 1973, VGE, jugeant que les détaillants en fruits et légumes en prennent un peu trop à leur aise avec les prix et trouvant déplaisantes les amours archaïques du ministre Jean Royer avec les petits commerçants, fait publier, dans le *Bulletin officiel* des Services des prix, des arrêtés fixant leurs marges bénéficiaires. Sur ce, VGE s'envole pour la Malaisie, histoire d'aller inaugurer une foire commerciale à Kuala-Lumpur (plutôt une occasion d'aller chasser le grand tigre dans les savanes, prétendent les mauvais esprits).

Mais, derrière les comptoirs et les étals, la fièvre monte. La révolution couve. Les commerçants répliquent au ministère des Finances par une série d'opérations « ville morte ». Paris et les grandes villes de province sont privées de légumes et de fruits frais. Les consommateurs s'impatientent. Il faut faire quelque chose.

En l'absence de VGE, Georges Pompidou confie à Jacques Chirac le soin de recevoir et calmer les détaillants. Notamment ceux de la Région parisienne, qui sont à l'origine du blocage des Halles de Rungis. Sitôt dit, sitôt fait : le ministre de l'Agriculture promet à ses visiteurs que les contrôles des prix seront effectués avec la plus grande souplesse. Il prend aussi pour Giscard et au nom du gouvernement un rendez-vous avec ces mêmes détaillants, empochant ainsi la popularité de la mesure.

A son retour, le ministre des Finances est furieux. On a osé porter atteinte à son autorité ! Il maintient ses directives. Le lendemain, il est convoqué par le président de la République. Résultat : VGE reçoit les détaillants et fait annoncer à la sortie de l'entrevue que « les contrôleurs des prix sont invités à tenir compte du caractère saisonnier de certaines hausses des fruits et légumes ».

En un mot, le ministre des Finances a dû se soumettre. Sa rage est grande, contre l'Elysée et le ministre de l'Agriculture. A ses proches, il dit en serrant les dents : « Dans quelques années, on retiendra surtout que les relations économiques franco-malaisiennes se sont développées et non pas les cris d'oiseaux de M. Rapine [président de la Fédération des détaillants en fruits et légumes]. »

Jacques Chirac va devoir s'expliquer. Les deux hommes se rencontrent. A l'issue de leur tête-à-tête, le ministre de l'Agriculture rayonne : « Je me suis expliqué. M. Giscard d'Estaing a très bien compris et ne m'en tient pas rigueur. » En 1980, le maire de Paris rectifie : « En fait, Giscard m'a tourné le dos pendant un mois. »

Pourtant, tout semble aller plutôt bien entre le futur président et son futur Premier ministre. Si celui-ci déclare à tout propos : « Je ne suis un inconditionnel que de Georges Pompidou », tous ses déjeuners de presse, toutes ses rencontres dans les couloirs de l'Assemblée nationale ou les coulisses de Bruxelles lui sont l'occasion de placer son couplet : « Je ne connais que deux hommes d'Etat en France, M. Pompidou et Valéry Giscard d'Estaing. » Aux membres de son cabinet, il répète constamment : « Je ne veux surtout pas d'ennuis avec Giscard. »

En juillet 1973, au Salon des négociants-voyageurs de Bort-les-Orgues, il rend hommage « au grand Auvergnat et à ce grand homme d'Etat qu'est Valéry Giscard d'Estaing ». Il intrigue bien des Corréziens qui n'ont guère l'habitude de l'entendre évoquer devant eux la politique nationale.

En janvier 1974, il va même plus loin et affirme : « Si je n'étais pas pompidolien, je serais giscardien. » D'où cette question : Jacques Chirac a-t-il choisi Giscard au moment où la santé de Georges Pompidou chancelait ?

Tous ceux qui le connaissent le mieux répondent en chœur un même *niet* franc et massif. René Tomasini, l'ami de toujours, explique : « Jacques a toujours dit du bien de Giscard car il savait qu'il ne ferait pas carrière sans le soutien et l'amitié du leader des républicains indépendants. »

« Chirac, c'est un fils adoptif, mais c'est lui qui adopte ses pères. Pompidou et Giscard, en 1973, c'est tout de même ce qu'il y avait de plus décoratif dans la majorité », résume Marie-France Garaud.

En cet hiver, Jacques Chirac songe-t-il à la succession de Georges Pompidou ? « Jacques savait le président malade, très malade, mais voulait-il se masquer la vérité ou ne pas la voir, il a toujours dit son espérance de le voir guérir. En février 1974, il avançait même que le président irait mieux après s'être reposé quelque temps à Cajarc. Mme Pompidou le lui avait dit », se rappelle Jacques Friedman, son meilleur ami.

Tous ses collaborateurs de l'époque corroborent ce point de vue. Jacques Chirac n'a jamais cru que le président partirait si vite. Sa succession, croyait-il, s'ouvrirait au plus tôt en 1976. Si le jeune protégé de l'Elysée ne songe pas, ou n'ose pas songer, ouvertement au trône présidentiel — est-ce parce qu'il n'a pas réglé en lui-même ce lourd conflit œdipien du fils adoptif qui prendrait la place du père? —, d'autres s'en occupent pour lui.

En février 1974, Pierre Juillet et Marie-France Garaud l'installent au ministère de l'Intérieur. Il a quarante et un ans. A son arrivée, il fait valser les préfets et supprime, dit-il, les écoutes téléphoniques. (« Le voyeurisme, ce n'est pas mon genre », affirme-t-il.)

Ses conseillers espèrent qu'à ce poste il va pouvoir prendre de l'autorité sur l'UDR, se familiariser davantage avec les rouages de l'Etat et donner libre cours à sa capacité de commandement. Bref, qu'il va grandir et que son image va prendre de la consistance. Si le président peut aller jusqu'au bout de son septennat, Chirac aura peut-être une chance d'en être le successeur. Tel est le projet électoral des conseillers à l'Elysée.

En revanche, si le président disparaissait plus tôt, Jacques Chirac se trouverait néanmoins à un poste vital. En cas d'élection anticipée, le rôle d'un ministre de l'Intérieur peut être décisif. Il détient l'outil indispensable à la promotion de tout candidat de la majorité à l'Elysée.

PIERRE JUILLET ET MARIE-FRANCE GARAUD

Comme cela a dû être grisant de régner sur les hommes de la majorité avec, pour toute arme, deux simples téléphones ! Et pour toutes munitions, rien que du savoir-faire et du faire-savoir !

Avec le recul du temps, l'on se dit : « Ah, comme ils ont dû s'amuser pendant plus de cinq ans, dans leur grand bureau jaune et or au premier étage de l'Elysée, face aux nobles arbres du parc ! »

De fait, quelle attraction de leur rendre visite en fin de journée, à l'heure du whisky ! Outre la synthèse brillante de la politique pompidolienne du moment, qu'elle trace avec une profusion de formules souvent reprises le lundi à la fois par les trois hebdomadaires politiques (*l'Express, le Point, le Nouvel Observateur*), Marie-France colporte, dans un grand éclat de rire, le dernier potin qui court dans les antichambres ministérielles ou commente d'un trait pimenté la plus récente petite phrase de tel ministre ou tel député.

Des journalistes, des hommes politiques en faveur, des fonctionnaires de l'Elysée et, le lundi soir, Georges Pompidou en personne s'y pressent avec gourmandise. Il est probable que, outre un sens très sûr de son intérêt bien compris, l'une des raisons de la cour assidue de Jacques Chirac aux deux conseillers réside sans doute dans la gaieté de l'endroit. VGE, lui, ne se mêlera jamais à cette joyeuse cohorte.

Officiellement, Pierre Juillet n'est chargé que des plaisirs cynégétiques du maître (l'organisation des chasses présidentielles). C'est bien évidemment un trompe-l'œil. Comme chargé de mission, n'est-il pas le premier dans la hiérarchie élyséenne ?

D'où une rivalité ouverte et des échanges acides avec le susceptible secrétaire général de l'Elysée, Michel Jobert. A partir de 1970, les deux hommes ne se saluent même plus ni ne s'adressent la parole. Le secrétaire général adjoint, le très affable Edouard Balladur, maintient le dialogue entre les deux ailes du château. Georges Pompidou s'en amuse follement. Tout le monde est prévenu : il faut être d'un côté ou de l'autre. Sauf Jacques Chirac. A peine sorti du bureau de ses protecteurs, il se précipite pour donner le bonjour à M. Jobert.

Quels pouvoirs Georges Pompidou assigne-t-il à Pierre Juillet ? « Aucune autorité dans les grandes affaires de l'Etat : monnaie. défense, politique étrangère », affirment, péremptoires, les autres collaborateurs du président. En revanche, une « influence certaine sur le cours de la politique politicienne », reconnaissent les mêmes.

Georges Pompidou apprécie chez son conseiller son habileté « à toujours trouver le bout de la pelote pour dénouer les fils », sa perception réaliste de la nature humaine et sa connaissance approfondie du gaullisme, de ses sectes et de ses troupes.

Tous deux se font une même idée sceptique et pessimiste des Français. Ils pensent que ce peuple, aimant l'ordre et l'autorité, est travaillé en permanence par des ferments de discorde et de désordre, qu'il préfère la discussion à l'action et une belle phrase à une décision qui bouscule, qu'il déteste les réformes même quand il les réclame, et leur préfère les révolutions sans effusions de sang, parce qu'il est civilisé. Voilà d'ailleurs pourquoi, pendant cinq ans, le président choisit de maintenir plus que d'avancer, d'apaiser plus que d'entraîner.

En plus de son rôle d'organisateur de la chasse au gibier à plume et à poil, Pierre Juillet est aussi le chasseur de têtes du président.

Au nom de cette recherche systématique de pompidoliens sans peur et sans reproche, qu'aura-t-elle donc fait, cette « camarilla autoritaire » qui donne le frisson à la troupe UDR ?

Sous sa baguette, tout au long d'une valse à mille temps, sortent de l'ombre des obscurs, des sans grade, s'évanouissent des puissants. Les cabinets ministériels tremblent comme feuille sous la bise, des ministres sont quotidiennement notés, bousculés, et des préfets malmenés ou déplacés au nom et pour la gloire de Georges Pompidou.

Bientôt, Pierre Juillet et Marie-France Garaud jouent de plus en plus de ce pouvoir. On les appelle « les diaboliques ». Le président malade, ils entendent peser d'autant plus et tenir solidement les clefs de la succession qui s'approche. Mais leur résultat politique le plus spectaculaire est qu'en cinq ans ils auront éliminé un à un les grands barons gaullistes. Pierre Juillet et Marie-France Garaud s'en persuadent quotidiennement : ceux-ci forment une féodalité toujours conquérante, donc éminemment dangereuse. Ne déjeunent-ils pas régulièrement ensemble pour comploter, probablement, contre l'Elysée ? Il est donc urgent de leur faire mettre genou à terre.

Aussi, sous leur règne, Chaban, Premier ministre, est-il quotidiennement contré. De leur fait, Olivier Guichard, éternel successeur à Matignon, ne sera pas Premier ministre. Avant d'être remercié, Roger Frey sera privé de grand poste politique. Après les élections de 1973, succès suprême, Michel Debré lui-même sera débarqué comme un ministre ordinaire.

En refusant de composer son premier gouvernement sous le contrôle de Pierre Juillet, Jacques Chaban-Delmas a déclenché sans le vouloir les hostilités. Pis, en prononçant son discours sur la Nouvelle Société sans imprimatur de l'Elysée, il a déjà signé son arrêt de mort : « Certes, vous êtes gaulliste, je n'en disconviens pas, mais vous êtes aussi l'homme qui amène le socialisme en France [...] Votre système contractuel, c'est la dégradation de l'autorité. C'est l'engrenage qui conduit à la ruine. Ce sera pour finir l'anarchie[1] », vient expliquer froidement Pierre Juillet, simple conseiller, au Premier ministre en personne. Dès lors, tout est mis en œuvre contre le maire de Bordeaux.

Première torpille : Pierre Messmer, député de Moselle, ancien ministre des Armées du général de Gaulle, pendant neuf ans et quatre mois, légionnaire au profil de médaille, qui porte bien le short long et la saharienne, constitue une faction parlementaire, Présence et Action du gaullisme, fréquentée par le beau-frère et le neveu du général, MM. Vendroux père et fils. Pendant deux ans, Messmer, vivement encouragé par Pierre Juillet, multiplie publiquement les mises en garde contre l'« aventure politique » (c'est-à-dire la politique de Chaban). En janvier 1971, le légionnaire a droit à une belle décoration : il entre au gouvernement comme ministre d'Etat chargé des DOM-TOM.

Deuxième torpille : le grand Hubert Germain, député de Paris dont la caractéristique essentielle est d'être un « fan » inconditionnel de Pierre Messmer, reprend alors les rênes de Présence et Action du gaullisme. En son nom, successivement, il demande un « grand dessein pour la France » (la Nouvelle Société n'en serait donc pas un) et recueille les signatures des six présidents de commission à l'Assemblée nationale sur un manifeste qui déplore le manque de concertation du Parlement avec le gouvernement (entendez : avec Chaban, bien sûr).

Troisième torpille : René Tomasini, le Corse fidèle et sans états d'âme, qui a succédé, à la tête de l'UDR, au peu malléable normalien Robert Poujade, exécute chaque jour les ordres venus de Pierre Juillet, destinés à « embêter Chaban ». Il attaque sauvagement la libéralisation de l'ORTF, la « lâcheté des magistrats », la Nouvelle Société en somme.

Quatrième torpille, juin 1972 : alors que depuis six mois Chaban se débat avec ses feuilles d'impôts, le bureau exécutif de l'UDR appelle sans indulgence, voire sans élégance, à une restauration du gaullisme pur et dur (l'impur serait Chaban). A

1. Récit de Jacques Chaban-Delmas dans son livre, *l'Ardeur*, chez Stock.

la même époque, Pierre Juillet clame à tous les vents : « Si Chaban n'est pas parti dans quinze jours, c'est moi qui m'en vais. »

Le 5 juillet, Chaban s'en va. Il est démissionné après avoir obtenu un vote de confiance de l'Assemblée nationale en forçant la main de Georges Pompidou. Dans la même vague, Roger Frey, l'ami fidèle, est débarqué. Plus tard encore, après les élections de mars 1973, les deux conseillers, dont la vindicte n'aura pas désarmé, empêcheront le maire de Bordeaux de se faire élire au perchoir de l'Assemblée.

Qui va succéder à Chaban ? Le ministre de l'Education nationale, Olivier Guichard ? A l'UDR, chez les giscardiens, c'est une certitude. Quelques mois plus tôt, en mars, Valéry Giscard d'Estaing, partageant ce point de vue, lui a même rendu visite pour lui suggérer d'user de son influence sur le président, et lui obtenir ainsi le ministère des Affaires étrangères.

Mais Georges Pompidou hésite. Il s'interroge tout haut devant Michel Jobert et quelques autres : « Messmer est-il loyal ? A-t-il la capacité d'un Premier ministre ? On [les conseillers, naturellement] essaie de me pousser Chirac, mais il doit d'abord mûrir. Il est si impulsif ! Et Olivier, il en est sûrement capable, mais en a-t-il envie ? Et puis, il n'en fera qu'à sa tête, lui aussi. Cela fait des mois que je lui demande de défendre l'étude du latin dans les écoles et il ne fait rien. »

Selon les familiers de Georges Pompidou : « Le latin était sa marotte, il pensait que c'était, pour les écoliers, essentiel aussi bien pour parler un beau français que pour mieux comprendre les mathématiques. »

Selon les mêmes familiers, Olivier Guichard commet une faute irréparable, « celle de vouloir rester élégant à tout prix ». Il ne veut pas paraître bénéficier des malheurs de son ami Chaban. Il voudrait bien être Premier ministre, mais sans avoir été candidat à Matignon. Et puis, n'a-t-il pas eu le tort de rappeler un peu trop au chef de l'Etat l'ancienneté d'une amitié alors égalitaire ? Il y a des souvenirs qu'il faut savoir oublier.

« Avec Messmer, vous serez tranquille, rabâche Pierre Juillet. Lui, au moins, n'improvisera pas de discours sur la Nouvelle Société sans prévenir. » Le conseiller emporte la décision avec cet argument décisif : « A neuf mois des élections législatives, alors que la majorité est secouée par les scandales et que la gauche vient de signer un programme commun, Pierre Messmer a une si belle tête d'honnête homme que personne n'osera lui parler des affaires. » Robert Galley ajoute : « Pompidou admirait beaucoup en Pierre Messmer le héros de Bir Hakeim, celui qui avait été fait prisonnier par les Viets et qui s'en était évadé, ce monstre de courage physique. »

Et c'est ainsi que Pierre Messmer succède à Chaban. Il en est bien conscient. Aussi, une fois à Matignon, n'omettra-t-il jamais de passer par le bureau de ses parrains quand il rendra visite au président. Instruit des malheurs de son prédécesseur, il ne commettra pas ses fautes impardonnables. Et les conseillers ne seront pas lésés. « Sous Messmer, Marie-France téléphonait sans cesse et à tout le monde », se souviennent aujourd'hui les collaborateurs de l'ancien Premier ministre.

Si le président écoute volontiers Pierre Juillet, il ne se range pas systématiquement à son avis, tant s'en faut ! Le patron, c'est lui, il ne faut pas s'y tromper.

D'ailleurs, des différends surgissent bien souvent entre eux : par exemple, à propos du référendum sur l'entrée de la Grande-Bretagne au Marché commun. Le conseiller est contre l'enclenchement d'une procédure si lourde sur un sujet qui ne passionne guère les Français. A propos, aussi, du quinquennat souhaité par le président, ou quand celui-ci n'accepte pas ses suggestions pressantes pour le remaniement et le choix des hommes.

Chaque fois, le scénario est invariable et bien rodé : Pierre Juillet prend sa canne, sa cape, ses cliques et ses claques. Son schnauzer Lioubka à ses trousses, il bougonne : « Quand vous aurez besoin de moi, vous me le direz. » Et il s'en va. Quinze jours. Un mois.

Parfois plus : sept mois, comme au lendemain des élections de mars 1973, lorsque Georges Pompidou lui refuse de placer Jacques Chirac au ministère de l'Intérieur. « Marcellin, ça me sécurise et Chirac cela m'engagerait de trop », dit le président. Pierre Juillet tempête.

De même, il a beau lui suggérer de déplacer VGE de sa bastille des Finances vers le palais du Quai-d'Orsay, Georges Pompidou ne l'entend pas de cette oreille : « Les Affaires étrangères, c'est mon domaine réservé », dit-il. Quant au ministre des Finances, Pompidou le croit trop indépendant pour accepter de se muer en simple exécutant des volontés présidentielles. Pierre Juillet se cabre et s'en retourne à ses moutons.

A l'Elysée, on considère que ce petit jeu de va-et-vient perpétuel tient un peu trop du chantage. Ce comportement franchirait même les limites de celui d'un simple atrabilaire pour jouxter celui d'un caractériel, dit-on ouvertement. D'autant que Pierre Juillet reste en relation téléphonique constante avec Marie-France.

Ces allées et venues tantôt amusent Georges Pompidou : « Bah ! il va bien revenir un jour », dit-il, débonnaire, tantôt l'irritent : « J'en ai assez de toutes leurs histoires », marmonne-t-il quand la maladie le rend plus impatient.

A cette époque, à un intime qui se plaint des agissements des deux conseillers envers tel ministre ou tel baron, Georges Pompidou, qui se sent chaque jour moins solide, rétorque avec lassitude : « Je ne peux quand même pas m'intéresser comme avant à la vie des autres, alors que je suis en train de perdre la mienne. »

Du coup, après les élections de mars 1973, le président se persuade que, cette fois-ci, le départ de son conseiller est sérieux. « Je crois que Juillet est définitivement parti. Il faudra trouver quelqu'un pour le remplacer », lança-t-il à Edouard Balladur, le secrétaire général de l'Elysée, que Marie-France supplie chaque jour de n'en rien faire. Non sans succès ! Sept mois plus tard, en décembre 1973, Pierre Juillet n'a toujours pas de remplaçant. Seulement, les militants de l'UDR, ayant d'eux-mêmes intronisé Chaban prochain candidat du gaullisme à l'élection présidentielle, Georges Pompidou, très malade, suffoque de rage. Il a besoin d'un Pierre Juillet pour remettre tout ce beau monde au pas.

Et tout s'arrange. En Creuse aussi, on comprend bien qu'il y aura des élections présidentielles et que le choix du successeur est une affaire trop sérieuse pour la laisser aux militants Pierre Juillet revient. Son schnauzer aussi.

Cette fois, son plan triomphe (en partie) : Georges Pompidou accepte de nommer Jacques Chirac au ministère de l'Intérieur, et ce d'autant plus aisément que Raymond Marcellin guerroie avec *le Canard enchaîné,* qui l'accuse avec véhémence d'avoir fait placer des micros dans les locaux du journal.

Pierre Juillet veut qu'à son nouveau poste, son poulain se fasse une image de prétendant possible. Il devra apparaître comme un gestionnaire avisé, un politique ferme, certes, mais avant tout réfléchi. Il ne devra pas être, comme Marcellin, uniquement le premier flic de France. Il sera aussi le premier maire de France.

Valéry Giscard d'Estaing, lui, reste rue de Rivoli, mais il est promu ministre d'Etat. Et c'est ainsi que le 1er mars 1974, Messmer III succède à Messmer II. L'équipe gouvernementale est restreinte de vingt et un à quinze ministres. Officiellement, il s'agit d'offrir au Premier ministre une équipe encore plus soudée et solidaire. En fait, il s'agit de donner à Jacques Chirac un nouveau rôle et une stature toute neuve avant la succession.

S'il s'impose, il peut devenir le dauphin. S'il échoue — ou faute de temps —, il restera toujours Messmer. Avec lui, le régime serait semi-présidentiel. On installerait Chirac à Matignon et les conseillers tireraient toujours les ficelles.

Ainsi tout est clair, en ce début d'année 1974. VGE, qui s'est toujours préparé au poste suprême, se tient prêt à toute éventualité. Jacques Chaban-Delmas, qui croit en ses chances, reçoit beaucoup de monde et mobilise ses partisans. Jacques Chirac, lui, tente de mettre les bouchées doubles, grâce à l'aide toute-puissante de ses protecteurs.

4

Les accordailles

ou quand on n'a pas ce que l'on aime,
il faut aimer ce que l'on a

Les grandes douleurs sont muettes. Et grand est le chagrin de Jacques Chirac, ce mardi 2 avril 1974, quand, à 20 h 58, le président Pompidou s'éteint dans son appartement privé du quai de Béthune.

Le jeudi, pendant l'émouvante messe en l'église Saint-Louis-en-l'Ile, le gouvernement au grand complet se recueille à la mémoire du défunt. Courbé sur son prie-Dieu, Chirac est secoué de sanglots. « Il était comme une bête blessée », se souvient Michel Jobert.

Mais Jacques Chirac n'est pas muet. On ne va même entendre que lui pendant près de quinze jours. On pouvait imaginer que la disparition de Georges Pompidou, qu'il considérait comme son tuteur, son modèle, son père, le laisserait abattu, brisé même. Au lieu de cela, comme si une curieuse mécanique s'était soudain remontée en lui, le ministre de l'Intérieur est plus battant, plus affairé que jamais.

Pourquoi tant d'agitation ? En vérité, cette mort du président, Jacques Chirac ne l'a pas prévue si prompte et si brutale. Or, voilà que tout à trac elle dérange ses sentiments, ses certitudes, ses espoirs, son calendrier, donc sa carrière. C'en est trop à la fois.

« C'est un accident. Il n'aurait jamais dû mourir », dit-il à Alain Peyrefitte.

Alors, en quelques heures, devant les gaullistes interdits, il devient l'acteur principal d'un drôle de feuilleton qui ressemblerait à n'importe quelle banale histoire d'héritage, si l'enjeu de la succession n'était le sommet du pouvoir.

Les romans du xixe siècle sont pleins de ces récits : au

moment où l'aïeul bien-aimé rend le dernier souffle, on voit aussitôt ses descendants se battre, s'injurier, vider les armoires et éventrer les matelas à la recherche du magot. Il paraîtrait que ces agissements n'excluent pas la peine sincère...

Georges Pompidou étant mort intestat, à l'instant où la triste nouvelle se répand dans Paris, les villes et les villages, Jacques Chirac ouvre les tiroirs, renverse les meubles et se livre à une débauche d'initiatives et de volubilité. De tout son être, de toute son âme, de toutes ses forces, il se le jure : Jacques Chaban-Delmas (qui a le soutien des militants UDR et d'une bonne partie du groupe gaulliste) n'entrera pas à l'Elysée.

Et, comme s'il avait quatre paires de jambes, autant de bras, les nerfs tendus à l'extrême, l'œil fouailleur, on le voit partout à la fois : à Matignon, où il presse Pierre Messmer d'être candidat, dans les couloirs de l'Assemblée nationale, où, infatigable, il pourchasse les élus UDR, au téléphone.

Ignorant le sommeil (et celui des autres), il traque les députés de jour comme de nuit pour leur assener sa certitude : « M. Pompidou avait choisi Messmer. » Au ministère de l'Intérieur, il inonde la terre entière des sondages que ses services sont censés lui transmettre (tous sont étrangement défavorables à Chaban) ; à ses amis il laisse entendre qu'il aimerait encore mieux soutenir l'antéchrist Giscard que le diable Chaban. C'est dire s'il est prêt à tout !

En effet, cinq ans de fréquentation assidue de Pierre Juillet et Marie-France Garaud lui ont instillé une aversion sans bornes pour le maire de Bordeaux. Au fil des mois, Jacques Chirac nourrit à son endroit une méfiance quasi-pathologique. En Chaban, il suspecte tout : son gaullisme comme son honnêteté ; il met en doute son respect des institutions, son sens de l'indépendance nationale ; il exècre son réformisme social, sa faconde et sa manie de toujours vouloir arranger tout le monde. De sa première « trahison » (le discours sur la Nouvelle Société) jusqu'à la dernière (la question de confiance sollicitée de l'Assemblé nationale à l'heure où sa chute était décidée au château), Jacques Chirac trouve là autant de raisons de conforter son ostracisme envers l'ancien Premier ministre.

De là à se convaincre que les intérêts de la France coïncident étroitement avec les siens, il n'y a qu'un pas : le ministre de l'Intérieur, Pierre Juillet et Marie-France Garaud le franchissent au galop.

Ce 2 avril 1974, alors que le président Pompidou agonise, leur intérêt n'est apparemment pas de soutenir spontanément Valéry Giscard d'Estaing, « qui n'a jamais été qu'une poire pour la soif », dit l'un des proches du maire de Paris aujourd'hui.

Marie-France Garaud le révèle en 1980 : Pierre Juillet envisage — quelques heures — de pousser carrément Jacques Chirac dans la lice. Mais il y renonce : le poulain n'a pas eu le temps de grandir, son image de marque doit encore être façonnée et puis il n'a que quarante et un ans. La solution Messmer s'impose. Reste à faire sortir le candidat du chapeau.

Des gaullistes commentent aujourd'hui : « Si Juillet n'avait pas hésité ces quelques heures, il aurait poussé tout de suite Messmer, le Premier ministre aurait annoncé aux Français la mort de Georges Pompidou à la télévision. Ainsi aurait-il fait figure de dauphin. »

Pour introniser Messmer, le plan de la trinité (Juillet-Garaud-Chirac), totalement solidaire dans son combat anti-Chaban, ne manque pas de logique pour convaincre la troupe gaulliste : « La victoire de la majorité, disent-ils, sera mieux assurée par un candidat d'union que par quiconque courant sous ses propres couleurs, qu'il se nomme Giscard ou bien Chaban. »

L'argumentation est de poids : il n'y a encore jamais eu de primaires dans la majorité pour des élections présidentielles. C'est donc jouer à la fois la tradition, la prudence et le bon sens.

Pour certains barons du gaullisme, les instigateurs du « complot anti-chaban » ont un mobile autrement plus puissant : « Quand la marionnette est une chiffe, on met plus facilement les mains dedans », dit l'un d'eux, sans trop de forme ni de considération pour Pierre Messmer, avant de poursuivre : « alors que, avec un Chaban, c'en serait fait de leur triumvirat ».

Leur décision résolument adoptée, Jacques Chirac n'a plus qu'à la mettre en œuvre : à peine la radio et la télévision ont-elles annoncé le décès du président Pompidou que le ministre de l'Intérieur est déjà en route pour Matignon.

En arrivant, il bouscule les huissiers, escalade les escaliers quatre à quatre, enfonce les portes et entreprend le siège de Pierre Messmer : « Vous devez absolument vous présenter », dit-il devant les ministres Jean Taittinger (Justice), Jean-

Philippe Lecat (Information), Hubert Germain (P et T), qui opinent du bonnet.

Michel Debré et Alexandre Sanguinetti protestent : « Et pourquoi pas Chaban ? — Si Chaban est candidat, réplique aussitôt le ministre de l'Intérieur qui connaît sa leçon par cœur, Giscard sera candidat lui aussi, il y aura des primaires. Chaban n'est pas le meilleur, il fera une erreur par jour, tandis qu'avec Messmer, on est sûrs de battre Mitterrand. »

Et joignant le geste à la parole, Jacques Chirac sort de sa poche une flopée de sondages péremptoires. En cas de duel Mitterrand-Messmer, Messmer l'emporterait. C'est du sûr et certain, du scientifique comme on n'en fait plus, cela ne se discute même pas.

Et pourtant, si ô combien ! Pierre Messmer lui aussi a des sondages, qui lui disent malheureusement le contraire de ceux de son ministre de l'Intérieur. Et puis, n'a-t-il pas toujours affirmé : « Je ne suis pas un homme politique » ?

Mercredi 3 avril : sabre au clair, Jacques Chirac revient à la charge. Avant le conseil de cabinet qui se réunit pour organiser les obsèques du président, il prend à part les ministres UDR et les somme de se déclarer au plus vite pour la candidature Messmer : « C'est un gaulliste, c'est l'unité garantie, c'est la légitimité et puis surtout, c'était l'idée de M. Pompidou », dit-il. Un peu choqués, voire offusqués, les ministres conseillent à Jacques Chirac de les laisser souffler et d'attendre un moment plus propice pour faire campagne. Par exemple, lorsque le président qu'il aimait tant reposera sous terre...

A la même heure, ou presque, Jacques Chaban-Delmas est justement en train d'expliquer à Pierre Messmer que lui, maire de Bordeaux, est tout à fait résolu à se porter candidat : « Je suis décidé envers et contre tout. — Vous voulez dire : envers et contre tous », réplique sèchement le Premier ministre[1].

Mais il en faudrait bien plus pour décourager les ardeurs du ministre de l'Intérieur. L'après-midi le voit dans les couloirs de l'Assemblée nationale, voltigeant de député UDR en député gaulliste, pour leur jurer, croix de bois, croix de fer, que « Georges Pompidou avait choisi Messmer ».

Mais, ce mercredi soir, Pierre Messmer n'est toujours pas candidat. Il est vrai que dans l'après-midi, Michel Debré est

---

1. Interview de Messmer, *l'Expansion*, septembre 1974.

venu lui expliquer charitablement qu'il ferait un bien piètre candidat, le meilleur, à ses yeux, étant Chaban, et puis, il le dira plus tard, le Premier ministre ne veut pas donner à la France le spectacle grotesque de deux anciens chefs de gouvernement de Georges Pompidou s'affrontant.

Jeudi 4 : le petit jeu des pressions continue. Hector Rolland, dit Spartacus, député-maire de Moulins, qui s'est intronisé chef de bande des élus de la base gaulliste (ceux qui n'en finissent pas de grogner parce que le sommet est toujours trop haut), Hector donc, dûment chapitré par Jacques Chirac, vient manifester dans la matinée, à Matignon, sa confiance dans les vertus de Pierre Messmer, ce héros au regard bleu électoral.

A force de se trouver convaincant, il finit sans doute par se persuader lui-même. Car, revenu dans les couloirs du Palais-Bourbon, Hector proclame de groupe en groupe : « Messmer se déclare ce soir à 18 heures. »

Sur son chemin, traîne, bien sûr, l'oreille d'un ami de Jacques Chaban-Delmas pour capter le message. Le maire de Bordeaux est averti sur-le-champ. Il décide qu'il est urgent de ne pas attendre. Il prendra tout le monde de vitesse. Il annoncera sa candidature l'après-midi même, immédiatement après l'éloge funèbre prononcé dans l'hémicycle par Edgar Faure, président de l'Assemblée nationale, à la mémoire de Georges Pompidou.

Effectivement, tout le monde est encore en séance quand, à 16 h 9, tombe sur les téléscripteurs de l'Assemblée nationale une dépêche de l'Agence France Presse : « Officiel. Chaban est candidat. »

A 16 h 15, députés et ministres, avec la mine de circonstance, sortent de l'hémicycle. Les journalistes se précipitent et propagent la nouvelle. L'effet est prodigieux. Jacques Chirac manque d'étouffer de rage : « Cette hâte de Chaban est parfaitement indécente ! » éructe-t-il. Mais Chaban officiellement candidat, les autres postulants peuvent s'avancer masque bas.

En fin d'après-midi, Pierre Messmer reçoit Edgar Faure, puis Valéry Giscard d'Estaing. Comme la nature, le président de l'Assemblée nationale a horreur du vide. Dès qu'une place est vacante, il est candidat. C'est chez lui un réflexe et un principe. Aux élections présidentielles de 1969, il était parti trop tard, il s'en est toujours voulu. Cette fois, il veut partir à temps : « Je suis candidat », clame donc Edgar Faure.

Plus sobrement, le ministre des Finances prévient ainsi

Pierre Messmer : « Puisque Chaban est candidat, je le serai aussi. — Attendez encore quelques heures, implore Pierre Messmer, je veux essayer d'obtenir le retrait de Chaban. Si je l'obtiens, serez-vous candidat ? » Réponse de VGE : « Non. »

C'est que, le jour même, après la messe en l'église Saint-Louis-en-Ile, un déjeuner privé a réuni, dans le petit salon Napoléon III du ministère des Finances, VGE, Ponia, Pierre Juillet, Jacques Chirac et Marie-France Garaud. Les conseillers de l'Elysée et leur poulain sont venus s'informer des intentions de Giscard. « Je me présenterai sans doute », répond, évasif, le ministre. « VGE semblait déchiré entre l'envie et la peur », dira plus tard Marie-France Garaud.

La veille, plus d'un tiers des députés républicains indépendants se sont prononcés pour une candidature unique de la majorité. Le sachant, Pierre Juillet et Jacques Chirac plaident d'autant mieux leur dossier : « Pour battre Mitterrand, disent-ils, il faut une candidature unique. » Après le dessert, grand seigneur, VGE semble se rallier à leur point de vue : « Si Messmer se présente, je ne me présenterai pas. Si c'est Chaban, je serai candidat. Vous pouvez le dire au Premier ministre. »

Dans leur voiture, les conseillers et le poulain n'en reviennent pas : « Comme il est aimable et convenable, ce ministre des Finances ! » Ils vont même jusqu'à se dire que, peut-être, comme en 1969, Giscard n'ira pas jusqu'au bout. Du coup, l'affaire Messmer se présenterait presque bien.

Six ans plus tard, Ponia explique en souriant : « Jamais le président n'a cru que Messmer se déclarerait, parce qu'il était persuadé que Chaban allait se lancer dans la course. En acquiesçant aux suggestions des conseillers, il se donnait l'apparence d'une exquise courtoisie, tout en escomptant bien être au plus vite et largement payé de retour. »

De fait, VGE fait aussitôt dire par un communiqué qu'il s'abstient de « tout commentaire et de toute déclaration aussi longtemps que ne sera pas achevé l'hommage public rendu à la mémoire de Georges Pompidou ».

Une petite leçon de convenance qui annonce surtout l'imminence d'une prise de position politique, sans doute après l'office solennel en la cathédrale Notre-Dame-de-Paris, qui aura lieu deux jours plus tard, le samedi à 13 heures.

Mais ce jeudi 4 avril, Hector Rolland a-t-il été trop bavard ? A-t-il, sans le vouloir, contrarié le destin ? Toujours est-il que

Chaban, habileté ou « précipitation fatale », est déjà parti. Pierre Messmer n'est toujours pas candidat.

Vendredi 5 : Jacques Chirac ne renonce pas à pousser Messmer. Au Conseil des ministres, il fait reporter de huit jours (du 28 avril au 5 mai) le premier tour des élections présidentielles. Le ministre de l'Intérieur, qui est maître du calendrier, pense ainsi avoir une chance supplémentaire de décourager Chaban. Il juge qu'une campagne plus longue jouera davantage en défaveur du maire de Bordeaux.

Bref, il en fait tant qu'au bureau exécutif de l'UDR et au groupe parlementaire gaulliste, en majorité chabaniste, certains dignitaires (Robert Poujade, par exemple) demandent son expulsion. « Impossible d'exclure Chirac. Il n'est pas inscrit à l'UDR. Il n'a pas sa carte », gémit théâtralement Alexandre Sanguinetti, secrétaire général du parti gaulliste.

« Vous avez déjà fait trop de bêtises comme cela ! Ne touchez pas à Chirac : vous serez bien contents de l'avoir avec vous un jour ! » tonne alors, impavide sous les quolibets, Charles Pasqua, ce Corse d'acier au sourire de Fernandel et à l'accent d'aïoli, qui a toujours l'air de sortir d'une saynète de Pagnol.

Mais, ce vendredi 5, Pierre Messmer n'est toujours pas candidat.

Samedi 6 : après la messe à Notre-Dame (VGE seul a communié), des ministres et des députés reviennent à la charge à Matignon. « Je ne veux pas que l'on puisse dire que Mitterrand l'a emporté à cause de moi », s'entête Pierre Messmer, qui n'a décidément pas l'assurance instinctive des Bonaparte électoraux. Et si Edgar Faure se déclare, lui, devant les caméras de télévision, Pierre Messmer n'est toujours pas candidat.

Dimanche 7 : les dés sont jetés. A la réunion du comité central de l'UDR (trois cent cinquante personnes), convoqué à la maison des Centraux à Paris, Alexandre Sanguinetti, Michel Debré et Claude Labbé, tous chabanistes convaincus, font acclamer à main levée et à l'unanimité la candidature du maire de Bordeaux. « Des votes à bulletins secrets auraient réservé bien des surprises ! » prétendent, aujourd'hui encore, les chiraquiens. Seul, contre vents et marées, le ministre de l'Intérieur, plus véhément que jamais, prophétise une dernière fois et sous les sifflets : « Avec Chaban, nous allons au casse-pipe, je vous aurai prévenus. » Un petit tiers de la salle l'applaudit.

Va-t-il alors baisser les bras, Jacques Chirac, et laisse le sort se permettre de lui faire un pied de nez en face ? Ce n'est pas son genre, ni celui de ses conseillers. Justement, l'après-midi, Pierre Juillet, encore en tenue de chasse, Denis Baudoin et le ministre de l'Intérieur se retrouvent dans l'appartement cossu de Marie-France Garaud, dans le 17ᵉ arrondissement.

Après maints conciliabules, ils décident de tenter leur dernière chance. Et, en procession, Pierre Juillet précédé de Jacques Chirac se rend une fois encore à Matignon. Ils ploient littéralement sous le poids de valises bourrées d'enquêtes, de renseignements de première main, plus apocalyptiques les uns que les autres.

Et pendant deux heures, telles deux baffles stéréo, ils encadrent Pierre Messmer et passent et repassent sur leur platine un disque au refrain lancinant et prosaïque : « L'union fait la force. » Plus noblement, ils parlent aussi de la grandeur de la France, du péril imminent, de la survie de la Vᵉ République, de la gauche qui menace.

Heureusement, disent-ils encore, un homme providentiel existe, un sauveur, c'est Jeanne d'Arc réincarnée. Il s'appelle Pierre Auguste Messmer. En les entendant, le Premier ministre résiste d'abord, frémit un tantinet, s'émeut, puis l'oreille finit par le chatouiller agréablement. Il balance, il flanche, il cède enfin. « Si Chaban se retire, j'y vais. Etre candidat unique est ma condition absolue », insiste le Premier ministre. Une fumée blanche s'échappe des cheminées de Matignon. *Habemus candidatum.* Pierre Messmer est candidat.

« J'ai pris ma résolution le dimanche, confiera-t-il bravement plus tard[1]. J'ai préparé le texte que j'ai prononcé le mardi matin. J'ai voulu qu'il soit bien clair que s'il n'y avait pas un candidat d'union, ce n'était pas de mon fait, ce n'était pas une dérobade. »

Las ! quand enfin, le mardi, Pierre Messmer se porte officiellement candidat, il est beaucoup trop tard. Chaban, investi par l'UDR, est déjà lancé à pleine vapeur dans sa campagne. Il ne veut plus, il ne peut plus reculer. Il maintient sa candidature

Seul Edgar Faure (les sondages lui accordent moins de 8 p. 100 des suffrages) est trop content de pouvoir ainsi s'esquiver de la scène, avec en prime l'air de servir la France.

« Nous nous sommes trompés, reconnaît, en 1980,

1. *L'Expansion,* septembre 1974

Mme Garaud. Nous avons vraiment cru que deux candidats : VGE et Edgard Faure, acceptant de se retirer pour Messmer, le troisième, Chaban, n'oserait pas se maintenir et qu'il céderait la place au Premier ministre, comme il avait laissé le perchoir à Edgar en 1973. »

La décision de Pierre Messmer est si tardive que François Mitterrand raille un homme « qui a fait son appel du 18 Juin le 19 ».

Valéry Giscard d'Estaing, lui, moque en aparté « ce dernier spasme messmérien ». Car, depuis la veille, le ministre des Finances est cette fois candidat. Le lundi à midi, sur la terrasse ensoleillée de sa mairie de Chamalières, des sondages plus que rassurants en poche, il s'est adressé au bon peuple de France : « De cette province d'Auvergne française, je viens vous dire que je suis candidat. »

Et le bon peuple d'être frappé par tant de sérénité, de calme, d'assurance naturelle, d'autorité tranquille, qui tranchent sur l'agitation malsaine des gaullistes et l'empressement trop intéressé d'un Chaban qui a fait acte de candidature quand le corps du chef de l'Etat était encore chaud. Au moins, la candidature de VGE respecte-t-elle les usages. Rien ne remplace une bonne éducation! Bref, ce lundi sans nuage, le ministre des Finances, ayant su attendre son heure, interprète à la face du monde la version électorale d'une fable que tous les petits Français apprennent sur les bancs de l'école : *le Lièvre et la Tortue.*

« J'affirme depuis des années, dit encore VGE, que la France a besoin d'une majorité élargie. Dans les circonstances difficiles que nous traversons, et que nous traverserons, il faut créer cette majorité-là. C'est pourquoi je m'adresse à vous tous, électeurs UDR, républicains indépendants, centristes, réformateurs, pour créer cette nouvelle majorité présidentielle. »

Dans la matinée du 10 avril, il reçoit longuement Jean Lecanuet et Pierre Abelin, les deux leaders du Centre démocrate. L'entretien porte sur la réforme constitutionnelle (introduction de la proportionnelle dans les scrutins électoraux), la construction de l'Europe et les problèmes sociaux. L'harmonie est complète, les trois hommes tombent parfaitement d'accord et l'après-midi d'un si beau jour, Jean Lecanuet (en 1965, il avait mis le général de Gaulle en ballottage) apporte publiquement son soutien à Valéry Giscard d'Estaing. « Nous avons, dit-il tout sourire, le même objectif : rassembler les centres et construire un parti capable de gouverner. »

A Chamalières, le futur président conclut en ces termes sa péroraison : « Je voudrais regarder la France au fond des yeux, lui dire mon message et écouter le sien. Je m'efforcerai de mener une campagne exemplaire. Je n'attaquerai personne. »

De fait, VGE respectera son propos à la lettre. Il va faire une campagne exemplaire. Avant de sillonner la France entière, il rend visite à son rival, Jacques Chaban-Delmas, pour lui dire en substance : « Surtout pas de coups bas entre nous. »

Jusqu'au premier tour, le leader républicain indépendant joue la simplicité, le charme, le dynamisme, la modernité, le débat d'idées. « Ce qui m'intéresse, dit-il, c'est de comprendre mon époque. » Et, à travers le pays, il parle de justice sociale, de sécurité, d'humanisation du cadre de vie, d'indépendance. Tous est dit en « trois sécurités et neuf changements ». Mais jamais une vilenie pour l'adversaire. Les attaques personnelles ? Les crocs-en-jambe ? Fi donc ! D'autres s'en chargent pour lui.

Et d'abord Jacques Chirac, qui ne désarme toujours pas contre Chaban. C'en devient même obsessionnel. La manœuvre inspirée par Pierre Juillet ayant échoué — « Il était aussi difficile de décider Messmer que de faire monter un éléphant dans une bétaillère », raillera le père Joseph de l'Elysée —, deux solutions s'offrent encore à eux : ou bien capituler devant Lucifer-Chaban : impensable. Ou bien rallier le frère ennemi Giscard. C'est bien entendu la deuxième solution qu'ils retiennent.

De gaieté de cœur ? Quand même pas. « Si j'ai soutenu Giscard, ce n'était certainement pas pour lui faire plaisir. Je n'ai jamais eu d'atomes crochus avec lui. Mais c'était la seule façon de faire battre Mitterrand », assure, en 1979, le maire de Paris. En politique comme dans la vie, il en va souvent ainsi : quand on n'a pas ce que l'on aime, il faut aimer ce que l'on a. Néanmoins, Jacques Chirac va déployer des talents et dépenser une énergie comme s'il éprouvait un irrésistible penchant pour VGE.

Ainsi, au moment où le ministre des Finances fait acte de candidature, Pierre Juillet fait cette promesse : « Si la manœuvre Messmer tourne court, mon soutien vous sera acquis. » C'est ce qui se passe.

114

Avec Giscard à l'Elysée, Pierre Juillet et Marie-France Garaud espéraient continuer de jouer le rôle de conseillers. « " Lui qui n'a connu le pouvoir que du côté de la rue de Rivoli aura bien besoin de nous ", croyaient-ils. » C'est l'avis d'Yves Guéna en 1980.

Un temps, raconte Marie-France Garaud, VGE suggère à Pierre Juillet : « Il faudrait que Jacques Chirac me rallie. — Il y a mieux à faire », rétorque le conseiller, qui a déjà en tête le coup de théâtre qui fera date dans cette campagne présidentielle, sous le nom d' « appel des quarante-trois ».

Pendant trois jours et trois nuits, Jacques Chirac, flanqué de René Tomasini, d'André Bord, de Jacques Toubon et de Pierre Lelong, va traquer au téléphone, à s'en user les doigts, les parlementaires gaullistes les plus influençables ou les mieux disposés. Pour tous, le sermon est le même : « Il faut signer absolument un texte en faveur de l'unité de candidature. Il n'y a pas d'autre moyen de barrer la route à Mitterrand. »

Ainsi trente-neuf députés (un rassemblement des plus hétéroclite, en tout trente-trois UDR, trois centristes, deux républicains indépendants, un réformateur et quatre ministres, MM. Taittinger, Stirn, Lecat et Chirac, évidemment, des excellences qui doivent leur carrière autant à Georges Pompidou qu'à ses conseillers) signent-ils, le samedi de Pâques, un drôle de texte où pour commencer, ils rendent hommage à Pierre Messmer, puis regrettent poliment qu'il n'ait pu imposer sa candidature et réitèrent enfin leur foi dans les vertus thaumaturges d'une voix unique pour la majorité.

Apparemment anodin, ce communiqué à la gloire de l'unité suggère tout de même que l'harmonie gaulliste n'a pu se réaliser par la faute de Chaban. Le voilà donc, ce « pelé », ce « galeux » désigné à la vindicte des électeurs ! Comme de bien entendu, ce qui nuit à Chaban profite immédiatement à Giscard. Ce n'est peut-être pas très élégant, mais c'est bigrement efficace. La plupart des trente-neuf députés signataires n'y voient d'ailleurs que du feu.

Lorsqu'ils ouvrent les yeux, certains veulent se rétracter — MM. Delong, de Poulpiquet, Kedinger : « On s'est moqué de nous », disent-ils. Mais il est trop tard, le mal est fait.

« Ce coup des quarante-trois aura fait perdre au moins cinq points à Chaban », déplore, à l'époque, Olivier Guichard. « Chirac, traître ! Chirac, on aura ta peau ! » scandent dans toutes les réunions électorales du maire de Bordeaux, les militants de l'UDR — les mêmes qui acclameront frénétiquement Jacques Chirac six mois plus tard !

« Les grandes trahisons sont toujours effacées par l'histoire », lance, à moitié résigné, Alexandre Sanguinetti, sans que l'on sache très bien s'il juge le comportement présent du ministre de l'Intérieur ou l'attitude passée du ministre des Finances, dénoncé comme parricide par quelques UDR depuis 1969.

Comme si sa tâche n'était jamais finie, le ministère de l'Intérieur laisse *le Journal du dimanche* publier, le 22 avril, un sondage secret des renseignements généraux des plus défavorables à Chaban : Giscard, 31 ; Chaban, 18 ; Mitterrand, 42. Sondage qui est immédiatement repris par tous les médias. « C'était une fuite », plaidera un Chirac tout navré au micro d'Europe 1. Pierre Messmer, qui joue désormais le rôle d'arbitre, doit rappeler à l'ordre le ministre de l'Intérieur.

La veille, le 21 avril, Ponia, comme toujours lorsqu'il le juge utile, a sorti l'artillerie lourde. Dans un communiqué, il déclare en substance que la France doit choisir un candidat intègre, propre, sans peur, donc solide (le fragile étant Chaban, bien sûr). Et le même Ponia de colporter dans les couloirs de l'Assemblée mille détails rocambolesques sur ces candidats vulnérables qu'il faudrait « tirer comme des faisans ». Ainsi le prince déchire-t-il allégrement le contrat de non-agression qui a été conclu quelques jours plus tôt entre Giscard et Chaban.

Mais, hélas, on ne peut pas toujours faire élire un souverain en gants blancs et monocle à l'œil. Au même moment, un sondage de la SOFRES publié par *l'Express* montre que les Français voient en VGE un homme d'expérience, dynamique, très cultivé, d'une probité au-dessus de tout soupçon. Il inspire confiance. En province il a l'image d'un bon catholique, bon époux, bon père de quatre charmants et beaux enfants (du même lit, bien sûr) : deux garçons et deux filles (toujours le juste milieu).

Chaban, lui, a été marié trois fois. Il est divorcé et veuf par accident d'une épouse malade. C'est dire s'il inspire quelques réticences dans la France pieuse. Le journal *Paris-Match*, présentant les épouses des prétendants, montre Anne-Aymone dans sa cuisine, tenant avec précaution la queue d'une poêle à frire toute neuve. Micheline Chaban-Delmas, elle, est sur un terrain de golf, les bras levés et le nombril découvert. Si les électeurs s'y trompent, c'est qu'ils sont plus myopes que les directeurs de campagne.

Sont-ce tous ces croche-pieds et autres chausse-trappes qui déstabilisent Chaban ? Ou bien s'est-il insuffisamment préparé ? Ou alors ses qualités ne sont-elles pas à la mesure de l'enjeu ? Est-ce un cocktail de tout cela ? Avant le premier tour, il est déjà hors jeu. Les face à face à la radio mettent à jour de fâcheuses faiblesses et, pour sympathique s'il soit, Chaban n'a ni la sûreté et l'aisance de Giscard, ni l'humanisme et le lyrisme de Mitterrand.

« Au PC de Chaban, avenue Charles-Floquet, régnait une aimable pagaille, alors que chez Giscard, rue de la Bienfaisance, c'était le vrai professionnalisme », compare Michel Aurillac, chargé, en 1974, de la liaison entre Matignon et les deux candidats de la majorité.

Dès qu'il apparaît, il perd des voix, et ce n'est pas l'hallucinante intervention télévisée d'André Malraux à ses côtés, réclamant rien moins que la fermeture des écoles et l'éducation des enfants par l'audio-visuel, qui va entraîner le ralliement franc et massif des parents d'élèves au candidat gaulliste.

« Il encombre. Ce n'est pas sa faute, il encombre. En attendant, on ne tire pas sur une ambulance », écrit cruellement Françoise Giroud dans l'Express, le trait le plus célèbre de la campagne. VGE diagnostique : « Le véritable débat aura lieu entre le centre [c'est-à-dire lui-même] et l'extrême gauche [c'est-à-dire François Mitterrand]. » Exit Chaban.

Tout sourit à VGE : le 26 avril, dans un face à face contre François Mitterrand organisé par Europe 1, le leader de la gauche est pourtant peu amène : « La hausse des prix, c'est vous ! Les bas salaires, c'est vous ! Les mal logés, c'est vous ! L'injustice fiscale, c'est vous ! — Quelle litanie ! » soupire le ministre des Finances, avant de rétorquer avec diplomatie : « Il faut faire tout ce que l'on peut avec ce que l'on a. » Les auditeurs hochent la tête, le sens des réalités surgit face au rêve. Et chacun le sait, en France la raison raisonnable doit toujours triompher.

Pendant ce temps, au ministère de l'Intérieur, Jacques Chirac se dépense maintenant sans compter pour son collègue, le ministre des Finances. « C'est la seule fois de ma vie que j'ai entendu Jacques appeler Giscard par son prénom au téléphone », note un collaborateur du maire de Paris.

« Grâce à lui, les préfets étaient paralysés », apprécie encore aujourd'hui Ponia. Et, de fait, Jacques Chirac tance vertement ceux qui ont osé se montrer aux meetings de Chaban : « Votre présence à l'une des réunions des candidats est inadmissible », leur fait-il dire.

Pour VGE encore, Jacques Chirac reçoit, par exemple, les associations de rapatriés. Après quoi, son chef de cabinet, Jacques Toubon, aidé de Paul Deroche, un collaborateur de VGE, rédige la lettre que le candidat giscardien adressera aux Français d'Algérie.

Les conseillers de l'Elysée se sont installés pour le temps de la campagne au ministère de l'Intérieur. Pierre Juillet fait signer à Alain Pompidou (le fils du président défunt), un jeune médecin qui ne s'est jamais mêlé de politique, une lettre assurant que son père a bien choisi Giscard. (Tiens, ce n'est plus Messmer !)

Bref, pendant près de vingt jours, Giscard fait un tel parcours sans faute, Chaban un si mauvais tour de piste et Chirac apporte une telle assistance technique au premier et contrarie si bien les efforts du second que les résultats du 5 mai ne surprennent plus grand monde.

Comme les sondages l'ont prédit, le leader républicain indépendant est confortablement en tête de la majorité, avec 32,60 p. 100 des suffrages, soit le double des pauvres 15,10 p. 100 de Chaban. En face, François Mitterrand totalise 43,64 p. 100 des voix (un peu moins que la barre fatidique des 45 p. 100, dont lui-même estime en privé qu'elle constitue le seuil du succès).

Rue de la Bienfaisance, au PC de VGE, c'est l'allégresse ! Déjà, plus personne ne doute de la victoire.

Le deuxième tour commence, et le duel avec le leader de la gauche unie. La moindre péripétie de cette campagne en étant désormais si connue et l'issue n'étant plus un objet de suspense, c'est plutôt le climat qui importe.

VGE aborde cette dernière épreuve comme le joueur de tennis qui vient de remporter la quatrième manche aborde le début du cinquième set : il porte en lui la petite dose de confiance supplémentaire, la petite touche d'assurance et la petite pointe de détermination qui font la différence. Car avoir été qualifié, et aussi aisément, lui démontre qu'il a su triompher des préventions les plus subtiles et les plus difficiles à exorciser : celles qui venaient de la majorité.

En revanche, être arrivé largement en tête au soir du premier tour ne suffit pas à consoler François Mitterrand, seul candidat en piste pour la gauche. Il est déçu.

Chez les gaullistes, c'est l'abattement : une dynastie vieille de seize ans vient de sombrer. Finis, les compagnons portant haut la croix de Lorraine, usés, les barons jaloux de leurs titres, dépassés, les godillots inconditionnels. L'heure est à la reddition et à la corde au cou.

Ils n'en reviennent pas. Car enfin, « l'Etat UDR », tant dénoncé par J-J S-S, ce n'est pas une légende ! Ils avaient l'Elysée et Matignon, le premier parti de France, un groupe parlementaire tout-puissant, des ministres occupant la plupart des postes clefs, une clientèle toujours plus nombreuse, une cohorte de collaborateurs et d'obligés. Et patatras, cette forteresse imprenable s'écroule comme un château de cartes.

Leur reste-t-il seulement des conditions à négocier : que les institutions soient maintenues, la politique d'indépendance poursuivie et les grands principes garantis ? C'est assez vague pour tenir en quelques bonnes paroles. Mais Ponia, trop content d'administrer une leçon de gaullisme, prévient, au soir du 6 mai : « Pas de négociations entre les deux tours. »

Est-ce tout de même un aimable clin d'œil à leur adresse ? VGE veut bien dire qu'en politique étrangère, il a toujours été partisan de la détente et de la coopération avec l'URSS, dont il connaît si bien les dirigeants. Bref, il ne serait pas l'atlantiste que l'on croit. Voilà pour la continuité gaulliste.

Certains UDR s'en réjouissent : enfin une petite consolation dans toute cette grisaille ! Mais le plus satisfait de cette belle profession de foi est, sans doute, l'ambassadeur d'Union soviétique, Tchervonenko, qui rend visite au candidat de la majorité. L'Humanité en est, cette fois, rouge de colère...

Tristement, le visage défait, les gaullistes, n'ayant pas le choix, se rallient un par un à leur frère ennemi de la veille. A chacun son Waterloo ! Depuis toujours, ne rabâchaient-ils pas à chaque réunion : « Si nous ne faisons pas de bêtises, nous sommes au pouvoir encore pour vingt-cinq ans » ? Cette certitude irrationnelle était bien traversée de temps en temps par de petites paniques. Mais, au fond d'eux-mêmes, ils ne doutaient pas.

Le dimanche soir, le premier à se rendre les armes aux pieds est Olivier Guichard, deux fois baron — d'empire et de gaullisme. Un homme de mesure, trop sceptique pour avoir longtemps cru à la victoire de Chaban, trop hostile à la gauche pour avoir l'ombre d'une hésitation à l'égard de Giscard, trop attaché aux institutions pour ne pas songer aux plaies qu'il faudra cicatriser bientôt, et puis peut-être songe-t-il que son heure, enfin, pourrait sonner.

Le suivent Claude Labbé, président du groupe UDR, et Alexandre Sanguinetti, secrétaire général du mouvement gaulliste, qui, tous deux, appellent — et en les prononçant, les mots leur écorchent la bouche — « au grand rassemblement » des électeurs de la majorité.

Curieusement, pendant deux jours, Jacques Chirac, lui, ne souffle mot, ce que relève d'ailleurs le journal *France-Soir*. Est-ce la fatigue accumulée qui le rend subitement aphone ? Douterait-il soudain de son choix ? Bouderait-il ce candidat pour lequel il s'est tant dépensé ? Mystère.

Valéry Giscard d'Estaing, d'ordinaire si avare de compliments, n'a pourtant pas mesuré les éloges à son adresse. A plusieurs reprises et non sans intention, bien avant le premier tour il le couvre de fleurs. Dès le 9 avril (lendemain de son acte de candidature) recevant au ministère des Finances des journalistes économiques, il dresse un portrait si enthousiaste du ministre de l'Intérieur que les convives quittent la table, persuadés de connaître déjà le nom de l'hôte futur de Matignon.

VGE aurait-il, comme certains l'affirment, négocié avec Pierre Juillet la place de Jacques Chirac à Matignon en échange de son soutien actif ? Rien ne le prouve. « Giscard m'a offert Matignon bien avant le premier tour. Je lui répondis : " Ne me dites pas cela. Je vous soutiens uniquement pour faire battre Mitterrand... " », assure avec une feinte humilité le maire de Paris aujourd'hui.

Le 23 avril, lors d'une réunion publique à Yvetot, VGE déclare même à son auditoire : « Jacques Chirac fait partie de cette catégorie d'hommes d'Etat qui ont démontré leurs capacités et qui sont ou seront appelés à exercer des responsabilités importantes de l'Etat. » Là encore l'allusion est si claire qu'en l'entendant, tout le monde comprend qu'en cas de victoire,

120

Jacques Chirac ne devrait pas tarder à installer ses pénates du côté de la rue de Varenne.

En fait, la raison de ce mutisme (il ne dure que deux jours : le mardi, Jacques Chirac déclare qu'il se prononce « sans aucune réserve pour VGE ») relèverait de l'intention la plus délibérée, ainsi que l'assure aujourd'hui Charles Pasqua : « Deux ou trois jours avant le premier tour, je suis allé voir Jacques au ministère de l'Intérieur. Je lui ai dit : " Arrête tes manœuvres contre Chaban, tu en as assez fait comme ça. Maintenant tu dois ménager l'avenir. Et l'avenir, c'est le rassemblement des gaullistes autour de toi. Après l'échec de Chaban, les barons seront démonétisés, ils vont se battre entre eux. L'UDR n'aura plus de chef. Or, un grand parti doit avoir pour leader un homme jeune et présidentiable. Tu es le seul à avoir ce profil-là. Si tu ne fais pas de bêtises, tôt ou tard, les gaullistes se rallieront à toi. Je t'y aiderai. Mais n'en rajoute pas avec Chaban. Tu vas en faire un martyr ! "

« En dévidant mon boniment, explique encore Charles Pasqua, je me suis rendu compte que je prêchais un convaincu et que Jacques Chirac ne m'avait pas attendu pour songer à prendre la tête d'un grand mouvement néo-UDR. » D'ailleurs ce jour-là, de lui-même, il décide d'annuler une interview à la radio et de se taire jusqu'au lendemain du deuxième tour. Après avoir tant aidé à sa victoire, il ne veut pas être le premier à rejoindre le vainqueur. Toujours pour l'avenir...

Autrement dit, longtemps avant le deuxième tour, le ver est peut-être dans le fruit. Tous les témoins sont bien d'accord, le projet intime, déclaré de longue date, de Valéry Giscard d'Estaing, est de rassembler sous sa bannière les centres et les centristes. Dans son esprit, un fort contingent de gaullistes légitimistes ou libéraux devrait le rallier, tandis que les malheureux UDR archaïques qui n'ont pas le sens de l'histoire s'isoleraient dans l'opposition.

Mais Jacques Chirac a-t-il déjà l'ambition de rassembler à son profit tous les clans et autres factions gaullistes ? Songe-t-il à relancer la machine UDR pour en faire sa force de frappe politique personnelle ? C'est l'intention que lui prêtent plusieurs de ses proches qui l'assisteront plus tard dans le lancement du RPR. D'autres en doutent et voient dans cette interprétation la rationalisation *a posteriori* de choix beaucoup plus empiriques.

« Après l'élection présidentielle, Chirac m'a dit : " Ça va

tanguer à l'UDR. Il y en a qui partiront. Bon vent ! Ça marchera mieux sans eux " », affirme Claude Labbé, président du groupe RPR.

« Au moment de l'appel des quarante-trois, Chirac m'a fait dire : " Viens avec nous, l'UDR va se casser. Il faudra rassembler un groupe de gaullistes giscardiens. " », dit de son côté Paul Granet.

En tout cas, lorsque ces deux conceptions totalement opposées de l'organisation de la majorité s'entrechoqueront, elles seront à la source de tous les malentendus qui vont empoisonner le premier septennat de Valéry Giscard d'Estaing.

Pour l'heure, ce 19 mai 1974, le bonheur et lui seul est au programme du nouveau président de la République. Il exulte. Comme il se l'est sérieusement promis seize ans plus tôt, le voilà chef d'Etat. Il a quarante-huit ans. Depuis Louis Napoléon, prince-président en 1848, la France n'a jamais eu un si jeune maître. Il a satisfait haut la main à trois épreuves bien françaises : adolescent, il a séduit ses professeurs, et la France aime tant les diplômes ! Jeune homme, il a conquis les politiques, et le Palais-Bourbon ne déteste pas l'ambition, surtout quand elle est cultivée avec la désinvolture et l'apparent détachement qui sont les siens. Enfin, homme toujours jeune, il a convaincu un nombre suffisant d'électeurs de le porter à l'Elysée, ceux pour qui l'alliance du charme et du prestige intellectuel forme — au moins ce printemps-là — un irrésistible cocktail.

Le *oui mais* a payé et lui a permis de rendre crédible son extraordinaire dédoublement. Au pouvoir pendant plus de douze ans, ministre du Général puis de son successeur, il fait figure d'opposant au gaullisme et d'étranger au pompidolisme. Ministre des Finances aux prises avec l'inflation, il apparaît comme le candidat le plus qualifié pour la juguler. Conduit par ses fonctions à refuser autoritairement crédits et subventions, il est perçu comme un libéral qui ne fait guère de politique, et c'est le succès.

Ce n'est cependant pas un raz de marée qui l'installe au pouvoir. Il l'emporte avec seulement trois cent quarante-deux mille voix d'avance sur son rival de gauche. Sur plus de vingt-six millions d'électeurs, c'est maigre. A coup sûr, des voix chabanistes lui ont fait défaut. Les graves experts électoraux notent qu'au-delà du Poitou, de l'Aunis et de la Saintonge, plus d'un électeur aquitain a dû aller à la pêche ou à la baignade le dimanche du deuxième tour.

Ceux qui réécrivent l'histoire prétendent encore que « si Chirac et Ponia n'en avaient pas tant fait contre Chaban, il y aurait eu des primaires normales. Giscard, étant le meilleur, se serait forcément retrouvé en tête. Mais la différence est qu'au deuxième tour, les voix chabanistes se seraient mieux reportées sur Giscard. Le climat majoritaire s'en serait ressenti tout au long du septennat ».

« Quelle erreur! riposte Marie-France Garaud. Si nous n'avions pas foré l'écart entre les deux candidats de la majorité, la dynamique de la victoire aurait manqué. C'est alors que les voix se seraient moins bien reportées et Mitterrand serait à l'Elysée. »

Quoi qu'il en soit, si 50,60 p. 100 d'électeurs choisissent de confier la barre du vaisseau France à un commandant si jeune, si moderne, si libéral et si européen, c'est sans doute que, le temps d'une campagne électorale, VGE, jonglant de façon infaillible avec les équations les plus péremptoires, a su les convaincre qu'il garantirait mieux qu'un autre l'avènement d'une « société plus juste et plus humaine ».

François Mitterrand, qui a mis tant de flamme, de verve, de lyrisme, pour dénoncer la cruauté des chiffres et l'impénétrabilité de ce monde technique, est renvoyé à ses chères écritures, à ses bergeries cachées et à ses promenades romantiques, son écharpe de cachemire flottant au vent. Pour dominer une époque si exigeante et si déroutante, une courte majorité de Français a jugé qu'il valait mieux se donner pour chef un géomètre qu'un littéraire.

« Vous verrez, il va se révéler, il va étonner », aurait prédit Mme Edmond Giscard d'Estaing, la mère de Valéry, au lendemain de son élection. Il étonne, en effet : ce 27 mai 1974, un homme à la longue silhouette aristocratique choisit d'entrer à pied à l'Elysée. Seul. Veut-il ainsi illustrer sa courte victoire remportée d'une enjambée seulement sur le leader socialiste ? Ou bien signifier aux Français : « Ce n'est pas la majorité, mais *moi*, sur mon équation personnelle, qui ai gagné et seul je gouvernerai » ?

Nouveau décor, nouveau style : outre cette irruption pédestre, le président a réglé la cérémonie de son sacre avec un soin méticuleux. Pas de grand dignitaire en jaquette, mais des écoliers dans le salon d'honneur de l'Elysée. Pas de chevaux ni de casques à crinière pour les gardes républicains, mais le képi de tous les jours. Pour musique d'investiture, il retient *le Chant du départ*, qui a rythmé la longue marche de la mairie de Chamalières vers la magistrature suprême.

C'est un Valéry Giscard d'Estaing en veston, et non en jaquette comme ses prédécesseurs, qui prend possession de l'Elysée. Le chef du protocole en a quelques vapeurs : « A-t-on jamais passé le collier de grand maître de la Légion d'honneur sur les épaules d'un homme qui porte cravate et veston ? Sacrilège ! »

Déjà plein de décisions, le nouvel élu tranche ce cas difficile. Qu'à cela ne tienne ! On ne lui passera pas le collier autour du cou. Il restera dans son coffret. A Matignon, Jacques Chirac, aurait été, dit-on, un peu choqué par ce manque de cérémonial.

Mais pour les UDR, le changement, ils le savent, ne sera pas simplement affaire de symbole vestimentaire. En seize ans, le ministre des Finances les a habitués à ses effets de garde-robe : pelisse et toque pour chasser l'ours en Pologne, saharienne pour les safaris africains, fuseau serré pour les slaloms façon Killy, sans parler du chandail à la télévision.

« De ce jour date une ère nouvelle », annonce, sans ménagements, Valéry Giscard d'Estaing devant un parterre de dignitaires gaullistes. Ceux-ci, le cœur en berne, ne se font guère d'illusions : l'Elysée leur ayant échappé après seize ans de monopole, si quelques riantes oasis leur sont encore promises, l'avenir, pour eux, risque fort de ne plus ressembler qu'à un grand Sahara.

Et comment en serait-il autrement avec ce jeune président (il n'a pas un mot dans son discours pour ses prédécesseurs) qui n'a jamais été un gaulliste breveté ? Pis : n'a-t-il pas été l'un des artisans du départ du Général, en faisant voter *non* au référendum d'avril 1969 ?

D'ailleurs, le changement, M. Giscard d'Estaing compte bien l'illustrer au plus vite en ce qui concerne la majorité actuelle : elle doit désormais devenir *sa* majorité. Pour l'heure, l'Assemblée nationale est encore le reflet de la majorité pompidolienne : cent soixante-quatorze députés UDR, cinquante-cinq républicains indépendants, une soixantaine de centristes et réformateurs de tout poil.

Pour le nouveau président, ce trépied pompidolien n'est absolument plus le miroir de 1974. Tant que la campagne présidentielle a duré, certes, l'UDR demeurait toujours le parti dominant qui rassemblait, l'année précédente aux élections législatives, quelque 25 p. 100 des suffrages. Mais le verdict de l'élection présidentielle tombé, l'UDR risque de ne plus être que la formation minoritaire des 15 p. 100 de pauvres petits suffrages chabanistes.

Reste donc à traduire dans la géographie parlementaire le poids tout neuf des giscardiens. Or, VGE l'a promis pendant sa campagne : il n'y aura pas d'élections anticipées (est-ce parce que François Mitterrand les annonçait ?). « Le giscardisme, disait-il, c'est le changement dans la stabilité. » A l'époque, Ponia jugeait qu'il aurait peut-être mieux valu organiser des élections législatives dans la foulée.

« Il fallait que Giscard ait le courage de faire des élections pour avoir sa majorité à lui. Mais il a eu peur de la gauche. Il n'a pas osé, c'est sa grande erreur », diagnostique de même aujourd'hui plus d'un RPR.

Le nouveau président voit les choses autrement. Selon lui, pour éliminer les gaullistes, mieux vaudra changer, le moment venu, la loi électorale. Pendant sa campagne présidentielle, il s'est prononcé au micro d'Europe 1 pour un système à l'allemande où le scrutin majoritaire serait tempéré d'une certaine dose de proportionnelle. Si les gaullistes ont gardé le pouvoir si longtemps, croit-il, c'est grâce au scrutin majoritaire, qui se traduisait à chaque élection par un affrontement sans merci entre deux blocs rivaux totalement étrangers. D'un côté la majorité, de l'autre la gauche. Le centre était ainsi laminé. Ce système doit donc changer.

En attendant, comme le nouvel élu n'entend pas que les vaincus du 5 mai continuent, comme par le passé, de faire la loi, il lui faut métamorphoser cent soixante-quatorze UDR blessés ou troublés par son ascension élyséenne en autant de giscardiens grand teint. Et de quel procédé entend user le chef de l'Etat pour réussir cette opération de chirurgie-fiction ? D'un coup de baguette magique, de la danse des sept voiles, des grands sentiments ?

Point de tout cela. Pour mettre au pas cette troupe récalcitrante, il suffira, juge-t-il, d'un homme à poigne... et Jacques Chirac a le profil idoine. Il va régimenter tout ce monde et faire rimer, comme on ne l'apprend pas à Polytechnique, idéologie, passions et intérêts divergents avec la nouvelle arithmétique présidentielle.

Ah ! s'il avait écouté son ami Ponia, VGE aurait plutôt installé à Matignon Olivier Guichard (beau-père du jeune prince Ladislas) : « Chirac est trop jeune, trop impulsif, nous ne le contrôlerons pas. Avec Olivier c'est le calme assuré, c'est la tranquillité », répète le prince Michel sur tous les tons.

S'il avait écouté Pierre Juillet, révèle Marie-France Garaud, VGE aurait plutôt confié Matignon à Ponia : « Si vous voulez casser l'UDR mieux vaut vous adresser à lui. » Mais c'eût été une trop grande provocation à l'égard des UDR. Il y avait de quoi se demander si l'ex-conseiller de l'Elysée était bien sincère. Et puis, le 18 avril, le candidat VGE ne disait-il pas : « *A priori*, le Premier ministre ne sera pas un républicain indépendant » ?

René Tomasini est catégorique : « Jacques ne voulait pas aller à Matignon. Il aurait préféré être nommé aux Finances. »

En 1980, Jacques Chirac le confirme : « Si Pierre Juillet ne m'avait pas dit : " Le président vous le demande, vous ne pouvez pas le lui refuser ", je n'aurais pas accepté d'être Premier ministre. »

Ayant déclaré aux Français : « Vous serez surpris par l'ampleur du changement », l'hôte de l'Elysée ne peut décemment pas nommer non plus un chef de gouvernement symbolisant autant l'ancien régime qu'Olivier Guichard. Ce serait s'exposer à quelques lazzis regrettables.

D'ailleurs, la désignation de Jacques Chirac pour Matignon s'explique par moult arguments : « Il fallait choisir quelqu'un qui ait soutenu ma candidature, qui, de préférence, appartienne au groupe UDR et qui ait une expérience politique et gouvernementale suffisante. » C'est ainsi que Valéry Giscard d'Estaing explique son bon choix de Jacques Chirac à la télévision.

Par principe et par coquetterie, il ne veut pas d'un Premier ministre plus âgé que lui ou qui aurait été son égal dans des gouvernements antérieurs. Ne risquerait-il pas d'avoir le mauvais goût de lui prodiguer des conseils ? Et cela, aucun chef d'Etat qui se respecte ne saurait le tolérer.

Et puis, avec Jacques Chirac, le président sait à qui il a affaire. Pendant deux ans, au ministère des Finances, il a apprécié sa vitalité, sa puissance de travail inépuisable et sa fidélité de jésuite (*perinde ac cadaver*). VGE s'en persuade, Georges Pompidou disparu, Jacques Chirac n'aura d'existence que par et pour le nouvel élu.

Comme les raisons esthétiques ont aussi leur prix, le président n'est pas mécontent de pouvoir promener *all around the world* ce tandem d'hommes jeunes, sveltes, au poil rare mais brillant. Voilà qui égaiera agréablement ces réunions internationales, au milieu de tant d'hommes politiques harassés, bedonnants ou carrément podagres. Voilà qui, en France, tranchera visiblement avec le passé le plus récent ! (VGE n'a-t-il pas promis aux électeurs de les informer périodiquement de l'état de ses artères ?)

Et puis il pense que Jacques Chirac, ayant fêlé l'UDR avec le fameux appel des quarante-trois, ne peut qu'achever la cassure, en rameutant sous sa houlette les plus légitimistes, les plus récupérables, les plus ambitieux, bref, les plus intéressants des gaullistes. Pour la gloire du nouveau souverain, s'entend...

Enfin, quitte à choisir un UDR, le nouvel élu reconnaissant est fort heureux de promouvoir un jeune homme si dévoué, si efficace et si perspicace. N'a-t-il pas soutenu le meilleur des candidats ?

Et c'est ainsi que, le 27 mai 1974, un jeune couple — Giscard (quarante-huit ans) et Chirac (quarante et un ans), longilignes et radieux — accède au sommet du pouvoir. Dans ce mariage, chacun le sait, il y a beaucoup d'intérêt et probablement un brin d'amourette. Ce n'est sûrement pas le coup de foudre : la nature a mis entre eux une telle distance, leurs tempéraments sont si opposés que, déjà, on s'interroge. Seront-ils complémentaires ou bien l'excès de différence ne leur nuira-t-il pas ?

Les bans sont à peine publiés que déjà les commentateurs politiques relèvent l'étrangeté de cette union. N'est-ce point un ménage à trois qui va gouverner la France au vu et su de l'univers ?

En effet, qui donc est aux côtés de Valéry Giscard d'Estaing pour la formation de son premier gouvernement ? Le Premier ministre ? Non, c'est Ponia. L'ami de toujours, celui chez qui, entre son élection et son installation à l'Elysée, il a trouvé refuge. Il en a fait le nouveau ministre de l'Intérieur, seul ministre d'Etat du gouvernement, doté, outre ses attributions classiques, de l'aménagement du territoire et se taillant ainsi un empire aussi impressionnant qu'électoral.

Et qui choisit les principaux ministres ? Le Premier ministre

Jacques Chirac, comme le prévoit la Constitution ? Pas plus : Valéry Giscard d'Estaing tout seul ou aidé de Ponia.

Jacques Chirac, découvrant l'épaisseur du secret giscardien, laisse se dresser, en dehors de lui, la liste de son gouvernement — à deux ou trois exceptions près : il désigne lui-même Olivier Stirn, Pierre Lelong et le fidèle René Tomasini, secrétaire d'Etat au Parlement, qui a la réputation de pouvoir transformer n'importe quel poteau télégraphique en militant UDR.

Jacques Chirac s'oppose tout de même à l'entrée de Françoise Giroud : « J-J S-S, ça suffit ! On ne va pas avoir tout l'*Express*, ce serait une provocation, d'autant que Mme Giroud s'est prononcée pour la candidature de François Mitterrand. » Et il impose Simone Veil.

D'aucuns s'étonnent de cette situation : « Rarement Premier ministre a joui d'aussi peu de liberté pour constituer son équipe », note *le Point*.

« Qui sera le vrai Premier ministre ? » s'interroge *la Croix*, tandis que Pierre Charpy écrit dans *la Lettre de la Nation :* « Si le président de la République est entré à l'Elysée en complet-veston, son Premier ministre ne sait pas dans quel état il sortira de Matignon. »

Apparemment, seul Jacques Chirac ne s'en formalise pas...

Et qui donc rend compte du premier Conseil des ministres, perché sur la plus haute marche du perron de l'Elysée (le porte-parole n'est pas encore désigné) ? Jacques Chirac, peut-être ? Non, Ponia toujours, et pas peu fier de rapporter les premiers propos du nouveau président à son nouveau gouvernement tout neuf. Des propos qui allègent singulièrement les prérogatives naturelles du Premier ministre : « J'exercerai pleinement la fonction présidentielle, dit VGE, et j'accepte pleinement les responsabilités qui en découlent. Je travaillerai directement avec les ministres. »

Et qui donc présente aux Français le nouveau gouvernement ? Jacques Chirac ? Non, le président de la République en personne et à la télévision.

Jacques Chirac ne bronche toujours pas. Mais ne l'a-t-il pas affirmé quelques années plus tôt : un bon Premier ministre doit s'effacer, prendre les coups et laisser le président avoir toutes les initiatives ?

L'avènement de la république giscardienne ne déclenche, d'ailleurs, de fronde ni dans l'opposition, ni chez les gaullistes encore estourbis.

Les lendemains de défaite, il faut souffler un peu. En d'autres temps, l'affront aurait paru inacceptable. Or, c'est avec une franche hilarité que l'UDR accueille la composition de ce gouvernement qui marque la fin de l'Etat gaulliste. Mais ne rit-on pas quelquefois très fort en famille après un enterrement ?

« C'est un gouvernement qui prête à la jovialité ou qui prête à l'agacement », moque à sa manière Maurice Couve de Murville. Pour sa part, Jacques Chaumont, député de la Sarthe, plaisante ouvertement : « Giscard a libéré chez nous les forces de la joie. »

Et que faire d'autre ? VGE, n'ayant réservé aux UDR que cinq fauteuils sur seize, mieux vaut se gausser.

Certes, Jacques Chirac est à Matignon. Mais est-il vraiment gaulliste, ce pompidolien qui s'est tant démené pour faire élire Giscard ?

Certes, Robert Galley, seul rescapé du radeau messmérien, hérite du ministère de l'Equipement. Mais il a été faire campagne aux Antilles pour Giscard entre les deux tours.

Certes, Jacques Soufflet, sénateur compagnon de la Libération, est doté de la Défense nationale. Mais qui le connaît vraiment, hormis Marie-France Garaud, qui le rencontre, dit-on, de temps en temps à la chasse ?

Certes, Vincent Ansquer, député de Vendée, vice-président du groupe UDR (ancien collègue de VGE à la commission des finances), accède au ministère du Commerce et de l'Artisanat. Il en est tout surpris.

Certes, André Jarrot (vous avez dit Jarrot ?) député-maire de Montceau-les-Mines, se hisse au ministère de la Qualité de la vie. (Il a organisé la seule manifestation ouvrière de la campagne.) « Il a été pendant neuf ans employé au Gaz. » C'est ainsi que le président le présente aux téléspectateurs. Sans doute veut-il souligner que son gouvernement ne compte pas que des princes ou des comtes.

Lorsque l'Elysée lui annonce sa promotion, André Jarrot entend mal et définit, par la suite, ses attributions de cette façon : « J'ai, je crois, la Jeunesse l'Environnement et un brin de Culture. »

« Quel quarteron de zozos ! » raille, sans aménité, Alain Peyrefitte. Il faut dire que pas un grand baron gaulliste, pas un baronnet pompidolien ne surnage dans la débâcle. En revanche, les quatre mousquetaires de ces centrismes unanimement honnis à l'UDR deviennent les vedettes du nouveau gouvernement.

Jean-Jacques Servan-Schreiber, qui a fait du départ du général de Gaulle le jour le plus beau de sa vie, est intronisé ministre des Réformes. « Aux Réformes un réformateur », commente, sans doute à court d'imagination, le président à la télévision.

Jean Lecanuet, député-maire de Rouen, qui montre les dents aux gaullistes plus souvent pour mordiller que pour sourire, s'installe à la tête de la Justice.

Les centristes Pierre Abelin, député-maire de Châtellerault, et Michel Durafour, député-maire de Saint-Etienne, dont le but dans la vie n'est pas exactement la défense et l'illustration du gaullisme, se retrouvent l'un à la Coopération, l'autre au Travail.

Naturellement, les grands vassaux giscardiens se taillent des places de choix : Ponia, seul ministre d'Etat, s'installe au ministère de l'Intérieur. Michel d'Ornano va régner sur l'Industrie, Christian Bonnet sur l'Agriculture.

Des techniciens, des inconnus surgissent sur la scène politique. L'ambassadeur à Bonn, un agrégé d'allemand, Jean Sauvagnargues devient ministre des Affaires étrangères. Pour le grand public, longtemps sa caractéristique essentielle sera d'exhiber avec fierté, sous des narines frémissantes, une moustache aussi fine qu'un sourcil épilé.

Par deux fois, Ponia propose le Quai-d'Orsay à Pierre Juillet. Le conseiller refuse. Il aime tant l'ombre et espère tant continuer à y jouer un rôle ! « Vous devez prendre une autre dimension », lui aurait dit Ponia, lequel fait ce commentaire en 1980 : « Je voulais ainsi lui faire comprendre qu'il ne serait plus jamais le conseiller privé de l'Elysée. »

Un ancien collaborateur du président, un drôle de boy-scout sympathique et bruyant, au poil taillé façon moquette, s'installe rue de Rivoli. VGE, qui a du goût pour les palmarès, présente Jean-Pierre Fourcade comme le « meilleur spécialiste des prix ».

Enfin survient, à l'Education nationale, René Haby, un recteur de Clermont-Ferrand au physique de rugbyman, éternellement vêtu d'un blazer de yachtman.

Il y a tout de même quelqu'un qui fait l'unanimité dans ce gouvernement : c'est une femme aux yeux verts, au beau visage plein. Simone Veil, une amie de Marie-France Garaud, est secrétaire générale du Conseil supérieur de la magistrature. Elle impressionne ceux qui la côtoient. Elle a la gravité de ceux qui ont subi l'épreuve de la déportation. Elle a l'autorité de ceux qui ne doutent pas de leurs aptitudes. Elle a le caractère si trempé qu'autour d'elle, ses collaborateurs se hâtent en silence, le menton éternellement soudé à leur nœud de cravate. Au ministère de la Santé et au Parlement, les chaînes des huissiers tintinnabuleront parfois sous ses courroux de Junon. Néanmoins, Jacques Chirac ne manquera jamais l'occasion de lui plaquer en public de gros baisers sonores sur le front et de l'interpeller par un petit nom plus affectueux que véritablement approprié : « Poussinette. »

Ainsi donc, une ère nouvelle va commencer. Va devoir œuvrer pour bâtir la « société libérale avancée » une poignée d'UDR encerclée par un bataillon d'antigaullistes notoires, rêvant de sombres revanches depuis l' « usurpation » gaulliste de 1958.

Même si l'évolution du monde fait qu'en politique étrangère, économique ou financière, les choix sont souvent assez étroits, devront tout de même coexister au pouvoir un J-J S-S ennemi déclaré des essais nucléaires et du supersonique Concorde et des Robert Galley ou Jacques Soufflet, tous deux chauds partisans de ces programmes.

Ainsi Jacques Chirac, qui a peu de goût pour la musique, va devoir harmoniser en chef d'orchestre cet ensemble disparate et éviter les couacs.

Ainsi Valéry Giscard d'Estaing, qui assume la direction, toujours embarrassante, d'un ménage à trois (les fins psychologues expliquent volontiers que trois, cela fait toujours deux et un : deux complices et un frustré), va devoir doser, peser, soupeser, mesurer chaque sourire, chaque confidence, chaque mot aimable, chaque faveur. Seul moyen d'éviter que cet étrange trio ne s'abîme dans l'aigreur.

Ainsi ces hommes politiques armés pour la lutte, que tout sépare et qui ne sont pas très sûrs de savoir faire la paix, devront-ils se plier aux règles élémentaires d'une convivialité supportable.

Autant demander à de simples mortels de ne plus être qu'un chœur céleste de chérubins ! Quelle gageure ! Certaines pythies grincent déjà : bien trop joli pour durer, ce jeune ménage bourgeois !

131

5
La lune de miel

Les conseillères conjugales l'affirment : l'avenir d'un couple se joue les quinze premiers jours. En ce début d'ère nouvelle, faute d'avoir assez lu Paul Géraldy ou Marcel Jouhandeau, la classe politique ne perçoit pas qu'en moins de deux semaines, trois événements vont donner le ton.

Premier événement : déclaration de politique générale, à l'Assemblée nationale, du Premier ministre. Quelques jours avant d'engager la responsabilité de son gouvernement devant les députés, Jacques Chirac vient tout naturellement soumettre son discours à l'Elysée. Valéry Giscard d'Estaing est entouré du conseil de la couronne : un aréopage de quelques ministres : Michel Poniatowski, Jean Lecanuet, J-J S-S, Jean-Pierre Fourcade.

Examinant ce projet d'allocution après le président, qui juge que son Premier ministre a travaillé vite et bien, J-J S-S, l'ancien directeur de *l'Express*, prenant sans doute le Premier ministre pour un journaliste stagiaire, s'écrie sans plus de façons : « Ce papier est entièrement à refaire ! Il ne vaut rien... Pompidou n'aurait pas dit autre chose il y a dix ans. Il faudrait imprégner ce texte de l'élan réformiste qui doit être la marque du président de la République. »

En l'entendant, VGE aquiesce aux suggestions de son ministre des Réformes : « Il conviendrait en effet que le Premier ministre modifie quelque peu son texte. Yves Cannac, qui a une si bonne plume, pourrait l'y aider. » Et le président de faire appeler sur-le-champs le secrétaire général adjoint de l'Elysée.

Un brin mortifié d'être ainsi censuré par un J-J S-S qu'il abhorre, Jacques Chirac se plie avec une apparente bonne grâce aux injonctions présidentielles et s'en retourne à Matignon, sa copie à refaire sous le bras, accompagné de son répétiteur élyséen.

Mais le 5 juin, cravaté de noir (il porte le deuil du président défunt), le Premier ministre prononce à la tribune un discours qui ressemble comme un frère au projet initial : « L'indépendance nationale sera l'objectif intangible de notre politique. [...] Il faut développer les efforts pour se doter des moyens efficaces de dissuasion nucléaire. [...] Il faut poursuivre la politique de concertation [on dirait du Chaban!]... même si les motifs d'inquiétude ne manquent pas, notamment à cause de la Grande-Bretagne. L'Europe n'est plus pour les Français une " affaire étrangère ". [...] Il faut réaliser l'union européenne avant 1980 [on dirait du Pompidou!]. [...] L'âge du droit de vote sera abaissé à dix-huit ans au cours de la prochaine session [enfin, du Valéry Giscard d'Estaing!]. »

J-J S-S a raison, le prédécesseur du nouveau président n'aurait pas changé grand-chose à cette allocution. C'est la continuité plus que le changement. Les commentateurs ne s'y trompent pas. « Certaines propositions ont déjà été formulées il y a dix ans », relèvent les gazettes. « Ces propos s'adressaient à nous, c'est-à-dire la majorité ancienne, et non à la majorité nouvelle », applaudit, soulagé, dans les couloirs du Palais-Bourbon, le député UDR de Paris, Joël Le Tac.

Et J-J S-S de vitupérer Jacques Chirac — il n'y a décidément rien à faire avec ces UDR ! —, qui vient ainsi de gruger l'Elysée. Dans de petits cénacles giscardiens, on s'interroge déjà : est-il aussi loyal qu'on dit, ce Premier ministre ?

Deuxième événement : quelques jours après son installation place Beauvau, Michel Poniatowski, le nouveau ministre de l'Intérieur, convie à déjeuner une vingtaine d'élus centristes et réformateurs, dont les sénateurs Bonnefous, Fosset, etc. Au dessert, l'œil aussi pétillant que le champagne de sa coupe, Ponia leur tient à peu près ce langage : « Il faut casser l'UDR, lui mettre un genou à terre. Le Premier ministre va s'en charger. Notre ligne sera de ne jamais attaquer les socialistes. Nous devons leur ouvrir les portes. Les réformes du président démontreront que la gauche au pouvoir ne ferait pas mieux. Je vais mettre à l'étude différents projets de réforme du scrutin électoral. Avec la proportionnelle, les socialistes n'auront plus besoin des voix communistes pour se faire élire. Ainsi pourrons-nous créer cette grande majorité social-démocrate et centriste que nous appelons de nos vœux depuis si longtemps. »

En entendant Ponia, Mme Anne-Marie Fritsch, député réformateur de Lorraine, disciple fervente de J-J S-S, tombe en pâmoison. Elle exulte : « Ah oui, bravo ! Débarrassons-nous de ces gaullistes, décolonisons l'Etat et la France. » (Jacques Chirac s'est opposé, dit-on, à son entrée au gouvernement.)

La fête giscardienne bat son plein. Evidemment, dans l'heure qui suit, le petit jeu du tam-tam parlementaire fonctionne si bien que pas un député UDR n'ignore en quelle danse du scalp autour du gaullisme blessé a dégénéré le déjeuner de Ponia. « On va voir ce que l'on va voir », ripostent, dans les coulisses, les députés UDR, affûtant leurs couteaux.

Troisième événement : le dimanche 9 juin, J-J S-S, ministre des Réformes depuis dix jours (mais qui adore toujours les scoops journalistiques), convoque la presse et dénonce, depuis son fief de Nancy, la reprise des essais nucléaires : « Le gouvernement n'a pas été consulté et l'autorité militaire a mis le gouvernement devant le fait accompli », affirme, péremptoire, l'ancien directeur de l'*Express*.

Quelques instants plus tard, Jacques Soufflet, le ministre de la Défense, oppose le démenti le plus formel à son collègue en assurant que « l'autorité militaire n'a fait qu'exécuter les ordres donnés ». Un arrêté du ministère de la Défense et un communiqué en date du 8 juin de la présidence de la République (le chef de l'Etat a signé de sa main) lui donnent raison.

Ce dimanche à 21 h 30, Jacques Chirac, retour de sa circonscription de Corrèze, bondit à l'Elysée : « Si J-J S-S ne part pas, c'est moi qui m'en vais », aurait-il menacé. (« J'ai menacé de démissionner deux fois en 1974, dit Jacques Chirac en 1980. La deuxième fois, lorsque Giscard voulait abandonner la construction du centre Pompidou [le centre Beaubourg]. ») A 23 heures, la présidence de la République réforme du gouvernement, sans autre forme de procès, le ministre des Réformes.

Trois petits tours et puis s'en va... Voilà J-J S-S revenu à la case départ. Pour tout arranger, il tire, à sa manière, les leçons de son éviction du gouvernement : « L'héritage de l'UDR est à liquider. Il n'y a rien à garder. »

Mais l'événement politique important est encore à venir. Il survient le lendemain, 10 juin : dans la matinée, devant le

Conseil des ministres, Valéry Giscard d'Estaing, l'air sincèrement peiné, déplore d'avoir eu à se séparer de son ministre des Réformes. Il lui conserve, dit-il, « toute son estime pour son talent, son intelligence et son imagination ». Il a pris cette décision parce qu'elle était « indispensable à la cohésion et aux bonnes conditions de travail de l'équipe gouvernementale ». Son éviction avait pour raison « non le fond du problème, mais sa forme », précise-t-il encore.

A l'issue du Conseil, Michel Poniatowski rapporte, en ces termes, les propos du président. Les gaullistes sont stupéfaits : car le fond du problème, ne sont-ce point les essais nucléaires ? Or, pendant sa campagne électorale, le candidat VGE ne déclarait-il pas le 11 avril : « Il est normal que la France dispose des moyens de dissuasion modernes. Notre pays doit poursuivre les essais nucléaires indispensables » ?

La Nation, le quotidien de l'UDR, s'étonne : « Il y a quand même là une obscurité un peu troublante. » Et les UDR d'instruire, sur-le-champ, mille procès d'intention contre un président de la République pris en flagrant délit de contradiction.

A peine a-t-il renvoyé J-J S-S à ses défis que Françoise Giroud, l'autre moitié de *l'Express,* fait son entrée au gouvernement. Elle devient secrétaire d'Etat à la Condition féminine, au grand dam de Jacques Chirac, qui nourrit pour elle des sentiments peu galants.

En somme, que voit-on, en deux semaines à peine ? Un Premier ministre pas très obéissant, des giscardiens un peu trop pressés de trucider des UDR dont ils ne peuvent encore se passer (ils sont toujours la majorité de la majorité) et un président dont les intentions sont mystérieuses. Bref, tout le monde a l'air de tromper tout le monde. Mauvais présage...

Et néanmoins, tous les témoignages concordent : l'ère nouvelle giscardienne débute dans la joie. Pendant plus de six mois, pas un seul cirrus ni le moindre cumulus ne viennent assombrir le ciel au-dessus de la tête de MM. Giscard d'Estaing et Chirac. Ils sont heureux.

Leur bonheur est simple. On peut s'imaginer de quoi il est fait : VGE, parvenu à ce sommet de l'Etat auquel il s'est tant préparé, semble trouver l'air de cette altitude particulièrement enivrant à respirer. « Il est heureux comme un jeune marié dont la nuit de noces s'est bien passée », dit à l'époque l'un de ses principaux collaborateurs, qui n'a pas peur des formules audacieuses.

Jacques Chirac jubile. A quarante et un ans, il est la deuxième puissance de l'Etat. Il n'en revient pas. Voilà qu'il va pouvoir jouir et jouer à sa guise de ce pouvoir qu'il aime tant et pour lequel il se sent si bien taillé. Il va faire ses premières armes d'homme d'Etat. « Il est comme un jeune homme avec un bateau neuf », dit de lui Marie-France Garaud.

Et puis, le président et son Premier ministre découvrent simultanément cette drogue incomparable d'être non seulement puissants, mais les plus forts parmi les puissants. Les magistrats les plus vénérables, les chefs d'entreprise les plus décidés, les académiciens les plus compassés, les sommités médicales les plus doctes se courbent devant eux. Les femmes les moins faciles frémissent sur leur passage. Les hommes d'Etat du monde entier leur parlent, front contre front.

Mais il ne faudrait pas caricaturer : outre cette griserie légitimement frivole, tous deux sont animés du même désir profond, d'une identique volonté de bien faire et de marquer leur passage, la forme la plus haute de l'ambition.

A peine installé dans son palais présidentiel, VGE songe déjà au(x ?) paragraphe(s ?) qu'il laissera dans les livres d'histoire des écoliers du xxıᵉ siècle.

« Vous êtes là pour laisser une empreinte, répète-t-il à ses ministres. Vous êtes un gouvernement de réforme, de réforme dans la durée... Chaque jour, 50 p. 100 de votre activité doivent être consacrés à l'œuvre de réforme. »

Un jour, montrant le portrait de Napoléon Bonaparte qui orne le salon Murat où se tient le Conseil des ministres, VGE fait ce commentaire : « Il a laissé une œuvre législative considérable. Nous devons nous en inspirer. »

De son côté, tout juste nommé à Matignon, Jacques Chirac espère trouver au plus vite la formule magique qui fera de lui un chef de gouvernement émérite. Il veut servir de son mieux le chef de l'Etat et, pour lui plaire, s'affirmer comme le premier de la classe. Il espère aussi découvrir la recette qui pourrait lui permettre plus tard de franchir le dernier échelon du pouvoir.

Les politologues éminents l'affirment : les débuts de règne sont toujours joyeux. L'espace de quelques semaines — cent jours, dit-on —, l'euphorie quasi générale conspire en faveur des nouveaux dirigeants. Rien ne leur est malaisé. Ils peuvent tout faire, ou presque, et imposer des changements que leurs prédécesseurs n'avaient plus l'opportunité d'opérer.

Au temps des faibles gouvernements de la IVe République, les crises ministérielles étaient le seul moyen de régler ainsi, par à-coups successifs, les problèmes en suspens. Aussi bien, en cet été radieux de 1974, Valéry Giscard d'Estaing va-t-il se hâter de donner un grand coup d'aspirateur à la société française et aux mœurs politiques. Il impose un style bien à lui : il est Kennedy, Trudeau, de Gaulle et Jacques Chancel à la fois. Il inaugure des méthodes de gouvernement très personnalisées. « Comme la France est facile à gouverner ! » s'exclame-t-il, dans l'ivresse du moment.

Au nez de son électorat conservateur et à la barbe d'une majorité moins convaincue que lui de la nécessité du changement, le nouveau président réforme et libéralise à tour de bras : voici l'abaissement de la majorité civique à dix-huit ans (« quelle erreur ! s'indigne la majorité. Les jeunes votent à gauche »). Voici la contraception et la pilule anticonceptionnelle en vente libre et sa publicité autorisée. Voici l'avortement officiellement toléré — après matines et vêpres, la France pratiquante se signe d'horreur. (Plusieurs ministres tentent en vain de convaincre le président de renoncer à ce projet. Sans la gauche au Parlement, il aurait été envoyé aux oubliettes.) Voici les droits des femmes mieux reconnus (une majorité d'hommes tordent le nez). Voici le régime pénitentiaire assoupli (les braves gens tempêtent). Voici la suppression des écoutes téléphoniques. (Bizarre... Jacques Chirac a affirmé les avoir fait cesser, quatre mois plus tôt, en arrivant au ministère de l'Intérieur.) Voici l'ORTF démantelé.

En politique, VGE dessine un nouveau paysage. Son maître mot est « décrispation ». Il souhaite que l'Etat soit moins autoritaire et plus humain, que le Parlement exerce ses prérogatives d'une manière croissante, que le septennat soit ramené à cinq ou six ans.

Il veut définir un statut de l'opposition et invite François Mitterrand et Georges Marchais à venir s'entretenir avec lui de l'avenir de la France. Las ! pendant quatre ans, les deux leaders de la gauche unie repousseront ses avances.

Il veut financer les partis politiques et réformer la Constitution pour donner plus de pouvoir au Conseil constitutionnel et permettre aux parlementaires de le saisir, en cas de litige législatif. Il voudrait que les ministres puissent retrouver leurs sièges de députés lorsqu'ils quittent le gouvernement sans élection partielle. L'UDR crie au sacrilège. On touche aux tables de la Loi !

La nomination de trois femmes (Mmes Simone Veil, Hélène Dorlhac et Annie Lesur), bientôt quatre (Françoise Giroud), à la tête de ministères ou de secrétariats d'Etat, les dénominations nouvelles de plusieurs départements : Qualité de la vie, Condition féminine, Condition des travailleurs manuels, Condition pénitentiaire, toutes ces innovations, parfois surprenantes, sont destinées à marquer plus encore la volonté du président de rompre avec les vieilles habitudes.

L'économie n'est pas épargnée par la tourmente réformiste. Le président parle de réforme de l'entreprise. Pour enrayer l'inflation, il annonce le resserrement du crédit et le prélèvement conjoncturel sur les entreprises — une mesure aussitôt baptisée « Serisette », du nom de son inspirateur, Jean Serisé (chargé de mission auprès du Président), qui, bien que votée, ne sera jamais appliquée (les patrons en ont frémi de crainte).

Il agite le spectre de la taxation de toutes les formes de plus-values (tout ce que la France compte de propriétaires riches ou modestes serre les poings de rage). La vignette automobile sera de forme hexagonale, pour mieux montrer, sans doute, que cette fiscalité est bien française.

Quant au plan de lutte contre l'inflation, il s'accompagne de mesures sociales parfois hardies : garantie d'un an de salaire aux chômeurs licenciés pour cause économique, relèvement substantiel du minimum vieillesse (21 p. 100), promesse d'extension de la Sécurité sociale à tous les Français. (« Tout cela va coûter bien cher ! » soupire le CNPF.)

Mais qu'importent les grognements, les rancœurs, les rancunes. Pendant de longues semaines, toujours en première ligne, Valéry Giscard-d'Estaing, magistral, décontracté, espiègle, comme s'il voulait faire accroire que la réforme est gaie et non dramatique, prend le risque d'affronter et de choquer sa famille politique et son électorat.

A-t-il l'espoir de les convaincre puis de les entraîner ? Veut-il séduire ses adversaires ou faire oublier un long règne, jugé par trop conservateur, au ministère des Finances ? Veut-il se faire pardonner ses origines de grand bourgeois et une vie trop préservée, croit-on, des heurts et des malheurs ?

C'est en fait un choix délibéré et mûri de longue date qui guide ses décisions.

« Une fois élu, et de justesse, dans une France coupée en deux politiquement et socialement, VGE avait le choix entre deux stratégies, expliquera un ministre. Ou bien, il se repliait sur sa majorité dans une politique de non-ouverture et il comblait son électorat, ou bien il choisissait de faire des réformes réclamées par les centristes et la gauche et, à la manière de De Gaulle, disait à sa majorité : " Qui m'aime me suive. " C'est évidemment la deuxième solution qu'a choisie Giscard. »

Le président en est convaincu : s'il parvient à modifier les structures économiques et sociales, les tensions politiques finiront bien par s'apaiser. C'est presque du marxisme inconscient...

A quelques journalistes, VGE rapporte une anecdote. Elle est révélatrice de sa pensée. Alors que, ministre des Finances, il était en visite officielle à Bucarest, le numéro un roumain, tout juste rentré de Chine, lui raconta que Mao Zedong venait de lui confier malicieusement : « Les meilleurs gouvernements sont ceux qui sont gouvernés par des traditionalistes libéraux. Si la Chine avait eu de tels gouvernements, elle n'aurait pas eu besoin de révolution », aurait même ajouté le Grand Timonier. Et c'est ainsi qu'un futur président français, se découvrant quasiment maoïste, ne va pas laisser perdre une aussi aimable leçon.

Aussi bien, après avoir palpé et ausculté tout l'été ce président libéral révolutionnaire, l'intelligentsia parisienne a bientôt pour lui les yeux de Chimène. Valéry a-t-il du cœur ? se demande-t-on à l'automne, dans les dîners en ville du boulevard Saint-Germain.

« C'est que nous vidons la gauche de tout son programme. Ah, bien sûr ! il reste l'étatisme, le collectivisme, qui marquent toujours la frontière entre nous. Mais pour le reste, tout le côté généreux, social de la gauche, nous le faisons nôtre ! » s'exclame, joyeux, Jean Lecanuet dans une interview accordée au *Point*.

Aussi bien sous le titre : « Faut-il prendre Giscard au sérieux ? » *le Nouvel Observateur* ouvre alors un débat presque grave. Question sur laquelle Jean Daniel, le directeur, pourtant plutôt séduit, semble déterminé à hésiter. Le bénéfice du doute ! Mais Jean-Marie Domenach, ce chrétien de gauche à la conscience courageuse, ose s'écrier : « Je ne parviens pas à me défaire, ces derniers jours, de ce sentiment que j'éprouvai pour la première fois en septembre 1938. Le sentiment que l'adversaire nous a tournés et que la masse des braves gens s'avance naïvement vers la défaite, fusils contre stukas, chevaux contre moteurs. »

Pierre Viansson-Ponté, commentateur sceptique parmi les sceptiques, s'interroge dans *le Monde* : « Et si c'était vrai ? » Un sondage SOFRES, publié par *le Figaro* le 1er septembre, montre que 46 p. 100 (contre 31 p. 100) des électeurs jugent que le bilan des trois premiers mois de présidence est plutôt un succès.

Les leaders de la gauche, de longues semaines durant, demeurent perplexes et abasourdis. Fin septembre, François Mitterrand rompt la trêve. Il déclare : « Le chef de l'Etat ne fait que '' sautiller '' sur les problèmes et semble plus soucieux de bousculer les tabous des bourgeois que leurs privilèges. »

Pour le style, c'est aussi l'ère des ruptures. Finie, l'allure guindée et empesée des républiques défuntes. Après avoir remonté à pied les Champs-Elysées (non, ce n'est pas un clin d'œil à l'adresse des godillots gaullistes), il fait visiter le palais présidentiel à une écolière dénommée Blandine et songe à ouvrir l'Elysée au public une fois par semaine (comme la Maison-Blanche).

Il installe son bureau non dans le grand salon doré où se tenaient le général de Gaulle et Georges Pompidou, mais dans une pièce voisine, de plus petites dimensions, où règne une atmosphère d'intime opulence. Ce n'est plus l'écrasante grandeur gaullienne. Ce n'est plus le modern style pompidolien.

Les toiles abstraites chères à son devancier sont remplacées par des peintures et des tapisseries du XVIIIe siècle. La cour de l'Elysée est fleurie d'orangers, comme dans les châteaux Renaissance. Simplicité, simplicité... Il fait ramener de cent quatre-vingt-dix à cent vingt les effectifs de la garde républicaine affectés en permanence à l'Elysée et remplacer leur shako d'opérette par un sobre képi. Il fait restreindre de moitié le nombre des agents chargés de sa sécurité.

C'est en complet-veston et non plus en jaquette que les ambassadeurs viennent présenter leurs lettres de créance. Le 16 juillet, il autorise Paquita et Ramon, le couple d'employés de maison qui le sert depuis dix ans, à se prêter aux exigences d'une interview à la télévision espagnole.

Nouveauté, nouveauté... la photo officielle du président de la République est commandée à un pétulant octogénaire, Henry Lartigue, qui a immortalisé les baigneuses et les élégantes de la Belle Epoque. Auvergnat d'origine — il a été élevé au château de Rouzat —, Lartigue est le spectateur de l'épopée de la vie quotidienne des Français. Le portrait qu'il tire de Valéry Giscard d'Estaing est tout en largeur, et non plus en hauteur comme le voulait une tradition immémoriale.

Sur le drapeau qui flotte au faîte de l'Elysée, seront bientôt brodés des faisceaux de licteurs encadrés de branches de laurier, marque de sagesse d'une audace presque antique.

Décidément simple, pour donner un caractère populaire aux activités officielles de l'Etat, VGE transfère l'itinéraire du défilé du 14 Juillet de l'avenue des Champs-Elysées au boulevard Beaumarchais (le ministre de la Défense l'apprend par la radio). Mais l'expérience ne sera pas répétée.

Il fait changer le rythme de *la Marseillaise* et, de chant guerrier, l'hymne national se métamorphose en musique de chambre légèrement assoupie (la décrispation se niche partout).

Au lendemain des troubles dans les prisons, il se rend à Lyon serrer la main d'un détenu. La France profonde en a le souffle coupé. « Mais c'était un prévenu et un prévenu est toujours présumé innocent », dira plus tard VGE, ulcéré, comme toujours, quand on ne l'a pas compris. La petite histoire veut que le prisonnier en question ait dit au chef de l'Etat : « Je ne voudrais pas être à votre place. — Moi non plus », aurait rétorqué VGE. C'en est presque trop beau...

Encore simple, le matin de Noël, il convie à l'Elysée quatre éboueurs africains qui vident les poubelles de l'avenue Marigny à venir partager le café, le chocolat et les croissants chauds. Paralysés par la timidité, ceux-ci en oublient d'enlever leurs passe-montagnes. A cette occasion, on apprend que le président, comme 50 p. 100 de Français, trempe son croissant dans son café le matin.

D'abord abasourdie, la classe politique se montre ensuite plutôt conquise. Par mimétisme, au moins les premiers mois, elle fait volontiers siennes l'humeur badine et la désinvolture inspirée qui sont de mise au château. « Enfin nous avons un président gai, pas comme les autres! » se serait exclamé le ministre Robert Galley.

Les magazines représentant le président de la République en compagnie de ses deux labradors, Jugurtha et Réale, le comble du chic dans les cabinets ministériels est de venir accomplir son dur labeur accompagné, qui de son braque de Weimar, qui de son berger des Pyrénées, qui de son bouvier des Flandres. A l'époque, il faut avoir la témérité d'un Tartarin de Tarascon pour rendre visite au moindre chef d'un cabinet de ministère.

De sauvages aboiements découragent les plus braves. A l'heure du déjeuner, la brasserie Lipp (cantine du Landerneau politique) se transforme en la plus belle exposition canine de France.

Toujours simple dans sa vie personnelle, le président garde une grande liberté d'allure. Comme n'importe quel Français aisé, il dîne avec son fils Henri dans un bistrot du quartier des Halles. Il regagne son domicile du 16e arrondissement seul, au volant d'une 504 verte, et c'est ainsi qu'il rend une visite protocolaire à Alain Poher, le président du Sénat.

Il tient à mener la vie d'un citoyen comme un autre. A ses yeux, l'Elysée n'est rien d'autre que le bureau où l'on se rend chaque jour. Durant le week-end, des journaux le révèlent, il disparaît sans qu'on sache où il est. Seule une lettre scellée, portant indication du lieu où il peut être joint, permet, en cas de besoin, à celui de ses collaborateurs qui assure la permanence à l'Elysée d'entrer en contact avec lui. Les services de sécurité en perdent le sommeil. Ils craignent l'accident ou l'agression.

En octobre, on parle d'un accrochage au petit matin avec un camion de laitier. Vraie ou fausse, cette rumeur formellement démentie devient un fait politique dès lors que la presse et des leaders de parti en font état publiquement. « Giscard sort-il trop ? » s'interroge *Paris-Match*.

« On affirme ici et là que le président est un oisif, qu'il mène une vie très personnelle et qu'il est absent... C'est absurde », s'insurge Michel Poniatowski.

Mme Anne-Aymone Giscard d'Estaing vient à la rescousse de son mari. « Souvent ce que l'on peut faire peut être mal interprété. Les critiques sur la vie du président sont la partie pénible de la chose. Parce que c'est absurde, tellement absurde. »

Cette simplicité affichée contraste curieusement avec un goût marqué pour le protocole Certes, ses ministres ne doivent plus l'appeler : « Monsieur le président de la République », mais : « Monsieur le président », tout court.

Mais à table, le président se fait servir le premier, comme un souverain. Quand Mme Giscard d'Estaing ou le Premier ministre ne l'accompagnent pas, quand ses invités ne sont pas des hiérarques internationaux, la place qui se trouve en face de lui demeure vide. « J'étais placé à table à la droite du trou », indique un jour Yves Guéna, en sortant d'un déjeuner à l'Elysée.

Au Conseil des ministres, le ton reste guindé, l'ordre du jour immuable et minutieux. Le chef de l'Etat a oublié les agacements du ministre des Finances, qui souhaitait plus d'animation et de spontanéité. A des ministres déjà assis lorsqu'il entre en Conseil, le président (au tout début de son règne) lâche sans sourire : « Messieurs, si c'était le roi, vous seriez encore debout. »

Pour Valéry Giscard d'Estaing, la décrispation ne passe pas par le laisser-aller. La république giscardienne doit être plus républicaine, mais le président pas moins souverain. Un jour, lors d'un Conseil des ministres, il place devant lui un sous-main de cuir vert gravé de fleurs de lis et de l'aigle impériale. Veut-il démontrer que la république est bien dans la continuité française ?

Il demande à Jacques Chirac de se tenir à trois pas derrière lui dans les manifestations officielles.

Mais là où le président innove peut-être le plus, c'est dans sa manière de gouverner. Il n'y a plus de domaine réservé. « Il est un super-président », note Maurice Duverger. « Il présidentialise à outrance », répond en écho Michel Poniatowski, tandis que Pierre-Christian Taittinger, ex-secrétaire d'Etat aux Collectivités locales, qui le connaît bien et appartient au même milieu que lui, juge plutôt que le président agit « avec la boulimie d'action d'un homme de quarante-huit ans qui met toute sa vitalité et sa disponibilité au service de sa charge. Ce ne sont pas les hommes qui changent les institutions, dit-il encore, ce sont les institutions qui s'adaptent aux hommes ».

Non seulement le président a choisi lui-même ses ministres, mais c'est lui qui fixe le programme des réformes du gouvernement. Il rédige des directives au Premier ministre, qui, au lieu d'être tenues secrètes, sont rendues publiques à grands roulements de tambour, mettant ainsi en relief la subordination de

Jacques Chirac au bon vouloir du président. « Mon cher Premier ministre, j'ai été conduit à prendre avec mes ministres intéressés un certain nombre de décisions relatives à l'aménagement de Paris... »

A l'Elysée, VGE multiplie les conseils restreints et en fait un moyen d'action régulier. De mai 1974 à avril 1975, il en réunit trente-cinq ; et en tout soixante-neuf pour l'année 1975, alors que Georges Pompidou n'en présidait guère plus de quinze par an.

Il ne néglige pas pour autant de rentrer dans les moindres détails. Un jour, il intercepte une lettre au hasard dans le courrier qui lui arrive à l'Elysée et c'est ainsi, raconte son entourage, qu'il prend connaissance des revendications du Comité de défense de la Cité fleurie et décide de l'aider.

C'est encore lui qui choisit, seul, l'abandon de la construction de la voie expresse rive gauche (recommandée par Georges Pompidou non moins solitairement) et de l'axe autoroutier du canal Saint-Martin.

C'est lui qui décide de divers projets concernant l'aménagement des Halles ou de l'aérotrain qui reliera la capitale à Cergy-Pontoise.

Il téléphone directement à ses ministres pour les conseiller dans leur action ou parfois les oublie : sans prévenir le ministre Jacques Soufflet, le président réunit, du 30 juillet au 7 août 1974, les plus hautes instances de l'armée, pour étudier avec elles les problèmes de la défense nationale.

Quand, en septembre 1974, la même semaine, on entend trois ministres — Robert Galley (Equipement), Michel d'Ornano (Industrie) et Jean-Pierre Fourcade (Finances) — tenir des propos totalement divergents sur les ripostes souhaitables à la crise économique, c'est encore lui qui les rappelle à l'ordre, et non pas le chef du gouvernement. Ce qui l'amène à constater, avec satisfaction, quelques jours plus tard : « Pour la première fois depuis toujours, dit-il, personne ne peut se faire l'écho de rivalités ou de critiques entre les ministres. » (L'espoir fait vivre !)

Faute d'obtenir une adhésion spontanée de la majorité à ses projets de réforme, VGE entend convaincre la France profonde de ses choix par le biais de la télévision. Une fois par mois, à l'heure du potage, son regard tente de capter l'insaisissable, c'est-à-dire la nation. La prunelle fixe, il ponctue ses démonstrations de courts silences immobiles. Sans grands mots ni citations (il les abandonne volontiers à Georges Pompidou), mais à l'aide de quelques formules, il est capable de faire comprendre n'importe quoi à n'importe qui. Il appartient à cette catégorie de gens intelligents qui parlent de manière simple. De Gaulle aussi, dira-t-on, mais il terrifiait par sa mise en scène. VGE, lui, veut être ce guide rationnel, libéral et moderne sur lequel les citoyens qui l'ont fait roi peuvent se reposer.

Pour se faire mieux comprendre de la presse, il téléphone parfois directement à des journalistes lorsqu'il juge que ceux-ci ont mal interprété sa pensée. Ainsi quand pour symboliser la décentralisation, le Conseil des ministres se tient à Lyon, VGE appelle-t-il Pierre Sainderichin, du journal *France-Soir*, qui a qualifié cette innovation de gadget. « Cette réunion a plus de portée que vous ne le croyez », lui dit le président. Néanmoins, l'expérience ne sera renouvelée que deux fois : à Evry puis à Lille.

Humilité ? Pendant tout ce temps, Jacques Chirac ne semble pas souffrir de la tournure des choses. Placé si vite et si haut, cet homme jeune de quarante et un ans n'est sans doute pas mécontent de laisser faire — pour commencer — un chef de l'Etat qui produit et consomme tant d'idées.

A Matignon, lui aussi impose un style tout neuf. Ce n'est plus la rigueur militaire un peu raide de Pierre Messmer. Le Premier ministre fait régner un climat affairé et familier à la fois. Il travaille parfois en bras de chemise et les pieds sur la table. Quand la faim le tenaille, il se fait porter de robustes casse-croûte qu'il absorbe avec bonheur, sans jamais oublier de convier ses visiteurs à partager ses agapes. Il est heureux.

Et pourtant sa tâche n'est pas celle d'un Premier ministre à part entière. Il porte bien le titre de chef de gouvernement, mais les excellences, ayant été invitées par le président, dès le début du septennat, à travailler directement avec lui, sont tout émoustillées de traiter sans intermédiaire avec le prince. Elles court-circuitent Matignon sans hésiter, avec d'autant moins de scrupules que la plupart d'entre elles n'appartiennent pas à l'UDR.

N'exagérons rien : si les ministres ont quelque propension à jouer à saute-mouton par-dessus la tête de Jacques Chirac, ils ne s'en rendent pas moins dans son bureau et ne s'en plaignent pas. Presque tous l'affirment encore aujourd'hui : « Chirac nous laissait une grande liberté d'action. " Je te fais confiance, nous disait-il, les ministres heureux n'ont pas d'histoires. Mais ne me brouille pas avec les cordonniers, les gardes-barrière ou les marins-pêcheurs " — bref, la denrée politique la plus précieuse : l'électeur. Mais nous n'avions presque jamais de discussions de fond avec lui. »

« En contrepartie, reconnaissent encore ces mêmes ministres, quand nous ne lui faisions pas d'histoires, Jacques Chirac était très bon camarade. Son soutien nous était toujours assuré en Conseil. Après un rapport ou une communication, il nous félicitait très chaudement, quelquefois presque trop, parfois même quand nous ne le méritions pas. C'était bien agréable. »

En revanche, quand Pierre Lelong, secrétaire d'Etat aux P et T, subit, à la fin de l'année 1974, la longue grève des postiers (deux mois), et qu'il a ce mot malheureux : « Les postiers font un travail idiot », Jacques Chirac ne lui jette pas un regard et trouve lui-même, à Matignon, avec les syndicats les solutions du conflit.

Aimable, il confie à des journalistes : « Si je devais noter mes ministres, à certains je donnerais une note inférieure à la moyenne. Ceux-là, je n'en donnerai pas les noms. A d'autres, je mettrais une bonne note. Et là, je peux dire que tel est le cas de Michel Poniatowski, Jean-Pierre Fourcade, Simone Veil, Michel Durafour ou Vincent Ansquer. »

De son côté, Valéry Giscard d'Estaing ne reçoit pas les ministres en catimini. Dans la conception qu'il se fait de son rôle, il va de soi qu'il doit voir et revoir chaque ministre chargé d'un dossier important pour en discuter à fond. « Pour la réforme de l'entreprise, j'ai été reçu plus de trois fois par mois », se souvient Michel Durafour. Ces rendez-vous ne sont pas clandestins, le Premier ministre en est toujours averti et, pendant longtemps, il n'en prend pas ombrage. Il ne s'agit pas, entre l'Elysée et Matignon, de jouer l'un contre l'autre. C'est une nouvelle répartition des pouvoirs, une nouvelle règle du jeu, que Jacques Chirac accepte sans sourciller. Apparemment!...

Il est heureux. Et pourtant, il n'est pas vraiment le chef de la majorité. Les centristes, qui se sentent en position de force, n'acceptent son autorité que sous une forme de cordialité sympathique. Parce qu'il est jeune et UDR, il n'est pas tout à fait un égal. Il n'est pas un chef non plus. Quant aux gaullistes, ils commencent à comprendre que ce Premier ministre leur sera peut-être bien utile, mais il est trop tôt pour lui pardonner déjà l'élection de Valéry Giscard d'Estaing. S'ils ne lui témoignent bientôt plus d'hostilité, leur affection ne lui est pas encore acquise.

Il est heureux, Jacques Chirac. Pourtant il ne fixe pas les grandes orientations de la politique gouvernementale. C'est l'apanage du président. Il aurait d'ailleurs mauvaise grâce à s'en plaindre, lui qui justement avait tant reproché à Jacques Chaban-Delmas de s'asseoir dans le fauteuil du président de la République en prononçant son discours sur la Nouvelle Société.

Ainsi ne tranche-t-il pas entre les options du plan Fourcade, baptisé avec quelque optimisme « plan de refroidissement » pour lutter contre l'inflation. Celui-ci ne compte pas moins de seize mesures (dont un prélèvement exceptionnel sur les entreprises et le resserrement du crédit). Il n'y en a guère dont l'auteur s'appelle Jacques Chirac. « Un programme à la fois réaliste et courageux », approuve Michel Debré. « Au point de vue économique, la France et l'Allemagne suivent un cours parallèle », applaudit Helmut Schmidt. « Jacques Chirac, lui, trouvait ce plan un peu trop mou », révèle aujourd'hui Jean-Pierre Fourcade. Mais, par loyauté, le Premier ministre tient à démontrer qu'il fait entièrement sienne la politique économique de l'Elysée et de la rue de Rivoli.

A Cagnes-sur-Mer, le 8 septembre, devant les députés UDR, il affirme se sentir « personnellement responsable de la réussite du plan de refroidissement » — sans doute pour mieux convaincre les députés gaullistes de le voter à l'Assemblée. Ainsi en privé, au cours d'un déjeuner à l'Elysée qui réunit autour du président Jacques Chirac, Michel Poniatowski et Pierre Juillet, à ce dernier, qui insistait pour que le gouvernement prenne des mesures économiques plus drastiques pour enrayer l'inflation, VGE aurait rétorqué : « Le petit plan Fourcade suffira. » Et Jacques Chirac, agacé par l'insistance de son mentor, aurait renchéri : « Le plan Fourcade portera ses fruits. » Un témoignage peu suspect : un proche du maire de Paris rapporte aujourd'hui l'anecdote.

Il ne faut donc pas voir un signe de rébellion contre l'autorité présidentielle quand Jacques Chirac confectionne ostensiblement des bateaux en papier à son banc de l'Assemblée nationale, pendant que le ministre des Finances présente le budget à la tribune. « Cela montre que le Premier ministre, comme moi-même, éprouve une perception aiguë de l'avenir maritime de la France », commentera en souriant VGE.

Il est heureux, Jacques Chirac, et pourtant les réformes lancées à toute volée par le président ne l'enthousiasment pas positivement. « Par conviction personnelle et parce qu'il sent que l'électorat majoritaire regimbe, il s'en serait passé volontiers », dit l'un de ses seconds.

« Pour Jacques Chirac, les problèmes de société n'existent que si on les pose. C'est en cela qu'il est tellement pompidolien », commente aujourd'hui René Haby, ex-ministre UDF de l'Education nationale.

Tout réticent qu'il soit au fond de lui-même, l'hôte de Matignon ne s'en bat pas moins gaillardement au Parlement pour faire voter ces mesures qui dérangent. Ainsi Jacques Chirac est hostile à l'avortement mais Simone Veil l'a toujours affirmé : « Son soutien actif et sa gentillesse ne m'ont jamais fait défaut. » Le projet adopté, le Premier ministre lui fait même porter une énorme gerbe de fleurs. Il a ces gestes-là...

« Il est venu à mon secours avec beaucoup d'efficacité lorsque la majorité, et surtout l'UDR, me titillait sur la Sécurité sociale, témoigne Michel Durafour, alors ministre du Travail. Il est même arrivé à 2 heures du matin pour houspiller tout son monde. A un élu gaulliste de la Région parisienne qui refusait la discipline, il aurait même jeté cette injure suprême, sûrement apprise au temps de son service militaire : " Tu es c... comme une valise sans poignée ! " »

Et, encore contre l'UDR, Jacques Chirac défend avec vigueur le projet de réforme de la Constitution (droit de saisine du Conseil constitutionnel par les députés). Il se fâche quand on le taxe de « réformette ». Lui y voit, au contraire, une réforme « fondamentale » (un de ses mots favoris) puisqu'elle permet de « donner des droits plus étendus à l'opposition » ! Chez les gaullistes, où l'on a constaté comme tout le monde que, sur six anciens ministres qui tentaient de reprendre leurs sièges aux élections législatives partielles de septembre, deux (Jean-Philippe Lecat et Joseph Fontanet) se sont fait envoyer au tapis par la gauche, on juge que l'opposition a assez de droits comme cela et que le Premier ministre y va un peu fort.

Pour bien marquer sa grande loyauté à l'égard du président, Jacques Chirac fait une déclaration sans ambiguïté : « Il faut que le régime se présidentialise. Le président doit donner des directives servant à l'action quotidienne du gouvernement. Cela implique qu'il ne peut y avoir de discussions sur les orientations qu'il donne. Donc, le Premier ministre doit, par définition, adhérer aux actes du président ou se démettre. Les partis politiques traditionnels représentent une sorte d'écran qui ne correspond pas à une véritable conception de la participation. » Cette belle pétition de principe date du 8 juillet 1974. Jacques Chirac donnait une interview au *Quotidien de Paris.*

Apparemment, il est sincère. Puisqu'à la même époque, Marie-France Garaud dit à tous ses visiteurs : « Le Premier ministre est présidentialiste. »

Et il le démontre : lorsque, l'hiver venu, le baromètre *Figaro*-SOFRES est à la baisse et que les sondages attestent du pessimisme recouvré des Français (77 p. 100 d'entre eux voient l'avenir en noir, ils étaient 76 p. 100 au début de l'année, sous Georges Pompidou), Jacques Chirac vole au secours du président. Dans une interview à *Paris-Match* en décembre, il affirme virilement : « Je suis convaincu que pour un homme d'Etat, la vraie popularité commence toujours par une poussée d'impopularité. Mais on doit continuer sur cette voie. En tout cas, c'est l'intention du président. Donc du gouvernement. Les fluctuations de popularité n'ont pas d'importance. Nous avons le temps pour nous. Nous sommes loin des élections et, par conséquent, nous devons utiliser au mieux ce délai. » A l'Elysée, on apprécie.

Autre preuve de fidélité : début décembre, lors du Conseil des ministres précédant le Conseil européen du 9 décembre où VGE entend relancer devant ses partenaires le principe de l'élection au suffrage universel du Parlement européen, le président organise un tour de table pour demander l'avis de ses ministres. Le premier interrogé est le doyen du gouvernement, Robert Galley. Le ministre de l'Equipement n'est pas favorable à cette élection : « Quel intérêt y a-t-il à créer une assemblée de plus, qui va s'arroger des pouvoirs et compliquer la tâche du gouvernement ? »

En l'entendant, Jacques Chirac bondit et s'écrie : « Monsieur le président, je puis vous dire que je ne suis pas d'accord du tout avec Robert Galley, qui parle en son nom propre et non en celui de l'UDR. M. Pompidou s'était engagé, à La Haye, à faire élire cette assemblée, nous devons la faire élire et ne pas construire l'Europe avec la détermination d'un âne qui recule. Le plus tôt sera le mieux. » (Cinq ans plus tard, pendant la campagne européenne, Jacques Chirac aura résolument oublié ces propos.)

A cette époque, le président et son Premier ministre s'adorent. Au cours de sa réunion de presse du 24 octobre, VGE salue « cet excellent Premier ministre ». Quant à Jacques Chirac, il ponctue toutes ses phrases d'un : « Le président a dit », ou d'un : « Comme le souhaite le président. » Il est à ce point fasciné par le chef de l'Etat qu'il demande en confidence au secrétaire général de l'Elysée, Claude Pierre-Brossolette, le nom et l'adresse du tailleur du président. Le mimétisme va loin...

Il est heureux, Jacques Chirac, car il a tout de même un domaine réservé : l'agriculture, bien sûr. Presque tous les mercredis, il convie à dîner, à Matignon, des syndicalistes agricoles enchantés et flattés de tant de prévenances. Le seul oublié est généralement Christian Bonnet, le ministre de l'Agriculture. Il est vrai que le Premier ministre s'intéresse sincèrement au seigle et à la châtaigne, et sans doute songe-t-il à entretenir un portefeuille de voix personnelles.

Le Premier ministre s'intéresse de même à la politique étrangère. Chaque soir ou presque, il se plonge avec avidité dans les télégrammes du Quai-d'Orsay. Le Moyen-Orient, qu'il découvre après un voyage en Irak et une invitation en Libye, l'éblouit. Il décide même d'apprendre l'arabe. Un professeur se rend à Matignon pour lui donner au moins dix leçons. « Kadhafi est un grand homme d'Etat », confie-t-il spontanément à un Jean Lecanuet encore abasourdi six ans plus tard.

Il est heureux, Jacques Chirac, et pourtant ce n'est pas lui l'homme fort de son gouvernement. Pour tous les commentateurs politiques, la puissance principale se trouve plutôt place Beauvau, au ministère de l'Intérieur. Les caricaturistes représentent Ponia en géant Atlas, portant sur ses larges épaules le poids du Conseil des ministres tout entier. VGE y compris.

Réputé être l'homme fort, Ponia est sollicité de toute part. Il reçoit beaucoup de monde : des hommes d'affaires, des diplomates, des députés, des sénateurs de toutes les tendances de la majorité, des socialistes même. Pierre Mauroy est aperçu plusieurs fois dans l'antichambre.

Chaque soir, Ponia rédige pour le compte du président une

note de vingt à cent lignes, son commentaire quotidien sur les événements et les hommes. Une seule secrétaire, sa collaboratrice personnelle, Mme Chain, a l'autorisation de taper à la machine un document aussi confidentiel. Quand ce n'est pas Ponia lui-même qui traverse la rue pour remettre la lettre à son prestigieux destinataire (le fameux souterrain reliant le palais de l'Elysée au ministère de l'Intérieur fut muré du temps de Morny), un envoyé spécial joue les facteurs avec un cérémonial de porteur de reliques.

Si Jacques Chirac raconte à qui veut l'entendre que lui-même et le président se téléphonent « au moins trois fois par jour », Ponia est lui aussi en liaison quasi permanente avec l'Elysée. Ses collaborateurs l'entendent même tutoyer et appeler « Valy » le président (en d'autres temps, seul le maréchal Juin tutoyait le général de Gaulle). Dans les réunions officielles, le ministre de l'Intérieur a l'intelligence de ne pas trop afficher cette intimité.

Le 26 juin, au Comité directeur des républicains indépendants, c'est lui encore qui distribue les rôles dans la majorité présidentielle. L'UDR est invitée à accepter l'ère nouvelle « sans arrière-pensées et sans réticences ». « C'est noté », réplique sèchement Pierre Charpy dans *la Lettre de la Nation*.

Chaque semaine, Ponia multiplie les petits déjeuners, notamment avec les dirigeants républicains indépendants (Michel d'Ornano, Jean-Pierre Fourcade, Jean-Pierre Soisson, Roger Chinaud), auxquels il rabâche ses consignes : « Surtout n'attaquez pas les socialistes. Il faut créer une majorité pour le président. Ils viendront avec nous. Chirac va se charger de casser l'UDR. »

Lors d'un dîner donné chez lui à l'automne 1974, il déclare devant ses invités (dont Michel Guy, secrétaire d'Etat à la Culture) : « Dans deux ans, l'UDR n'existera plus. »

En apparence, tout va pour le mieux entre Ponia et Chirac. C'est le temps des : « Cher Michel. Cher Jacques. » Eux aussi se téléphonent chaque jour pour se mettre au courant des affaires en cours. « Mais ils ne se voyaient pas pour le plaisir », reconnaît un proche du ministre de l'Intérieur. En septembre, lorsque le Conseil se déplace à Lyon, on les voit allant bras dessus, bras dessous au cinéma où l'on donne le dernier Buñuel, *le Fantôme de la liberté*. Epaule contre épaule, ils se rendent dans un bouchon à la mode pour déguster du chirouble.

Mais derrière cette apparente cordialité, les deux hommes vivent une paix armée. A l'automne, Chirac, ayant promis aux UDR : « Nous resterons la majorité de la majorité », Ponia fait ce commentaire grinçant : « Qui a trahi une fois trahira deux fois. »

De son côté, Jacques Chirac confie à ses collaborateurs . « Quand le président est aimable avec moi, je suis sûr que, pour se venger, dans les trois jours, Ponia me prépare un mauvais coup. » En 1980, le maire de Paris confie encore : « Ponia était très jaloux de moi, il ne supportait pas que je réussisse ou que je m'entende bien avec le président. Après mes deux voyages officiels en Irak et en Iran, qui ont été des succès et salués comme tel par la presse, il est venu me voir à Matignon pour me dire : " Fais attention ! Si tu réussis trop bien, cela pourrait déplaire au président. Je le connais bien, il en prendra ombrage. " En fait, commente Jacques Chirac. Giscard était très content de moi et Ponia faisait une crise de jalousie. »

Prudent, en Conseil des ministres, VGE se garde bien de marquer quelque préférence entre le premier de ses ministres et le meilleur de ses amis. Il respecte la hiérarchie. « Quand il y avait discussion pour nommer un haut fonctionnaire à tel ou tel poste, Ponia et Chirac avaient souvent chacun leur candidat à présenter. Et c'est souvent Chirac qui l'emportait, parce qu'il était un meilleur vendeur que Ponia », assure un collaborateur du président.

« A l'époque, Chirac croyait qu'il supplanterait vite Ponia dans le cœur de Giscard », dit l'un de ses collaborateurs. « Vous vous faites des illusions, expliquait Marie-France Garaud dans ce langage vert qu'elle affectionne, entre Ponia et Giscard, c'est le mariage chinois. Ponia, c'est la première épouse, avec qui l'on ne couche plus. Mais c'est elle qui choisit la concubine et le moment où il faut la renvoyer. »

Jacques Chirac ne partage pas l'avis de sa conseillère. Il prend ce pari : « Bientôt, dit-il autour de lui, il n'y aura plus qu'un seul Premier ministre, ce sera moi. »

Tous les ministres l'ont noté, il y a, entre Valéry Giscard d'Estaing et Jacques Chirac, une énorme complicité joyeuse : de génération et de réussite commune.

« Entre eux deux, c'était un peu comme Napoléon le jour du

sacre, se retournant vers son frère pour lui dire : " Ah ! si notre père nous voyait " », dit encore Marie-France Garaud.

Paul Granet, alors secrétaire d'Etat à la Formation permanente, se souvient : « Quand un ministre bafouillait ou faisait un exposé trop long, Giscard et Chirac, assis face à face, se regardaient en plissant les yeux, en signe de connivence. »

« Une seule fois j'ai vu Jacques Chirac irrité en Conseil, c'est quand le président a fait enlever les cendriers de la table et décidé que les ministres ne devaient plus fumer. Pour apaiser le Premier ministre, je lui faisais passer des petits bonbons », raconte René Haby, ministre de l'Education nationale.

Cette entente particulière du chef de l'Etat avec Jacques Chirac ne nuit pas au lien spécial qu'il a avec Ponia. En conseil, le ministre de l'Intérieur, assis à la droite du président, lui fait passer, le plus ostensiblement possible, petit mot sur petit mot, quand il ne lui murmure pas quelque confidence, penché vers son épaule. Autrement dit : des clins d'œil pour Jacques Chirac, une oreille pour Ponia. C'est l'équilibre classique de tout ménage à trois.

Tout va bien donc. Le Premier ministre est heureux. Marie-France Garaud qui s'est installée depuis le début du septennat dans un grand bureau, au rez-de-chaussée de Matignon, continue de veiller, officieuse mais très présente, sur l'UDR et les fonds secrets, tout en essayant ses nouvelles recettes sur la cuisine politicienne. Elle qui a vécu en ces lieux l'époque où Georges Pompidou régnait en maître sur la majorité s'étonne de voir fonctionner ce trio tout de même un peu baroque.

Invariablement, Jacques Chirac lui rétorque — expliquant par là même les raisons de son bonheur apparent : « Si je veux un jour peser sur les choix du président, il faut d'abord qu'il ait confiance en moi. »

L'un des collaborateurs de Jacques Chirac éclaire *a posteriori* son état d'esprit : « Jacques n'a jamais cru que Giscard avait une politique. Il pensait qu'une fois la période des gadgets terminée, le président serait bien obligé de revenir à la seule politique possible à ses yeux, celle de Georges Pompidou. »

De même, Jean-Pierre Fourcade fournit une notation supplémentaire un peu insolite : « La première fois que j'ai rendu visite au Premier ministre, il m'a dit : " Avec une victoire si étroite, il y a des risques de débordement dans la rue, de troubles. Il peut y avoir du sang. Il va falloir faire une politique sociale très hardie pour apaiser les esprits . " C'est pour cela, explique l'ex-ministre des Finances, que Jacques Chirac s'est battu pour que le taux d'indemnisation des chômeurs pour cause économique atteigne 90 p. 100 pendant un an, alors que les syndicats auraient fini par se contenter de 75 p. 100. »

A cette même époque, Pierre Juillet (il n'est pas installé à Matignon, mais Jacques Chirac le consulte plusieurs fois par semaine) prévient rituellement le Premier ministre : « Si vous ne prenez pas l'UDR en main, si vous ne pouvez pas vous appuyer sur un parti fort, avec ce système giscardien, vous serez renvoyé comme un valet de chambre. »

Depuis son arrivée à Matignon, le Premier ministre s'occupe beaucoup — trop — de l'UDR. Et avec une seule idée fixe : la mettre sous sa coupe. Est-ce pour mieux la chiraquiser ou la giscardiser ? Aujourd'hui encore, la classe politique s'interroge. En nommant Jacques Chirac à l'Elysée, Valéry Giscard d'Estaing lui a-t-il explicitement demandé de casser l'UDR, comme le souhaitait Ponia ?

« Giscard ne m'a jamais rien demandé de tel, dit en 1980 le maire de Paris, ce n'est pas son genre. Je l'avais d'ailleurs averti qu'il ne fallait pas compter sur moi pour amener le gaullisme à la défaite. »

Lors d'un déjeuner à l'Elysée, peu après son élection, le président aurait, selon un témoin, conseillé à Jacques Chirac : « Débarrassez-vous des gêneurs. » Il songeait sans doute à Michel Debré, toujours disponible pour un nouveau sacrifice et qui proclamait bruyamment que l'UDR devait entamer une nouvelle traversée du désert, façon de dire que son devoir était de rejoindre l'opposition. En revanche, nul doute que VGE aurait été fort satisfait si son Premier ministre avait pu obtenir des députés gaullistes une discipline de bonne grâce, et même le brin de renoncement de ceux qui se résignent à un destin inexorable.

Jacques Chirac envisage de tenir une grande réunion gaulliste où il dirait : « Il faut soutenir le président de la République, clef de voûte de nos institutions. Ceux qui ne sont pas d'accord n'ont qu'à partir. » Pierre Juillet l'en dissuade. Le projet ne voit pas le jour.

En 1974, Valéry Giscard d'Estaing peut-il se rallier l'UDR ?

Nombreux sont les gaullistes qui affirment, comme Jean Foyer : « Sitôt après son élection, si Giscard nous avait fait du charme, nous nous serions résignés et les relations auraient changé. Songez qu'au lieu d'essayer de nous séduire, il a attendu 1976 pour inviter le groupe UDR à déjeuner à l'Elysée. Quant à Ponia, il donnait des consignes aux préfets afin de préparer notre succession aux élections législatives. Vraiment, tous deux n'ont pas eu l'art et la manière. »

« Giscard ne pouvait pas nous avoir dans la poche, rectifie Claude Labbé, président du groupe RPR. Il ne nous a jamais compris. Il ne connaît pas nos réflexes. Quand il avait besoin de nous aux Finances, il se précipitait pour nous faire des sourires. C'était les grands mamours. Une fois qu'il avait eu ce qu'il voulait, il ne nous saluait même plus. »

Alors, irrémédiablement réfractaires à Valéry Giscard d'Estaing, les gaullistes ? « Il y a toujours eu un problème de communication entre lui et l'UDR, reconnaît Jean-Philippe Lecat, ce gaulliste giscardien, car les gaullistes, une fois écartés du pouvoir, ont toujours tendance à suspecter celui qui est installé à leur place. Ils estiment qu'eux seuls peuvent défendre une certaine idée de la France. »

« Les gaullistes croient que le pouvoir leur est dû parce qu'ils sont gaullistes », ponctue, en 1980, Alexandre Sanguinetti.

« Giscard n'a jamais essayé de conquérir l'UDR en lui faisant de grands numéros, la main sur le cœur, parce que ce n'est pas son registre, et puis il savait bien que s'il fallait que l'UDR ait un patron, ce ne pouvait être lui, en raison des cicatrices du passé et des alliances nouvelles qu'il venait de contracter en 1974 avec les centristes », nuance Pierre-Christian Taittinger.

Pourtant, à sa façon, le chef de l'Etat tente de gagner l'UDR à sa cause. Il multiplie les symboles.

7 novembre : il embarque pour vingt-quatre heures à bord du sous-marin *le Terrible*. Il veut manifester ainsi que la politique française de défense reste, sur l'essentiel, inchangée. A sa demande expresse, l'ensemble de la majorité, réformateurs compris, vote à l'Assemblée nationale les crédits de la force de dissuasion.

9 novembre : le président se rend impromptu à Colombey, pour s'incliner sur la tombe du général de Gaulle.

11 novembre : au cours d'une conférence de presse improvisée, il lance une profession de foi aux inflexions gaulliennes : « Je n'oublie pas, dit-il, que j'ai été porté à la présidence de la République par le vaste courant du peuple français qui m'autorise à parler en son nom. »

Mais cette offensive de séduction un peu trop appuyée ne peut pas démanteler sur-le-champ les remparts de prévention dressés depuis tant d'années. A l'UDR, où l'on juge les ficelles un peu trop grosses, on ne veut pas être dupe. Jean Charbonnel (qui n'a jamais été un fan de Giscard) s'écrie : « Le président, après avoir dansé tout l'été avec Jean Lecanuet, s'est trouvé fort dépourvu quand la bise fut venue. »

Et pourtant, en politique étrangère, la continuité gaulliste ne se veut pas seulement symbolique. VGE, que l'on soupçonnait d'atlantisme, ne manque pas une occasion d'affirmer son attachement à l'indépendance nationale et de démontrer sa volonté de poursuivre la politique de détente et de coopération avec l'Est.

A la différence de Pompidou, son premier voyage officiel ne le mène pas à Washington, mais à Bangui (où il rend visite à son « cousin » Bokassa). VGE aime l'Afrique, il en aime les odeurs, les couleurs, les veilles de safari, le côté bon enfant et peut-être cette violence moite. Il y accueille d'un œil amusé une familiarité qu'il n'admettrait pas ailleurs.

Avec lui, le couple France-Allemagne retrouve la vitalité du tandem de Gaulle-Adenauer.

Au sommet européen de Paris, les 9 et 10 décembre 1974, le président obtient des chefs de gouvernement de la communauté ce qu'ils avaient pendant quinze ans refusé au général de Gaulle et à Georges Pompidou : à savoir la réunion de sommets (trois par an), désormais baptisés « Conseil européen », pour peser davantage. Il s'agit d'un renforcement du poids des chefs de gouvernement. Les partisans de l'Europe des Etats (les gaullistes) ne peuvent qu'être satisfaits. Les supporters d'un exécutif politique européen (les centristes) s'en réjouissent.

Sur la proposition de VGE également, les neuf décident de mettre en œuvre l'élection du Parlement au suffrage universel direct. Le principe est inscrit dans le traité de Rome, Georges Pompidou l'avait reconnu sans chaleur. Cette fois, le président français prend l'initiative de la relance.

Un peu à la manière du Général, qui désirait que la France soit présente partout, la philosophie de VGE s'appelle le « mondialisme ». La différence est de style. Le nouveau président veut faire du gaullisme déthéâtralisé, il veut éviter les couplets sonores et refuse cette « politique agressive de revendications », critique implicite de certaines attitudes de ses prédécesseurs. L'esprit nouveau, c'est la conciliation. « Mais on ne peut pas être bien avec tout le monde », disent les gaullistes en haussant les épaules. C'est là leur reproche essentiel.

Pour conquérir l'UDR, si VGE recourt aux signes et aux symboles, Jacques Chirac, lui, combine les envolées lyriques, l'action psychologique, le marketing et le siège fougueux de la base militante. Sa méthode convient mieux au tempérament gaulliste que la tentative de séduction giscardienne.

Ainsi, en six mois, celui que les députés gaullistes appelaient entre eux « Al Capone » ou « le traître » au temps de l'élection présidentielle, celui que les militants maudissaient s'impose à marche forcée comme le chef de file incontesté, le protecteur, presque le sauveur. Dans la jungle du palais Brogniart (la Bourse), on appellerait cela un beau rétablissement.

Et pourtant, ça n'a pas si bien commencé. Qu'on en juge.

27 mai : à peine désigné à Matignon, Jacques Chirac se hâte de faire porter aux députés gaullistes une missive dont chaque terme est censé leur aller droit au cœur et peser son morceau de vraie croix de Lorraine : « Je m'inspirerai, écrit-il, dans l'action à venir, des principes et des idéaux qui ont déterminé mon adhésion au groupe UDR, dès le premier jour de ma vie parlementaire. [...] Fort de votre confiance, j'emploierai mon énergie à continuer l'œuvre entreprise il y a seize ans et que seules une volonté et une unité communes permettront de poursuivre dans l'esprit du gaullisme. »

Mais ce style de père noble paraît encore incongru. On ricane, on se moque. C'est trop tôt ou trop rapide. On n'est pas très assuré des sentiments gaullistes du Premier ministre. Devant la houle qui menace, salle Colbert, à l'Assemblée nationale, où sont réunis les députés, Claude Labbé trouve un expédient aussi inédit qu'efficace pour tenir ses ouailles : « Ne criez pas trop fort ! Faites attention à vos propos ! Il y a sûrement des micros dans la salle. On nous écoute. Chut ! »

Seul, bravant les protestations grondantes, Hector Rolland pronostique : « Chirac a été un grand ministre de l'Agriculture, un grand ministre de l'Intérieur, ce sera un grand Premier ministre. Si nous voulons en profiter, il faut que l'UDR paraisse vraiment liée à lui. » Devant les huées, le député s'écrie brutalement : « Vous qui me sifflez, vous avez mis l'UDR dans la mouise. Bientôt, avant moi, vous irez tous lécher les bottes de Chirac. » Prémonition rustique...

Le même jour, le nouveau Premier ministre rend visite au baron des barons : Olivier Guichard. « Je viens vous voir, cher Olivier, car je veux avoir l'assurance que vous ne ferez rien pour casser le mouvement gaulliste. » Commentaire du baron, encore tout ébahi six ans après : « Après ce que Chirac avait fait pendant les élections présidentielles, j'ai tout de même trouvé qu'il ne manquait pas d'estomac. » Pieuse litote.

Dix jours plus tard, au comité central de l'UDR, l'ambiance est morose. Tout Premier ministre qu'il est, Jacques Chirac n'est pas autorisé à siéger à la tribune. Déprimés, les routiers du gaullisme se livrent à un grand happening désenchanté : « L'Etat UDR, il faut en parler au passé », s'attriste Olivier Guichard. « Nous faisons vieillots, nous ressemblons au musée Grévin de la politique », s'amertume André Fanton. Fringant comme un lieutenant de dragons, le Premier ministre tente de réanimer les ardeurs. Il s'écrie : « Allons, allons, ce ne sont pas des divergences politiques de quelques semaines qui peuvent remettre en cause des sentiments et des idéaux qui sont les nôtres depuis longtemps et auxquels j'entends rester fidèle. » Applaudissements très clairsemés. Les dirigeants gaullistes ne se sentent pas très assurés des idéaux de Jacques Chirac.

« Le Premier ministre n'est plus le chef naturel du mouvement », vitupère en réponse Alexandre Sanguinetti. Le bouillant ancien ministre du général de Gaulle se verrait bien, en revanche, intronisé grand censeur de la pureté doctrinale et ne répugnerait pas à ce que s'instaure cette dyarchie parti-gouvernement dont le Général et Georges Pompidou n'ont jamais voulu. Il est sincèrement applaudi.

Comme un malheur n'arrive jamais seul, Michel Jobert choisit justement ce moment pour annoncer à son de flûte qu'il envisage de faire don de sa personne à l'action politique : « Je souhaiterais dessiner l'esquisse de l'esquisse d'un mouvement », annonce-t-il, plein de pudeur. L'idée n'est pas si sotte. Plus d'un gaulliste à la recherche d'un homme neuf, non compromis dans la victoire de VGE, donnerait volontiers sa chance au ministre des Affaires étrangères du président défunt. Ses cocoricos grinçants sur la scène internationale avaient agréablement chatouillé les oreilles des Français. 63 p. 100 d'entre eux (proportion confortable) approuvaient la politique dont il était l'exécutant.

Chez les gaullistes, le registre du coq Ausburger (prix du président de la République au Salon de l'agriculture) fait très souvent recette. Tout particulièrement lorsqu'il s'exerce aux dépens d'un allié trop puissant (les Etats-Unis), assez maladroit pour irriter, mais tout de même assez amical pour qu'on puisse l'égratigner sans risques.

Du coup, André Fanton et quelques autres députés UDR frétillent d'aise. Ils s'imaginent déjà en gaullo-jobertiens estampillés. Toujours grand, superbe et généreux, Alexandre Sanguinetti serait même tout prêt à lui offrir un fauteuil de co-prince de l'UDR. Pour Jacques Chirac, l'ancien ministre des Affaires étrangères peut être une menace. Il faut jouer serré.

Une première fois, Michel Jobert vient lui rendre visite à Matignon. Il laisse entendre qu'il ne trouverait pas indigne de son talent de veiller désormais sur les destinées de l'UDR. Sur le moment Jacques Chirac se montre encourageant : « C'est une bonne idée, dit-il. — Il me faudra de l'argent », susurre, modeste mais l'esprit pratique, le visiteur. Et son hôte de répliquer : « Je vais y réfléchir. Nous verrons cela dans quinze jours. »

Deux semaines plus tard, lorsque Michel Jobert revient, c'est tout réfléchi et tout vu. Le Premier ministre se montre cette fois vigoureusement évasif. Pierre Juillet est passé par là. Première éclaircie, voilà un péril évitable évité.

Deuxième éclaircie : René Tomasini, secrétaire d'Etat au Parlement, grand connaisseur de baumes et onguents qui revigorent les députés, organise déjeuner sur déjeuner, dans le cadre flatteur et discret du pavillon de musique au fond du parc de Matignon. Là, entre la poire et le fromage, il s'enquiert avec sollicitude des difficultés et des petits malheurs des élus, toujours en butte à des obstacles matériels. A l'un, il propose son aval pour débloquer un dossier. A l'autre, il promet la subvention qui se fait attendre. A tous, il explique que. désormais, les largesses, si utiles en période électorale, ne dépendent que de Jacques Chirac. exclusivement. Un jeune homme bien sous tous rapports, puissant, bien disposé et extrêmement gaulliste.

Résultat : quand le groupe parlementaire tient, à Vélizy, le 3 juillet, une réunion exceptionnelle, le climat est presque cordial : « Il ne peut y avoir de divorce entre le groupe UDR et un Premier ministre UDR. J'ai besoin de vous. Je compte sur vous ! » s'exclame Jacques Chirac. Il est déjà très applaudi.

« Pour la première fois, nous avons eu un contact décrispé

avec le Premier ministre. La concertation commence vraiment à fonctionner », se réjouit Claude Labbé.

La manœuvre est même plus subtile qu'elle n'en a l'air, car Jacques Chirac ne se contente pas d'apprivoiser le groupe parlementaire gaulliste. Là où Alexandre Sanguinetti songe à faire du mouvement une machine de guerre pour relancer le gaullisme — « Le groupe parlementaire UDR n'est que le ventre mou du mouvement », a-t-il déclaré à *Paris-Match* —, le Premier ministre a compris qu'il est à la fois plus urgent et plus habile de s'appuyer sur les députés. Ainsi le renouveau gaulliste s'organisera-t-il tout naturellement, avec le concours des élus, autour de sa personne. Ainsi le gouvernement pourra-t-il envisager l'approche de la session d'automne sans émotion particulière. Jacques Chirac est si efficace que sa stature commence à se renforcer.

Troisième éclaircie : Charles Pasqua aidant, la domestication du mouvement s'ébauche. La solidarité corse a sûrement contribué à faire accepter par Alexandre Sanguinetti l'intronisation à ses côtés de cet organisateur redoutable.

Il a trente ans de gaullisme derrière lui. Il est l'un des pères fondateurs du SAC (Service d'action civique). Il n'a rien d'un technocrate : il a été tour à tour veilleur de nuit, plagiste, représentant de commerce de la société Ricard, puis directeur des ventes. Il a fondé sa propre entreprise : Americano-Gancia. Il connaît chaque rouage, chaque ressort, chaque manette et presque chaque homme (qu'il tutoie et appelle par son prénom) de la machine UDR. Un homme précieux, qui sait comme personne alterner l'expression bon enfant des principes éternels du gaullisme avec les féroces avertissements personnels à vous donner froid dans le dos, sans jamais se départir, ou presque, d'un sourire à la Fernandel.

Sans tarder, Charles Pasqua entreprend une tournée provinciale. Tout l'été, il tance, cajole, menace les fédérations gaullistes et reprend en main, à un rythme d'enfer, l'appareil UDR brinquebalant. Avec un accent provençal (c'est un Corse né à Grasse) et gourmand, comme s'il vantait les mérites de la soupe au pistou, il va répétant : « Les barons, c'est fini. Nous nous sommes trompés avec Chaban. Si nous voulons sauver le gaullisme, il faut être unis derrière Jacques Chirac, le seul présidentiable. »

Et joignant le geste à la parole, M. Pasqua fait faire un sondage à sa manière. Chaque responsable local doit interro-

160

ger, autour de lui, ses visiteurs, ses amis, ses collègues, sa famille Quelle est l'image de l'UDR ? Que faut-il penser de l'échec de Chaban ? Que faut-il penser de Jacques Chirac ? Miracle : dès la mi-septembre, les résultats affluent. Ils concordent merveilleusement. L'électorat gaulliste a rejeté le maire de Bordeaux parce qu'il incarnait trop le passé. C'est bien triste. Heureusement, ceux qui votent UDR découvrent en même temps un homme neuf, vierge, déterminé, qui a toutes les qualités d'un chef. Il s'appelle Jacques Chirac. Rien ne vaut un sondage bien fait quand le destin hésite.

Pendant ce temps, le talentueux Alexandre Sanguinetti a commis un impair. Il a fait envoyer dans chaque fédération une cassette enjoignant chaque UDR à prendre la file derrière le Premier ministre et créditant Valéry Giscard d'Estaing d'un maintien des grandes options gaullistes.

Il est très bien d'appeler à soutenir Jacques Chirac. Mais très mal de pardonner aussi vite au nouveau président. (Matignon a vivement incité le secrétaire général à prendre ces positions. Mais cela, nul ne le sait.) Voilà donc le grand Alexandre compromis, au moment où le mouvement est déjà presque entièrement chiraquisé sans s'en être rendu compte.

A la rentrée de septembre, Jacques Chirac n'a plus qu'à recueillir les fruits et les fleurs soignés avec tant d'amour par les bons horticulteurs corses, René Tomasini et Charles Pasqua.

Le Premier ministre, qui a souvent de l'intuition, tient aux députés le langage qu'ils attendent, celui de la reconquête. A Cagnes-sur-Mer, il promet : « Nous reviendrons au moins à cent cinquante députés » (ils sont cent soixante-quatorze). Il se fait fort d'obtenir du président de la République toutes les investitures qu'il faudra pour les élections législatives de 1978. Il est si affirmatif, Jacques Chirac, que les députés UDR ne doutent pas une seconde qu'une sorte de pacte ait été conclu entre Matignon et l'Elysée.

Les observateurs les plus attentifs (Ponia en particulier) remarquent tout de même qu'il ne sera pas très facile pour Valéry Giscard d'Estaing de renouveler et de rééquilibrer la majorité, si la masse des députés UDR sortants conserve presque tous ses sièges. Mais pourquoi avoir l'esprit si mal tourné ? Pour préparer une première session parlementaire giscardienne, Jacques Chirac ne peut tout de même pas annoncer aux élus gaullistes qu'ils sont collectivement destinés à se faire hara-kiri !

Et pourquoi compliquer les choses ? Tout ne peut aller idéalement bien après le traumatisme des élections présidentielles. Pour se défouler, grâce au ciel, il y a un bouc émissaire disponible, sinon volontaire. Il s'appelle Alexandre Sanguinetti. Les députés le blâment pour son giscardisme précipité. En revanche, ils trouvent de fort bon aloi le gaullisme recouvré de Jacques Chirac.

Toujours bon connaisseur de la nature humaine, le Premier ministre récompense ostensiblement les députés les plus coopératifs. Hector Rolland et neuf élus UDR du groupe Réflexions et Propositions (les élus de la base) se retrouvent ainsi parlementaires en mission. Ils sont chargés de créer des comités d'usagers, ministère par ministère, pour humaniser les rapports toujours si difficiles entre les citoyens et l'administration. Chacun dispose d'une voiture avec chauffeur, d'un bureau, d'un téléphone, d'une secrétaire et de quelques cocardes en plus. Le parlementaire en mission est au ministre ce que la limonade est à l'alcool. Mais ce n'est pas l'alcool qui fait les héros.

Dès octobre, l'UDR est à portée de la main de Jacques Chirac. Il n'y a plus qu'à saisir la meilleure occasion pour officialiser la conquête. La plupart des barons et la classe politique croiront que tout se joue en décembre, quand Jacques Chirac enlève le donjon UDR, sabre au clair. En fait, la forteresse est (presque) silencieusement investie depuis trois mois.

« Depuis de longues semaines, Valéry Giscard d'Estaing et Jacques Chirac ont de longues discussions », révèle un conseiller de l'Elysée. « Vous me dites que vous allez giscardiser l'UDR, et pourtant vos amis ne cessent de m'attaquer. *La Lettre de la Nation* m'agresse presque quotidiennement, fait remarquer le président à Chirac, avec quelque impatience. — Ma tâche n'est pas facile. Laissez-moi faire, j'y arriverai », promet Jacques Chirac, qui jamais ne morigène Pierre Charpy, dont le talent de polémiste s'exerce, pourtant, pratiquement chaque jour aux dépens de l'Elysée.

Le président et son Premier ministre s'inquiètent aussi des agissements du clan des barons. Depuis six mois, fidèles à leurs habitudes, ils ont repris leurs déjeuners rituels. Ils ont lieu

162

maintenant chez Roger Frey, dans le cadre somptueux du Conseil constitutionnel qui domine les jardins du Palais-Royal. Complotent-ils, comme on le pense toujours ? En vérité, ils devisent gentiment sur les hauts faits d'autrefois, se répètent les bons mots du Général et puis, de repas en repas, ils se forgent cette idée simple : l'UDR doit survivre et soutenir le président. Institutions obligent. Mais inutile d'aller pour autant lui porter les clefs de l'UDR en chemise et la corde au cou. Ainsi, l'UDR pourrait demeurer un grand mouvement politique avec un vrai patron indépendant. Un Olivier Guichard, par exemple. Michel Debré suggère qu'une direction collégiale ferait peut-être mieux l'affaire. Bref, entre deux bouchées, on refait l'UDR, comme d'autres refont le monde. Rien ne presse. Le mandat d'Alexandre Sanguinetti n'expire qu'à la prochaine réunion du comité central. Au plus tôt en février 1975.

Ces conciliabules entre barons irritent à Matignon. Jacques Chirac ne le sait que trop : ou bien il devient le chef de l'UDR, ou bien celle-ci risque de le désarçonner. Et personne n'est plus vulnérable qu'un cavalier à terre.

En outre, Valéry Giscard d'Estaing et Jacques Chirac sont tombés d'accord : le seul parti véritable (pour l'instant) de la majorité ne doit pas tomber aux mains d'hommes peu sûrs. D'autant que, derrière le paisible Olivier Guichard, se profile la silhouette d'un autre challengeur : André Fanton, un drôle d'animal aux ruades légendaires. Tantôt il caracole du côté de Michel Debré, tantôt du côté de Michel Jobert. Bien trop imprévisible, ce Fanton-là ! Qui sait si un jour de mauvaise lune, il ne provoquerait pas une crise et n'entraînerait pas l'UDR à voter contre le gouvernement ? Méfiance !

Le 12 décembre, le président de la République s'envole vers les Antilles, pour y rencontrer Gerald Ford, président des Etats-Unis. Il s'agit d'harmoniser les stratégies pétrolières des deux pays. Jacques Chirac l'accompagne à l'aéroport. Dans la limousine, on parle de l'UDR et des barons qui grenouillent : « Il faudra prendre une initiative », lance le président avant de monter dans l'avion.

Jacques Chirac n'attendait que cette occasion en forme de feu vert. Il va la saisir. Justement, le jeudi soir, le Premier ministre est invité au dîner des barons. Ceux-ci, courtois, veulent le mettre au courant de leur grand projet pour l'UDR. Autour de la table : Roger Frey, la puissance invitante,

Michel Debré, Jacques Chaban-Delmas, Olivier Guichard, Jacques Foccart, Maurice Couve de Murville et Pierre Messmer. Une belle brochette...

L'ambiance est plutôt amicale et le dîner raffiné : huîtres chaudes fourrées aux épinards et marcassin à la purée de marrons. Après dîner, on s'installe dans le grand salon (deux cents mètres carrés), qui domine la galerie du Palais-Royal.

L'air est déjà plus frisquet. On parle de la succession à la tête de l'UDR : « Il faut qu'on te le dise, annoncent bravement les barons à leur jeune commensal, nous allons faire campagne pour Olivier. — Si Guichard est candidat, je m'y opposerai. Vous allez créer une dualité inacceptable avec Matignon, rétorque froidement Jacques Chirac. — Mais si tu ne veux pas, je ne me présenterai pas », aurait promis, l'air bougon, le bel Olivier.

Michel Debré, cramponné à sa grande idée, propose, pour concilier les inconciliables : « Créons donc une direction collégiale. »

« Le mieux serait encore que je prenne le secrétariat général de l'UDR », dit Jacques Chirac d'un ton goguenard, en se levant pour prendre congé de ses hôtes. Ceux-ci s'esclaffent à ce bon mot. A-t-on jamais vu un Premier ministre secrétaire général d'un mouvement politique ? Dieu, que l'idée est saugrenue !

Le Premier ministre a fait semblant de plaisanter. La manœuvre est déjà engagée. Pendant que les hiérarques du gaullisme dînent ensemble, exactement à la même heure, un autre souper fin réunit, chez Lasserre, Pierre Juillet, René Tomasini et Alexandre Sanguinetti.

Les deux premiers expliquent au troisième, avec force ménagements, qu'il doit céder la place. « Jacques Chirac, lui disent-ils, doit devenir le patron de l'UDR. Pour cela, il faut créer l'effet de surprise. Tu démissionneras samedi. » Le tonitruant Alexandre hésite un brin. « Avant de me décider, je voudrais prendre l'avis de mon ami Charles Pasqua. »

On le fait appeler. Il accourt. Comme par hasard, il juge l'idée excellente. Sangui n'est pas heureux. Mais a-t-il le choix ? Les moines-soldats obéissent toujours. Et puis — promis, juré — on ne l'oubliera pas. Il aura un grand bureau à Matignon, auprès de Jacques Chirac, et des fins de mois sans soucis.

Le bon ami corse ramène chez lui le secrétaire général de l'UDR (qui l'est encore pour deux jours), avant de bondir à

Matignon, où il retrouve Jacques Chirac, Pierre Juillet, Marie-France Garaud et René Tomasini. Ils sont bien d'accord : « Pour gagner, il faut prendre tout le monde de vitesse. » Pendant que les autres dorment, eux veillent et s'affairent toute la nuit. Ils préparent les télégrammes qui seront envoyés, dès l'aube, aux membres du comité central (ils élisent le secrétaire général).

La réunion extraordinaire est fixée dès le samedi, à 8 h 30, à l'hôtel Intercontinental. Le destin a des clins d'œil. Le salon loué porte un nom de circonstance : l'Aiglon.

Le vendredi, grand branle-bas à Matignon. René Tomasini et Charles Pasqua récupèrent un à un, au téléphone, les mandats de ceux qui ne pourront être là. Jacques Chirac, lui (il ne sait pas encore si ce samedi sera son Austerlitz), prévient pour la forme son cher ami Ponia, qui inaugure à Metz la nouvelle préfecture.

D'où ce dialogue au téléphone :

CHIRAC. — Je prends demain l'UDR en main. Je vais me faire élire secrétaire général.

PONIA (interloqué). — As-tu prévenu le président ?

CHIRAC. — Je n'arrive pas à le joindre. Tu sais, le téléphone avec les Antilles marche très mal. Mais avant de partir, le président m'a dit de prendre une initiative. J'en prends une.

Commentaire de Charles Pasqua, en 1980 : « Nous n'étions pas mécontents que Giscard soit hors de France, car s'il avait été à l'Elysée, il aurait pu, sous l'influence de Ponia, faire arrêter la manœuvre. »

Le Premier ministre prévient aussi la brochette de gaullistes historiques (Roger Frey, Michel Debré, Pierre Messmer et Maurice Couve de Murville). Il décide cependant d'oublier Chaban.

Le plus comique est sans doute que personne ne le prend au sérieux.

Olivier Guichard pose un problème. Lorsque Jacques Chirac veut le joindre, il a déjà quitté Paris pour La Baule, où, le lendemain matin, il doit justement inaugurer avec Michel Poniatowski sa nouvelle mairie.

Le baron Guichard ne sera joint que le vendredi soir, vers 23 heures, au restaurant. « Un monsieur qui a un nom qui se termine en *ac* vous a appelé », lui annonce la patronne de l'établissement.

Aussitôt Matignon est contacté et le Premier ministre l'informe de son projet. « Ce n'est pas sérieux », soupire placidement le maire de La Baule, qui passe la communication au ministre de l'Intérieur. En raccrochant, celui-ci explique, navré, feignant d'apprendre la nouvelle (solidarité gouvernementale oblige), qu'il ne veut rien savoir.

Mais ce samedi, tout se déroule conformément aux analyses des stratèges de Matignon. A 8 h 30, un peu pâlichon, Alexandre Sanguinetti monte à la tribune et lance à la face des membres du comité central : « J'ai pris la décision de démissionner du secrétariat général de l'UDR. »

Brouhahas dans la salle, cris et chuchotements. Certains tentent de le retenir : « Mais ce n'est pas le moment ! Tu peux attendre deux mois. — Ma décision est irrévocable », répond stoïquement Alexandre.

Il faut donc élire un nouveau secrétaire général de l'UDR. « Je suis candidat », dit simplement Jacques Chirac. « Mais c'est une pantalonnade », s'exclame Chaban. « Est-ce un 18 Brumaire ou un 1er avril ? » interroge Robert-André Vivien Des huées fusent.

« Au nom de l'amitié que je te porte, je te conjure de renoncer », lance Alain Peyrefitte. Le comité central tangue sérieusement. Une interruption de séance est demandée.

Dans la coulisse, Michel Debré tente toujours de convaincre Jacques Chirac : « Il faudrait élire un directoire. Vous en seriez le président. » Jacques Chirac semble s'interroger. Il est déjà plus de 11 heures.

A Matignon, Pierre Juillet et Marie-France Garaud s'impatientent : « Une direction collégiale, ce serait les barons remis en selle. Pas question ! » tempête Marie-France Garaud.

« Nous pouvons compter sur combien de mandats ? demandent les conseillers, par téléphone, à Charles Pasqua et à René Tomasini. — Nous en avons vingt-deux en poche et, à vue de nez, dans la salle, nous avons environ cinquante-cinq voix sur les quatre-vingt-dix présents, répliquent en chœur les deux compères corses. — Alors, foncez ! Allez-y ! Il faut que Jacques se présente », ordonnent les conseillers.

A la reprise de séance, Michel Debré monte à la tribune et propose tout de même une direction collégiale. « Mais c'est contraire aux statuts du mouvement ! » s'exclame Pierre Messmer. « Prenez vos responsabilités, je prends les miennes, je suis candidat », répète Jacques Chirac.

Pâle d'indignation, le jeune Jacques Legendre, député-maire de Cambrai, fait acte de candidature pour le principe contre le Premier ministre. On vote. Jacques Chirac est élu, avec cinquante-sept voix contre vingt-sept à son adversaire. Les pointages des sieurs Pasqua et Tomasini étaient exacts.

Epuisé mais triomphant, surmontant son aversion déclarée pour les partis politiques, le député de la Corrèze vient de se hisser à la tête du mouvement gaulliste. Choqué par ce qu'il appelle « un hold-up » sur le mouvement, Robert Boulin démissionne de l'UDR. Il est le seul. « Je suis sûr qu'il reviendra », prédit Jacques Chirac.

Deux mois plus tard, Robert Boulin est de retour. Et ce 14 décembre, au comité central le matin, l'après-midi au Conseil national, les mains qui se tendent vers Jacques Chirac pour le féliciter, amicales ou froides, sont toutes devenues respectueuses.

Pour donner une coloration plus libérale à son mouvement, le nouveau secrétaire général s'entoure de cinq secrétaires nationaux : Jean Taittinger, Lucien Neuwirth, Albin Chalandon, Yves Guéna et Maurice Cornette. Et il explique : « Les Français en avaient marre des barons. »

Une fois élu, le Premier ministre peut enfin faire part au président de la République de son succès. Il le joint aux Antilles par téléphone. Miracle, la ligne est rétablie !

Olivier Stirn, secrétaire d'Etat au DOM-TOM, qui était à ses côtés, en convient : « Le président était ravi. Il pensait que son chef de gouvernement venait d'agir par loyauté et que tout s'était déroulé comme prévu. »

D'ailleurs, ce jour d'élections, Jacques Chirac explique aux journalistes qu'il croit « ainsi mieux s'affirmer comme le chef de la majorité présidentielle » et qu'il « colle littéralement au chef de l'Etat ». N'a-t-il pas hérité de Georges Pompidou cette conception rigoureuse des rôles respectifs du président et de son Premier ministre qui subordonne le second à l'élu du suffrage universel ?

Au même moment, Marie-France Garaud illustre ce propos en termes cynégétiques : « Giscard et Chirac, c'est le couple du lion et de la lionne. La lionne fait vingt kilomètres pour rabattre la gazelle, mais c'est le lion qui la tue. »

Le débat est ouvert : Jacques Chirac roule-t-il pour lui ou pour l'Elysée ?

« Aux Antilles, le président était tout de même un peu interloqué par cette manœuvre non prévue de Jacques Chirac », rectifie Claude Pierre-Brossolette, alors secrétaire général de l'Elysée.

Néanmoins, avant de regagner Paris, Valéry Giscard d'Estaing, interrogé par des journalistes à l'aéroport de Lamantin, déclare : « Je ne vois aucune anomalie dans le cumul des fonctions de Premier ministre et de secrétaire général de l'UDR. Je vous signale qu'il y a dans le monde un certain nombre de très grands dirigeants que j'ai rencontrés qui sont secrétaires généraux de partis politiques. Il ne faut pas voir d'anomalie dans une nomination de cette nature. Le chef de l'Etat n'a pas à indiquer leur conduite aux organisations de la majorité. Il n'a pas à intervenir dans leur vie. »

Au moment où VGE fait cette déclaration libérale avancée, à Paris Ponia tressaille. Il est, lui, plus que réservé : « Si nous ne faisons pas attention à Chirac, bientôt il va nous manger la soupe sur la tête. Il va falloir le serrer de très près et nous organiser », dit-il à ses amis républicains indépendants.

Il ne veut pas laisser faire, il ne laissera pas faire le Premier ministre. Trois ans plus tôt, dans son livre *Cartes sur table*, n'écrivait-il pas : « Un Premier ministre trop habile peut avoir des atouts presque aussi grands que ceux du président. Celui-ci a donc intérêt à conserver dans sa majorité deux ou même trois formations politiques, qui, dans une certaine mesure, s'équilibrent et donnent au chef de l'Etat les moyens d'agir l'une sur l'autre » ?

François Mitterrand, à sa manière, partage l'avis du prince Michel. En bon constitutionnaliste, il diagnostique : « Le régime, ayant désormais une dyarchie Giscard-Chirac à sa tête, a tout simplement changé de nature. »

Cependant, en cette fin d'année 1974, le président de la République est globalement satisfait de son Premier ministre. La veille de Noël, à l'issue du déjeuner rituel du gouvernement, après le foie gras et la dinde, il prend une initiative insolite : tout à trac, VGE décore de l'ordre du Mérite national le très jeune chef du gouvernement : « J'ai pris un décret conférant au Premier ministre la grand-croix de l'ordre national du Mérite, après six mois d'exercice de ses fonctions, pour souligner l'importance de la fonction exercée », déclare VGE.

« Jacques Chirac était ému aux larmes, se rappellent aujourd'hui les ministres. Il était si heureux et si fier qu'il en a même fait cette réponse : " Monsieur le président, je forme tous les vœux de succès pour votre septennat... Je veux parler du second septennat, bien sûr ! " »

Comme un bonheur n'arrive jamais seul, l'hebdomadaire *Der Spiegel* décerne à Jacques Chirac le titre envié d'homme de l'année.

Certains commentateurs voient déjà en M. Chirac un possible recours de la république.

C'en est trop ! Ponia va y mettre bon ordre.

6

Les bleus à l'âme

1975. Année triste pour les Français. Année grise pour l'économie. Année maussade pour Valéry Giscard d'Estaing et Jacques Chirac. Il rôde sur la France un malaise diffus, une petite peur sournoise qui engourdissent les esprits. Depuis les frimas des années 1952-53, on avait oublié que la prospérité, la croissance vive, l'énergie abondante et à bas prix pouvaient ne pas aller de soi. Or, voilà qu'en une lugubre procession, défilent à travers le pays les images du malheur : la récession, le chômage (bientôt un million de demandeurs d'emplois, niveau jamais atteint depuis la guerre) et l'inflation (près de 15 p. 100 en 1974).

Le soir à la veillée devant le journal télévisé, le dimanche en famille au café du Commerce, partout l'on se dit en hochant la tête, avec l'air las des anciens combattants de la guerre de 14-18 : « C'est une crise sans précédent. C'est la fin d'une époque. » Pourtant, le pouvoir d'achat continue de croître (pour l'ensemble sinon pour chacun des Français). Le gouvernement lui-même semble désarmé devant ce mal au nom barbare, la « stagflation » : la montée des prix ne stimule plus assez l'activité économique, la réduction volontaire de la consommation n'arrête pas la hausse des prix. Que faire ? Les experts mondiaux et hexagonaux s'interrogent à perte d'heures.

Après la bataille et l'espoir de 1974, les Français découvrent qu'un polytechnicien rationnel et éclairé ne suffit pas pour mettre en échec, en trois discours et quatre équations, les seigneurs du désert (le prix du pétrole a presque quintuplé depuis 1973). Ils sont déçus.

170

Dans l'excitation du duel Valéry Giscard d'Estaing-François Mitterrand, beaucoup avaient cru que le ministre des Finances gardait dans sa manche des solutions inédites et miraculeuses. Il faut en rabattre. Le nouveau président n'est pas un magicien. Il n'a pas de sortilège pour exorciser le désordre monétaire, ni de formule mystérieuse pour repousser le chômage. Invoquant à chaque instant l'heureux avènement d'une « société libérale avancée », il exerce ses talents sur des sujets bizarres, qui étonnent et qui irritent.

Après l'illusion du répit, le désenchantement revient au galop (au baromètre *Figaro*-SOFRES, 79 p. 100 des Français se disent pessimistes devant l'avenir). Les petits industriels, les petits patrons, souffrant du manque de crédit comme les drogués de marijuana, les commerçants, les cadres, les consommateurs s'accordent pour trouver que rien ne va plus.

Valéry Giscard d'Estaing est pourtant lucide : le 24 octobre 1974, lors d'une réunion de presse, il lance : « Le monde est malheureux parce qu'il ne sait pas où il va et parce qu'il devine que s'il le savait, ce serait pour découvrir qu'il va à la catastrophe. »

Trois mois plus tard, à l'orée du nouvel an (veut-il réviser son diagnostic ou rassurer le bon peuple ? « Dramatiser, c'est décourager », affirme-t-il à plusieurs reprises en Conseil des ministres), le président prédit : « Cette année aura un caractère moins menaçant et incertain que l'année 1974. » Selon lui, « la France est même ce qu'il y a de meilleur au monde, à cause de son paysage et à cause de son peuple ».

Le 30 juin 1975, s'adressant aux Français qui se préparent pour la grande transhumance estivale, il chausse carrément ses lunettes roses : « Mes chers amis, dit-il, vous allez connaître une période de vacances et de repos. Je voudrais que vous soyez sans inquiétude. L'inquiétude est un sentiment qui ronge, qui gâche, or, il n'y a pas lieu d'éprouver d'inquiétude en France à l'heure actuelle. » Ce bel optimisme est aussitôt battu en brèche par la CGT et la CFDT qui organisent le 10 juillet, un rassemblement des travailleurs en lutte sous la tour Eiffel : des délégations de deux cents entreprises en grève sont présentes.

Ainsi ce balancement élégant de la vision giscardienne, un rien trop distinguée, qui hésite entre une dramatisation trop grossière et une confiance trop innocente, n'a pas suffi à rassurer la France profonde.

Ces considérations mondialistes de VGE ne sont toutefois pour rien dans les incompréhensions et les tensions qui naissent cette année-là entre le président et son Premier ministre.

Ce ne sont pas non plus les fins de mois difficiles ou l'impossibilité d'offrir à Marianne ce superflu si nécessaire quand Dieu s'appelle consommation qui malmènent ce jeune couple au pouvoir, que tout destinait à la félicité.

Jacques Chirac qui a, lui aussi, la prunelle perçante, entrevoit pendant l'été le bout du tunnel à l'horizon du mois de décembre. Il croit au succès du plan de relance qu'il a fini par arracher à Giscard, mais de quelle bizarre façon ! Elle éclaire d'un jour étrange les relations entre le président et son chef du gouvernement.

Mi-juillet 1975 : Conseil des ministres. Jacques Chirac s'emporte : « Avec huit cent mille chômeurs, nous avons atteint le seuil au-delà duquel le pays saute en l'air. Le plan de redressement a assez duré. Il ne faut pas écouter les technocrates imbéciles qui veulent freiner les investissements. Les entreprises ont besoin d'une relance. »

Un ange passe. Le Premier ministre vient de dénoncer avec violence la politique de Jean-Pierre Fourcade, donc de l'Elysée. Avant d'argumenter, le président choisit de consulter. Il interroge tour à tour chaque ministre. C'est la procédure assez solennelle et très rare dite du « tour de table ». Elle n'est guère employée plus de deux fois par an. Toujours sur des sujets difficiles et à des moments importants. C'est à peu près la seule occasion où tous les membres du gouvernement sont priés d'avoir une opinion sur des sujets extérieurs à leur compétence formelle. Chacun s'exécute prudemment.

Michel Poniatowski, qui, chaque semaine, reçoit les rapports des préfets sur son bureau, explique : « Le climat est mauvais, les Français ont peur du chômage, les jeunes découvrent la vie professionnelle dans les files d'attente de l'agence pour l'emploi. Une société qui vit dans la peur a quelque chose de malsain. Il faut relancer. » Voilà, pour une fois, le ministre de l'Intérieur qui vole au secours de Matignon.

Michel Durafour, le ministre du Travail, qui discute et négocie quotidiennement avec les syndicats, abonde dans ce sens. Ainsi les deux spécialistes de l'opinion vont-ils à l'encontre de la politique de la rue de Rivoli.

« J'ai reçu une volée de bois vert de tout le monde, raconte

Jean-Pierre Fourcade en 1980. Et ce n'était pas agréable. Mais moi, je leur disais : " Il faut savoir ce que l'on veut et ce que l'on fait. Le franc vient de rentrer dans le serpent européen. Si on relance maintenant, on met en œuvre une politique économique et financière qui va en direction absolument inverse de la politique monétaire. C'est absurde. " »

En effet, deux mois auparavant, le 9 mai 1975, jour où l'on célèbre entre Européens, dans le salon de l'Horloge du Quai-d'Orsay, le vingt-cinquième anniversaire de la déclaration par laquelle Robert Schumann lançait la Communauté européenne du charbon et de l'acier (CECA), VGE annonce fièrement qu'il met fin à seize mois de flottement du franc. Ainsi celui-ci réintègre-t-il le bloc des monnaies fortes. Le franc rentre dans le serpent. Le président, qui a le sens des anniversaires et des commémorations, marque symboliquement son espoir que l'économie française pourra désormais suivre une trajectoire parallèle à celle du modèle allemand. Paris et Bonn vont redevenir les deux piliers d'une zone monétaire stable, qui amortirait la tourmente vers laquelle se dirigent les Etats-Unis. C'est optimiste et même un tantinet imprudent. En tout cas, une décision toute personnelle. Le gouverneur de la Banque de France et le ministre des Finances ont prévenu qu'ils jugeaient le moment inopportun. VGE est passé outre.

Pourtant, au mois de juillet, c'est le même président qui, après réflexion, donne finalement raison à son Premier ministre. Mais à sa manière. D'abord, habileté sémantique, ce plan de relance s'appellera pudiquement « Plan de soutien ». Nuance ! Ensuite, VGE va limiter ses moyens : Jacques Chirac demandait trente milliards de crédit ? l'Elysée ne lui en accorde que vingt-trois.

Faut-il y voir des représailles ? Tout l'été, alors qu'il mettait fébrilement au point ce programme de réactivation de l'économie, le Premier ministre soulignait sans légèreté devant ses visiteurs combien il travaillait, lui, à Paris, pendant que d'autres traquaient le gros gibier dans les pays lointains.

Enfin, Valéry Giscard d'Estaing présente en personne ce plan à la télévision. Il n'y aura pas de plan Chirac. Seul Raymond Barre aura plus tard cet honneur.

En septembre, le président détaille donc lui-même les cinq

milliards pour les personnes âgées et les familles, les treize milliards pour les ports et les réseaux routiers, les cinq milliards pour le redéploiement industriel.

Dans l'esprit du président, y a-t-il jamais eu contradiction entre l'engagement européen et la relance française ? Pensait-il, lorsqu'il s'est rangé à l'avis de son Premier ministre, que le serpent européen serait une sorte de garde-fou du plan de soutien et que celui-ci rendrait tolérable aux Français l'effort supplémentaire exigé par le retour du franc dans le serpent ?

Un tel raisonnement paraît trop cartésien pour être vrai. Le technicien de l'économie élu à l'Elysée considère le serpent européen comme une thérapeutique nécessaire tandis que le politique Valéry Giscard d'Estaing sent qu'il est grand temps de lâcher un peu de lest pour l'opinion. Chez un chef d'Etat, l'économiste et l'électoraliste sont souvent contraints à cet inconfortable concubinage.

Jacques Chirac, lui, ne connaît pas les affres d'Hamlet. Relancer ou ne pas relancer, telle n'est pas la question. Devant le mécontentement et les élections cantonales à portée de canon — et qui sait, peut-être l'hypothèse d'élections législatives anticipées —, il n'y a pas à tergiverser. Pour enrayer le chômage, il faut ouvrir d'urgence les cordons de la bourse. Suffrage universel oblige !

Malgré les restrictions de Valéry Giscard d'Estaing, les malentendus qui surgissent cette année-là entre le président et son Premier ministre ne s'expliquent donc pas par des querelles de docteurs ès économies.

D'ailleurs, de longs mois durant, la cour et la ville se figurent que le prince et son grand vizir vivent un bonheur serein. Elles ont raison : tous deux échangent encore leurs derniers clins d'œil pendant le Conseil des ministres. En apparence, leur joie perdure.

En réalité, on se trompe. Signe de déception, le président téléphone déjà beaucoup moins souvent à Matignon. La familiarité ébauchée s'estompe. Des sombres questions de famille et d'héritage, pour ne pas dire de stratégie et d'organisation de la majorité, déjà les écartèlent et vont les conduire pas à pas vers l'inévitable divorce. Car chacun de son côté a un échéancier, un rôle et une vision des choses qui ne coïncident pas le moins du monde.

Jacques Chirac n'est pas de ces hommes qui se satisfont d'un succès. Il vient de conquérir l'UDR. Il ne veut pas s'arrêter en si bon chemin. C'est le contrôle de la majorité tout entière qu'il vise. Tradition oblige, depuis le début de la Ve République, le rôle des Premiers ministres a toujours été celui-là (pour le profit exclusif, il est vrai, de l'Elysée).

Le véritable Premier ministre réside à l'Elysée et le deuxième personnage de l'Etat a peut-être son bureau place Beauvau. Sans rechigner, Chirac a accepté cette innovation frustrante de la République giscardienne, il se sait davantage chef du gouvernement en titre qu'en fait. Il veut bien se soumettre à cette suzeraineté présidentielle, encore faudrait-il qu'il bénéficie en contrepartie d'un fief de haut rang. Comme un partage des tâches va de soi, le *leadership* de la majorité lui semble à portée de main.

« Le président, donnant l'impulsion des réformes et traitant directement avec les ministres, Jacques Chirac pensait qu'il était normal qu'on lui laisse faire de la politique et qu'il s'occupe des partis », dit, en 1980, son ami Jacques Friedman, alors chargé de mission à Matignon. Pour réussir, le Premier ministre a plus d'un atout.

D'abord à l'époque, ses proches le révèlent : « Jacques Chirac est inaccessible au doute. Il a une confiance quasi absolue en sa chance, son charme personnel et son aura. » Un autre de ses principaux collaborateurs le confirme : « Chirac est un homme qui ne peut pas imaginer qu'il pourrait perdre. »

Le maître de Matignon s'est d'ailleurs fait une sérieuse réputation d'habileté, de flair et d'expéditif savoir-faire. 52 p. 100 des Français se disent alors satisfaits de lui.

Ensuite, second atout, ses victoires politiques successives : il a emporté haut la main le fief imprenable de Corrèze ; il a contribué à faire élire un VGE sans troupes, contre l'assentiment des grosses phalanges gaullistes ; il est devenu Premier ministre à quarante et un ans ; en six mois, il s'est imposé comme le leader incontesté des UDR qui le maudissaient.

Autant de triomphes qui ont forgé en lui cette robuste certitude : « Toute bataille livrée est gagnée. » Jacques Chirac a quelques raisons de pouvoir bomber le torse dans les allées du pouvoir. Ne contrôle-t-il pas l'UDR, le parti encore dominant, au moins au Palais-Bourbon, cette formidable force de frappe, sans le soutien de laquelle le gouvernement serait paralysé ?

Tous les grands éditorialistes font ce diagnostic : le rapport des forces au sein de la majorité est devenu tel que, politiquement, le président apparaît presque aussi dépendant de la personne de son Premier ministre que le Premier ministre l'est institutionnellement du chef de l'Etat.

« Après son coup du 14 décembre sur l'UDR, Jacques Chirac n'était plus le même. Il avait plus d'abattage et nous parlait de haut », disent les ministres en chœur.

« Son succès à l'UDR lui est monté à la tête », dit, plus acide, Olivier Stirn, secrétaire d'Etat aux DOM-TOM.

Pour devenir le chef de la majorité, le Premier ministre n'entend pas user du chantage auprès de Valéry Giscard d'Estaing. (N'est-il pas ouvertement présidentialiste ?) Selon lui, nécessité faisant loi, cela suffit.

« La France, avait coutume de dire Georges Pompidou, doit être indépendante, l'Etat fort et sérieux, la majorité unie et fermement tenue, faute de quoi, le pouvoir retomberait vite dans son impuissance passée. »

Jacques Chirac l'a appris de son maître : il faut un chef d'orchestre parlementaire pour distribuer les rôles dans la majorité, pour expliquer les choix de l'ordre du jour gouvernemental, pour éviter les fausses notes et les déclarations incontrôlées au sein de la coalition majoritaire et pour répartir les investitures, le moment venu, quand il faut partir à l'assaut des circonscriptions.

Quand la gauche, vite remise de ses déboires électoraux de 1974, remporte succès sur succès aux législatives et aux cantonales partielles, ce rôle de surveillant général devient même tout à fait urgent.

« Je suis Premier ministre, au moins jusqu'aux élections législatives de 1978 », promet Jacques Chirac alentour. Veut-il ainsi forcer sa conquête ? Est-ce un grand coup de bluff ? Certains ministres centristes le subodorent.

« En 1974, Giscard m'a dit : " Vous serez mon Premier ministre durant tout le septennat, jusqu'en 1981, et vous me succéderez à l'Elysée en 1988 ", assure le maire de Paris en 1980. (Aujourd'hui, à la présidence, on sourit énigmatiquement de tels propos.)

Pour l'heure, en cette année 1975, la stratégie politique de Jacques Chirac est exactement calquée sur celle des septennats passés. Deux blocs s'affrontent, droite contre gauche. Et comme il n'y a pas d'alternance possible, les socialistes se condamnent à rester dans l'opposition avec les communistes ;

la majorité doit remporter les élections futures. D'abord les cantonales de 1976, puis les municipales de 1977, enfin les législatives de 1978. C'est simple comme bonjour.

Dans son esprit, la tranche principale du gâteau électoral doit continuer de revenir aux gaullistes : il s'y est engagé auprès des députés UDR : « Nous reviendrons au moins à cent cinquante députés. Je serai votre bouclier, vous serez mon glaive. »

Avec un bon sens hérité des paysans du plateau de Millevaches, il dit d'autre part : « Il faut faire avec ce que l'on a. Mieux vaut tenir que courir. » Or le groupe gaulliste (cent soixante-quatorze députés), c'est du sûr et du solide, ce sont des hommes bien implantés dans leurs circonscriptions et, pour la plupart, de longue date.

Alors pourquoi changer de majorité, puisque les UDR votent pour le gouvernement et ne sont pas plus conservateurs que les républicains indépendants, qui traînent les pieds devant les réformes ?

« Je n'ai cessé de dire à Giscard : " Je vous amène les UDR sur un plateau. Mais si vous voulez leur couper la tête, pouic ! Il n'y aura plus de plateau " », raconte aujourd'hui le maire de Paris. Pourtant, Jacques Chirac ne le sait que trop, le président de la République n'a qu'une idée en tête, et fourbie de longue date : il veut gouverner au centre. Objection, Votre Honneur, le Premier ministre ne croit absolument pas à la traduction parlementaire du centre.

Georges Pompidou le disait toujours : « On ne peut pas être élu sans le soutien des centristes aux présidentielles. Mais une fois ralliés, ce sont des voyageurs sans bagage, leur électorat demeure dans l'opposition. »

Les centristes qui ont soutenu Valéry Giscard d'Estaing, les Jean Lecanuet et autres Michel Durafour, illustrent parfaitement cette thèse. Ne démontrent-ils pas leur incapacité à s'entendre et à s'organiser ? Il n'y a plus qu'à ouvrir les yeux. « Les centristes, c'est comme des PSU. Dès qu'ils sont plus de trois dans une salle, ils créent une tendance et font scission », raille Jacques Chirac. « Les centristes, c'est comme le chiendent. On l'arrache et ça repousse toujours pour chaque élection », dit de son côté un ancien ministre pompidolien.

« Comme les giscardiens de pure souche, les républicains indépendants font la preuve de leur impéritie à se développer et demeurent de bien faible complexion. Il va falloir compter sur les UDR pour gouverner », conclut Jacques Chirac.

Paul Granet, l'ex-secrétaire d'Etat à la Formation profession-nelle, résume : « Chirac a toujours considéré que les centristes et les RI, bref, tous ceux qui n'étaient pas sous sa coupe, étaient des ringards. »

Il est vrai que Ponia, fustigeant à tour de bras le Parti communiste — « un parti fasciste » —, tente un flirt poussé avec les socialistes et prétend gouverner un jour avec eux.

Mais, à Matignon, on hausse les épaules : C'est de la folie douce ! Aucun sens politique, ce Ponia. Même l'union de la gauche rompue, les socialistes ne se rapprocheraient pas pour autant de la majorité. Bien au contraire, gauchi par l'arrivée des jeunes à sa tête, renforcé éventuellement de voix commu-nistes et de voix centristes en déshérence, ce parti socialiste serait même un danger encore plus grand. Imaginez un Parti socialiste avec 30 p. 100 des voix. Il ne renverserait pas le régime, mais il deviendrait impossible de gouverner la France. »

Enfin, avec une élection présidentielle remportée de justesse et les périls d'une Constitution taillée sur mesure pour le géné-ral de Gaulle, que se passerait-il si la gauche avait la majorité au Parlement, avec un VGE à l'Elysée ? « Le président sauterait comme un bouchon de champagne. » C'est le refrain favori de Jacques Chirac.

Ajoutées les unes aux autres, toutes ces raisons affermissent les convictions du Premier ministre : il faut continuer comme avant. La majorité doit se donner au plus vite un chef pour le mener à la bataille (les cantonales se dérouleront dans un peu plus d'un an). Et silence dans les rangs ! Je ne veux voir qu'une tête. Ce chef s'appelle Jacques Chirac. Dans ce logique cas de figure, le Premier ministre, chef de file de l'UDR, se taille donc la part du lion. Mais il ne va tout de même pas s'en excuser auprès de ses partenaires et sortir son mouchoir pour pleurer parce que le hasard et la nécessité font si bien les choses !

Malheureusement pour le patron de l'UDR, du côté de chez Ponia, place Beauvau, on ne voit pas du tout l'organisation de la majorité du même œil. Et on ne l'entend pas du tout de cette oreille.

Longtemps l'affrontement direct de Valéry Giscard d'Es-taing et de Jacques Chirac n'aura pas lieu. Mais leur différend va s'illustrer par un duel sans merci, que d'aucuns attendaient depuis huit mois : celui du Premier ministre et du ministre de l'Intérieur.

L'UDR, la majorité de la majorité, c'est un point de départ objectif. Hélas ! Ce n'est pas l'idéal, ni une fin en soi. Bien au contraire. Pour gouverner au centre, mieux vaut avoir un centre fort et une aile gaulliste déplumée.

Cette théorie, digne de M. de la Palice, n'a rien d'une chimère. Les grands principes gaullistes étant désormais admis par tout le monde, les grandes querelles (l'Algérie française) n'enflammant plus les états-majors, tous les espoirs sont permis. Peu à peu, devraient voler en éclats ces rideaux de fer étanches qui cloisonnaient les formations politiques. Ponia s'en persuade, bientôt ne devraient plus subsister entre elles que d'innocents buissons aisément franchissables. A plus ou moins brève échéance, les réformes du président devraient autoriser tous les reclassements souhaitables du centre gauche vers le centre droit. (Les socialistes n'ont-ils pas voté la libéralisation de l'avortement et la majorité à dix-huit ans ?)

Devraient, selon Ponia, pouvoir se rejoindre des hommes comme Jean Lecanuet, Pierre Mauroy, Gaston Defferre, Olivier Guichard. Ils savent gérer une grande ville ou les affaires du pays avec un égal sens des responsabilités et de la mesure. On pourrait les associer au pouvoir, en laissant dans l'opposition les exaltés ou les sectaires comme Michel Debré, les utopistes comme Jean-Pierre Chevènement et surtout les communistes. (« On fera entrer des socialistes au gouvernement après les élections », confie le ministre d'Etat à une excellence RPR, en 1975.)

Pour séparer à tout jamais les socialistes des communistes. Ponia a le grand projet de changer le mode de scrutin, d'abord aux élections municipales, puis aux élections législatives. En 1975, un collaborateur du ministre de l'Intérieur, Jean Colonna, est spécialement chargé de l'élaboration de ce projet. Plusieurs versions sont retenues.

L'une d'elles serait de faire élire un certain nombre de députés au scrutin majoritaire et d'autres au scrutin proportionnel. On créerait de nouvelles circonscriptions pour permettre aux citoyens des départements les plus peuplés d'être mieux représentés. Il est question d'agrandir l'hémicycle. En comptant bien et en serrant les fauteuils, l'Assemblée nationale pourrait accueillir cinq cent vingt-quatre élus. (Jean Colonna se rend même sur place pour prendre les mesures.)

Bref, on devrait pouvoir bientôt respirer et retrouver un peu de liberté, le monopole gaulliste n'étant plus qu'un mauvais souvenir. A cette simple évocation, Ponia soupire d'aise.

On imagine donc son courroux quand, le 14 décembre, Jacques Chirac insuffle à l'UDR moribonde une vigueur nouvelle. Cette unité refaite risque d'empêcher le recentrage de la majorité et de freiner les réformes. Son sang ne fait qu'un tour : non, non et non. Trois fois non. Lui, Ponia, ne s'est pas battu pendant près de vingt ans aux côtés de Valéry Giscard d'Estaing — et en prenant tous les coups — pour qu'une fois son ami installé au pouvoir, des Debré, des Tomasini, des Couve de Murville, relevant le nez, prétendent encore faire la loi et pour qu'un Premier ministre dicte sa conduite au chef de l'Etat. Impensable !

Ponia se le jure sur la tête de ses grands ancêtres — ces féodaux, ces généraux, ces mousquetaires du roi, ces maréchaux d'empire qui guerroyaient à travers l'Europe, taillant en pièces, selon les époques, des Suédois, des Turcs, des cosaques ou des gardes du cardinal de Richelieu. Foi de prince, lui aussi il l'aura, son tableau de chasse ! Il le veut. Il va occire l'UDR.

Et le ministre d'Etat de grommeler dans son ample menton : « Si seulement Valéry m'avait écouté ! Olivier Guichard serait à Matignon et nous serions si tranquilles ! » Jacques Chirac n'a qu'à se tenir !

Justement, le 12 janvier 1975, le Premier ministre réunit à Paris les cadres de l'UDR (sept cents personnes). Tel Gengis Khân, bardé de croix de Lorraine, son ton est plus conquérant que jamais. Sur l'air de la continuité, il déclare : « Nous resterons la majorité de la majorité. [...] Nous allons relancer le mouvement dans le sens d'un grand rassemblement. [...] Nous ne saurions être associés à une action qui ne tiendrait pas compte des options fondamentales du gaullisme. » Prudent, Jacques Chirac dit aussi : « Il faut aider le président à transformer la société. » (Mais le nouveau patron de l'UDR se garde bien de parler de société libérale avancée. Le Général ayant si souvent stigmatisé les travers du capitalisme libéral, le terme sonne mal aux tympans gaullistes.)

Dans sa péroraison, Jacques Chirac lève un voile pudique sur ses projets. Il glisse entre deux phrases l'idée qu'il serait souhaitable de créer un comité de coordination de la majorité.

Sous-entendu : dont il prendrait la tête. Il a droit aux ovations de la salle.

Le même jour, Albin Chalandon, nouveau secrétaire national de l'UDR, lance un thème dont Jacques Chirac fera un leitmotiv jusqu'aux élections : « L'ennemi principal, ce sont les socialistes. »

Décidément, ses boulons revissés, la machine UDR tourne vite et fort. Quelle locomotive pour la majorité ! Le leader gaulliste se frotte les mains.

C'est compter sans Ponia ! Depuis un mois, dans les coulisses, en bon mécano du président, le ministre de l'Intérieur tourne amoureusement les derniers écrous du char d'assaut giscardien. Le 31 janvier, son engin de guerre est prêt. Il réunit, salle Wagram à Paris, les républicains indépendants. Pendant deux jours, avec une fougue encore plus visible que de coutume, il lance un véritable ordre de mobilisation générale.

En rugissant presque, il tance d'abord vertement les députés républicains indépendants trop pusillanimes. Ils ont un peu trop tendance à traîner les mocassins quand on leur parle de réformes (quarante-sept députés RI sur soixante-cinq ont voté contre la libéralisation de l'avortement). Selon Ponia, les RI devraient au contraire se muer en compagnons de la Libération de Valéry Giscard d'Estaing. De la libération de la société, s'entend.

En tonnant, Ponia prédit : « La prochaine majorité parlementaire sera giscardienne. Nous serons bientôt le premier parti de France. Nous allons créer un véritable rassemblement populaire. » A cette évocation quasi révolutionnaire, les cadres giscardiens si convenables frémissent de plaisir et prennent l'air canaille.

« A côté de l'UDR, nous allons nouer une alliance privilégiée avec les centristes, une alliance dont les républicains indépendants seront le cœur. » Et Ponia d'annoncer la couleur : « Aux prochaines législatives, il y aura des primaires chaque fois qu'il ne sera pas possible de trouver un arbitrage pour choisir le meilleur candidat. » Ainsi, les gaullistes ne feront plus figure que de pâles volailles à plumer. L'auditoire glousse de bonheur.

« L'UDR a subi bien des vicissitudes, dit encore Ponia avec componction. Elle a souffert d'un exercice prolongé du pouvoir sans véritable partage. Elle ne doit pas espérer exercer un jour une pression quelconque sur le chef de l'Etat, qui est le seul vrai chef de la majorité. » A bon entendeur salut !

181

Pour clore une si belle journée, **Ponia** se porte à la présidence des républicains indépendants. Dans la salle, personne n'en doute, chaque terme de ce discours si bien senti a dû être vu et corrigé par l'Elysée.

Les journalistes qui assistent à ce congrès s'interrogent. Ils se demandent si ce grand coup de trompette à l'intention des militants n'annonce pas en fait une sorte d'état de guerre dans la majorité. Ponia, président des républicains indépendants, faisant face à Chirac, secrétaire général de l'UDR, ne serait-ce point la renaissance des partis qui se profile, ou la rupture de l'ancien équilibre des pouvoirs entre président-Premier ministre-parti majoritaire qui se confirme ?

C'est, en tout cas, l'avis de Michel Debré, qui proclame : « Ce cumul des fonctions ministérielles avec celle de dirigeant de parti révèle une évolution qui va à l'opposé de l'indépendance de l'exécutif par rapport aux organisations partisanes. Cela risque de conduire à des compétitions à l'intérieur du gouvernement et à la mainmise des partis sur la marche des affaires publiques. »

Ce même jour, quelques heures après la clôture du congrès giscardien, le hasard du calendrier politique fait que Jacques Chirac tient lui aussi une conférence de presse pour commenter les travaux du comité central de l'UDR. Après le coup de force du 14 décembre, le nouveau chef de file du gaullisme s'est soumis l'UDR par le droit. Les grands couturiers Charles Pasqua, René Tomasini et Cie lui ayant confectionné des statuts cousus main, les instances du parti lui seront désormais fidèles dans une proportion ajustée à 80 p. 100. Du beau travail !

Si les journalistes se pressent en nombre autour du Premier ministre, ce n'est pas tant pour s'intéresser à sa nouvelle conquête qu'à cette tentative naissante de rééquilibrage dans la majorité. « Est-ce la guerre avec les giscardiens ? » lui demande-t-on. Jacques Chirac pouffe de rire (mais rit-il de si bon cœur ?) : « Mais non, voyons, il n'y a pas de rivalité entre les partis de la majorité, il y a tout juste de l'émulation. »

Au nom de cette émulation, sans doute, le Premier ministre, sûr de lui et dominateur, réaffirme illico à l'intention de ses troupes : « Nous avons la prétention de demeurer le principal parti de la majorité, d'être forts et sans complexes. »

Pour mieux tourner l'adversaire, autant le prendre dans le sens du poil. Jacques Chirac va jouer l'émulation fraternelle

Les gaullistes, qui n'en croient pas leurs oreilles, sont invités à devenir presto « plus giscardiens que les giscardiens eux-mêmes ». Comme si le Premier ministre voulait signifier au président de la République : « Ne suis-je pas le mieux placé pour être le chef de la majorité et, de surcroît, le plus loyal des partenaires ? » Craint-il que son projet ne soit pas suffisamment clair pour l'Elysée ?

Il enfonce le clou dans une longue interview au *Nouvel Observateur*, au début du mois de février. « Il est normal, dit-il, que le chef du gouvernement soit le chef de la majorité et s'assure que chacune de ses composantes poursuit une action cohérente. [...]Si le parti dont est issu le président ne devenait pas majoritaire dans la majorité aux élections présidentielles, quelle importance ? L'essentiel pour le président est d'avoir une majorité qui le soutienne. [...] Cette organisation se met en place peu à peu. [...] J'ai bien l'intention de m'y consacrer activement, ce qui permettra de préparer sans problèmes les élections législatives. » Tout est dit.

Mais voilà. Depuis le début de l'année, toujours au nom de l'émulation, le virus Chirac fait des ravages. Non seulement Ponia s'est fait élire à la tête des républicains indépendants pour en faire un grand parti populaire, mais tout ce que la majorité compte de groupes ou de groupuscules centristes et radicaux veut avoir ses ministres dirigeants.

Car eux aussi, ces hommes tranquilles du centre se rebellent et leur esprit chavire à l'idée que l'UDR puisse demeurer le parti dominant de la majorité. VGE ayant promis : Je gouvernerai au centre, leur raisonnement est simple : pour gouverner au centre, il faut des centristes et pas des gaullistes. Alors non non et non... Trois fois non ! Il n'est pas question de laisser faire Jacques Chirac. Une odeur de poudre et de sang flotte sur les états-majors centristes. Jusqu'alors unanimement jugé sympathique et plein d'allant, le Premier ministre, parce qu'il est devenu le leader de l'UDR, s'est métamorphosé en une sorte de bête du Gévaudan, qu'il faudra terrasser pour le bien de la république. Encouragé par Ponia et par l'Elysée, tout ce petit monde centriste, sous prétexte de renforcer l'empire du milieu face au monstre UDR, s'applique avec un zèle de paysan chinois à conquérir et à délimiter quelques arpents de terrain politique supplémentaires.

Les démocrates-sociaux annoncent fièrement leur création.

Ils se donnent une direction collégiale. Voilà subitement deux ministres sacrés chefs de partis : Michel Durafour, ministre du Travail, et André Rossi, porte-parole du gouvernement à la prunelle d'azur.

Politiquement, cette petite formation jouxte de si près le Centre démocrate de Jean Lecanuet et le Parti radical de J-J S-S que ceux-ci prennent la mouche et dénoncent à grands cris dignes de Gérard Nicoud cette implantation déloyale de petites surfaces face à leur supermarché centre gauche.

Pour prévenir d'autres pillages de ces nouvelles races de centristes, bras dessus, bras dessous, Jean Lecanuet et J-J S-S relancent la Fédération des réformateurs et le garde des Sceaux se coiffe prestement du feutre mou de président du Centre démocrate. Aussitôt, son petit camarade Pierre Abelin, ministre de la Coopération, centriste de toujours, qui se sent lui aussi une âme de leader politique, se pare d'une casquette à visière de sous-chef.

D'incompréhensibles chassés-croisés parachèvent l'embrouillamini de l'écheveau centriste. Des dirigeants du Centre démocrate lecanuetiste, deux députés Jean-Marie Caro et Roger Fenech, se sont associés aux démocrates-sociaux de Michel Durafour, tandis que Bernard Stasi, député d'Epernay, et Aymar Achille-Fould, secrétaire d'Etat aux P et T, en désaccord avec leurs amis du centre Démocratie et Progrès, dont le secrétaire général est Jacques Barrot, secrétaire d'Etat au Logement, s'associent dans une nouvelle tentative de regroupement des centres : la Gauche réformatrice. Est-ce assez clair ? Pas très, mais Dieu reconnaîtra les siens et Valéry Giscard d'Estaing est reconnaissant.

Le 7 avril 1975, lors du séminaire (il dure quarante-huit heures) au château de Rambouillet, où l'Elysée a convié les ministres à un week-end de réflexion, le président encourage chaudement tous ceux qui tentent, par leur action politique, de forger une majorité nouvelle.

Avec une affectation remarquée, VGE consacre même la double fonction de ses ministres et chefs de partis. Le dîner du samedi étant consacré aux affaires politiques, c'est aux chefs politiques qu'il s'adresse. Jacques Chirac devient : « Monsieur le secrétaire général de l'UDR », le ministre de l'Intérieur : « Monsieur le président des républicains indépendants », le garde des Sceaux : « Monsieur le président du Centre démo-

184

crate », le ministre du Travail : « Monsieur le fondateur d'une nouvelle famille de gauche de la majorité ».

Dans le même temps, du côté des giscardiens, Jean-Pierre Fourcade, ministre des Finances, se hisse, avec les encouragements du château, à la présidence des clubs Perspectives et Réalités.

A l'époque, raconte-t-il, « Jacques Chirac m'a dit : " N'y va pas, ne fais pas comme Ponia, qui rallume les vieilles querelles, ne te marque pas politiquement. Tu n'y as aucun intérêt. Je ne ferai pas de vieux os à Matignon et tu es le seul à pouvoir m'y succéder. " »

Le Premier ministre fulmine. Ces éclosions de partis tous azimuts retardent d'autant l'organisation de la majorité sous sa houlette. Encouragés par le président de la République à « faire de la politique », tous ces chefs centristes y vont de leur petit couplet chaque fin de semaine, chacun fait assaut de petites phrases, le plus souvent lancées contre l'UDR. Emulation, quand tu nous tiens !...

C'est, entre autres, Jacques Dominati, notable giscardien, jetant : « Il faut parler de l'UDR au passé. » C'est Françoise Giroud, déclarant à l'hebdomadaire allemand *Der Spiegel*, à propos du style de Valéry Giscard d'Estaing : « S'il en résulte, par exemple, un changement de l'attitude générale à l'égard des éboueurs, c'est important... Sous de Gaulle, par exemple, la mode voulait que les patrons et les chefs d'entreprise prennent leurs subordonnés pour des imbéciles et s'estiment irremplaçables. Chacun imitait de Gaulle. »

La Lettre de la Nation riposte aussitôt : « Autrement dit, le général de Gaulle prenait tous ses subordonnés, y compris VGE, pour des minus. Il nous semble plutôt que c'est Mme Giroud qui prend les patrons pour des imbéciles en leur prêtant ce comportement. Quant au général de Gaulle, il est manifeste qu'elle en est restée à l'image qu'en donnait son journal. On la croyait moins facile à abuser. Françoise Giroud aurait intérêt à ne pas sortir de sa Condition féminine, surtout lorsqu'elle s'adresse à des journalistes étrangers. »

Pierre Abelin, lui, dénonce devant ses amis le mauvais équilibre de la majorité : « Il faut combattre l'UDR avec toute notre énergie. » Et les autres de renchérir. C'est J-J S-S, déclarant : « Les UDR sont des fanatiques du passé. » C'est le jeune secrétaire d'Etat Gérard Ducray, transformant ses tournées en faveur du tourisme en tournées de propagande anti-

UDR. C'est Jean Lecanuet, lançant d'une tribune : « Nous sommes la gauche de la majorité présidentielle, et Dieu sait si cette majorité a une droite. »

Autant de coups d'épingle, autant de signes annonciateurs de la naissance espérée de l'Union pour la démocratie française (UDF) et de l'organisation future de la majorité en deux blocs hostiles. Le coup de semonce le plus clair, comme toujours, vient de Ponia. Dans une interview à l'hebdomadaire *les Informations*, le ministre d'Etat explique : « Les républicains indépendants attendent que l'évidence et le bon sens conduisent toutes les formations du centre à un regroupement de type fédéral ou confédéral. C'est le seul moyen de donner au centre un poids réel dans la majorité. Le temps de la contemplation des nombrils est passé. »

On ne peut indiquer plus explicitement que, puisque Jacques Chirac s'est saisi de l'UDR, il faut que toutes les autres tendances de la majorité se regroupent à leur tour sous la bannière du président de la République, pour faire pièce au Premier ministre. D'où la floraison de critiques *ad hominem* dans les rangs centristes et giscardiens contre Jacques Chirac.

Faisant fi de la solidarité gouvernementale, Jean-Pierre Fourcade, qui aime passer en force, plante ses banderilles dans le dos du chef du gouvernement. Le 30 avril 1975, dans une interview au *Figaro*, il déclare tout de go : « J'ai une plus grande expérience de la gestion que Jacques Chirac. Il n'a jamais dirigé personnellement une administration ou une entreprise, il s'est peu penché sur les problèmes internationaux. Il me fait donc confiance dans ces domaines. Nous avons des conceptions différentes de la société. Il est, au fond, beaucoup plus interventionniste et dirigiste que moi. C'est un homme qui a été très marqué par la sociologie de sa circonscription électorale. »

« C'est tout juste s'il ne faisait pas passer Chirac pour un imbécile », commente, en 1980, Jacques Toubon, un proche du maire de Paris. Et ne murmurait-on pas à l'époque que le *Figaro* n'avait publié qu'une version très expurgée de l'interview du ministre des Finances ?

On n'imagine guère un ministre des Finances se permettant aujourd'hui un jugement public aussi libre sur M. Barre. Aujourd'hui, Jean-Pierre Fourcade l'avoue avec franchise · « C'est vrai, j'y suis allé un peu fort. Je revenais de Marmande, ma ville natale. J'avais fait une réunion politique qui avait bien marché. Dans l'euphorie, je me suis laissé aller. J'ai été piégé par une journaliste. Mais il est vrai que j'avais bien du mal à avoir des discussions de fond avec Jacques Chirac. Le président de la République m'a fait comprendre qu'il n'appréciait pas beaucoup. En revanche, j'ai été félicité par Ponia, Michel d'Ornano et Christian Bonnet. » Des félicitations qui en disent long sur les sentiments des giscardiens à l'égard du Premier ministre.

Du coup, un député radical de gauche, Paul Duraffour, interroge le Premier ministre, le 14 mai, à l'Assemblée nationale : « J'ai le sentiment, dans cette période difficile, que l'aide et l'appui de vos ministres vous font défaut. » Réponse impavide de Jacques Chirac : « Je tiens à rendre hommage à M. Fourcade pour sa compétence et pour la manière dont il a conduit les affaires économiques, car n'en déplaise à l'opposition, tous les engagements pris ont été tenus. J'ai la faiblesse de penser que les arbitrages rendus par le Premier ministre ne sont pas tout à fait étrangers à cette situation. »

Autre attaque : Jacques Chirac ayant à plusieurs reprises déclaré dans des réunions politiques : « La France a eu beaucoup de chance que François Mitterrand n'ait pas été élu. Le pays a évité un grand drame en votant VGE, paradoxalement, cela suffit à provoquer l'ire de Mme Giroud (elle a fait voter Mitterrand). Dans un grand élan, la voix soudain haut perchée par la rage, elle s'écrie devant une assemblée de réformateurs : « Je ne saurais tolérer que l'on crache sur l'opposition. C'est peut-être habile, mais c'est insupportable que l'on dise de la moitié des Français qu'ils ont été des criminels, alors qu'ils obéissaient à un élan profond de révolte et à un espoir fragile de voir cette société pétrifiée s'ouvrir enfin au mouvement et à la vie démocratique. »

Au même moment, le président de la République ayant dit en Conseil des ministres que certaines propositions d'hommes comme Jacques Delors ou Jacques Attali, des proches de François Mitterrand, étaient « intéressantes », Mme Giroud s'exclame : « Il est encore plus intelligent que je ne le croyais. »

Interrogé sur les incartades verbales du secrétaire d'Etat à la Condition féminine, Jacques Chirac fait ce commentaire devant des journalistes : « Mme Giroud a encore perdu une occasion de se taire. Un membre du gouvernement se tait ou s en va, mais n'a pas à contester publiquement les propos du Premier ministre. »

N'empêche, deux mois plus tard elle récidive, en déclarant à *France-Soir* : « Le chef de l'Etat a une vision générale et conceptuelle, alors que son Premier ministre a une vision plus électoraliste et un intérêt direct à ce qui va se passer dans les huit jours. Je suis coincée entre le chef de l'Etat et le Premier ministre. »

Aussi bien, tous les lundis matin, après les petites phrases du week-end, Marie-France Garaud bondit dans le bureau de Jacques Chirac pour lui dire : « Jacques, vous avez encore vu la déclaration de Ponia [ou la petite phrase de J-J S-S, ou celle de Lecanuet, ou celle d'Untel] ? Ce n'est pas un gouvernement, c'est une brouette pleine de grenouilles. Vous ne pouvez tolérer un tel manque de discipline. On se moque de vous. — Je vais me plaindre au président », peste en réponse le Premier ministre.

René Tomasini commente : « Il est sûr que Marie-France, mélangeant souvent l'accessoire avec l'essentiel, ne calmait pas Jacques, qui était de plus en plus accaparé par la politique politicienne. » « Certains ministres ont vraiment exagéré avec Chirac. Parfois, il était presque en état de légitime défense », reconnaît un ministre pompidolien-giscardien.

Un ministre centriste raconte, pour sa part : « Lors d'une réunion à Matignon sur les prévisions budgétaires, je me souviens que l'on parlait de l'Agriculture, et chaque fois que Chirac faisait ses propositions, Jean-Pierre Fourcade disait non en le narguant. Chirac était tellement exaspéré qu'au bout de quinze minutes, il s'est levé et il est parti en claquant la porte. » « En conseil restreint à l'Elysée, Jean-Pierre Fourcade manifestait un peu trop ouvertement qu'il traitait directement avec le président par-dessus la tête du Premier ministre », avoue un autre membre du gouvernement.

« Quand bien même nous aurions voulu travailler avec Chirac, comme nous recevions toute la journée des conseils des collaborateurs de l'Elysée pour nous dire ce qu'il fallait faire et dire, nous n'avions plus besoin de l'arbitrage du Premier ministre », déclare une autre excellence.

« Dès la mi-1975, rapporte un fonctionnaire de Matignon, Jacques Chirac n'était plus heureux. Il était mal à l'aise parce que son rôle était mal défini. Il n'avait pas eu son mot à dire lors du remaniement de février [entrée de Jean-François

Deniau comme secrétaire d'Etat à l'Agriculture, Aymar Achille-Fould aux P et T, Yvon Bourges et Marcel Bigeard à la Défense nationale]. Il avait l'impression d'être sans arrêt court-circuité par les ministres. Le président, intervenant sur tous les sujets, lui donnait l'impression d'être transparent. Voilà pourquoi il a demandé à Pierre Juillet de venir près de lui. »

En effet c'est à cette époque que l'ancien conseiller de Georges Pompidou s'installe rue Vaneau, dans un appartement qui domine les jardins de Matignon. Le chef de l'UDR, qui le consulte désormais chaque jour, le présente en ces termes à un ami : « Je vais te faire rencontrer le seul vrai gaulliste qui reste en France. »

Mais si Jacques Chirac est mécontent de ses ministres, ceux-ci ne se font pas faute de l'accabler de tous les péchés... A chacun sa vérité.

« On ne pouvait jamais le voir. En vingt-quatre mois, je ne l'ai pas rencontré plus de vingt minutes d'affilée », déplore Paul Granet, secrétaire d'Etat à la Formation professionnelle. Le ministre de l'Education nationale, René Haby, dit la même chose à sa manière : « Ma réforme de l'enseignement, avec la suppression des filières et le collège unique, ne le passionnait pas. A Matignon, mes interlocuteurs étaient toujours ses conseillers. »

Même écho de Michel d'Ornano, alors ministre de l'Industrie : « Peu à peu, les arbitrages ne se sont plus faits à Matignon, par la faute de Chirac. Comme il laissait ses conseillers décider sur des dossiers aussi importants que le nucléaire, l'informatique, ou Peugeot, moi, j'ai préféré m'adresser directement à l'Elysée. Avec lui, jamais je n'aurais pu réaliser la fusion CII-Honeywell Bull, qui nous donne aujourd'hui la deuxième informatique du monde. C'est grâce au président si j'ai pu mener à bien l'opération, et grâce à Michel Debré que les parlementaires l'ont acceptée. »

« Jacques Chirac me téléphonait tous les jours pour nommer des gens à lui à des postes qu'il m'indiquait. C'était toujours des gaullistes et ses ordres étaient comminatoires », dit Jean-Pierre Fourcade. Un conseiller de l'Elysée ajoute : « Marie-France Garaud et le Premier ministre voulaient mettre des UDR partout. » En vain, bien sûr. La présidence veille. Il est trop visible qu'il s'agit là d'investissements politiques.

« Avec Chirac, les comités restreints étaient expédiés en une heure à Matignon [il travaille vite !], alors qu'avec Raymond

Barre, ils durent au moins deux heures, quand ce n'est pas trois », surenchérit ce haut fonctionnaire. Un secrétaire d'Etat qui préfère rester anonyme dénonce encore, ulcéré : « Jamais personne ne m'a autant menti que Chirac. Quand il me disait : " Je me suis battu aux Finances pour ton budget ", le lendemain j'apprenais par les fonctionnaires de la rue de Rivoli que c'était le Premier ministre en personne qui avait donné l'ordre de rogner mes crédits. »

« Un roseau peint en fer », dit encore ce ministre peu amène, racontant cette anecdote : « Au début du mois de juin 1975, quand le syndicat du livre a occupé les locaux du *Parisien libéré*, le président a interrogé pour savoir ce qu'il convenait de faire, lors d'un conseil restreint.

« JACQUES CHIRAC. — Il ne faut pas avoir peur. On va faire évacuer et envoyer la police. Le plus tôt sera le mieux.

« PONIA. — Oui, on peut faire évacuer, mais les syndicats vont hurler, cela va créer un climat difficile.

« MICHEL DURAFOUR. — Il faut bien mesurer les conséquences de cette décision.

« VGE. — Si le Premier ministre décide de faire évacuer, je ne veux pas l'en dissuader. Mais cela n'aura-t-il pas de conséquence ennuyeuse sur l'élection partielle du Havre où Antoine Ruffenacht est candidat ?

« PONIA. — Il sera sûrement battu.

« JACQUES CHIRAC. — Eh bien, ne faisons pas évacuer. »

Le ministre railleur a tort : ce n'est pas manque d'énergie chez Jacques Chirac, mais obsession électorale.

Cette élection partielle du Havre vaut d'ailleurs tous les jeux de vérité du monde. On y verra Michel Poniatowski susciter en vain une candidature giscardienne, pour tenter de souffler la circonscription gaulliste, puis s'employer à convaincre Antoine Ruffenacht de passer avec armes et bagages chez les giscardiens. On verra Jacques Chirac se déplacer pour aller soutenir le candidat et bien marquer par là qu'il fait partie de la famille gaulliste — mais après s'être assuré que la salle de réunion est placardée de portraits grandeur nature du président de la République. C'est déjà l'émulation active et un peu sauvage

Pour la petite histoire : les locaux du *Parisien libéré* seront évacués par la police le 5 décembre 1976 au petit matin, sur ordre de Ponia — le jour où Jacques Chirac lancera son mouvement RPR porte de Versailles. En représailles, le syndicat du livre empêchera les journaux de paraître le lendemain. Ainsi Ponia fait coup double : il fait respecter l'ordre et la presse ne peut rendre compte de cette grande manifestation chiraquienne. Evoquant les mauvaises relations de Jacques Chirac avec ses ministres, l'un de ses collaborateurs explique aujourd'hui : « Jacques n'avait plus envie de les voir tant il avait l'impression qu'ils jouaient contre lui. Il n'avait plus rien à leur dire. De plus, il était persuadé que si les ministres le traitaient ainsi, c'est parce que l'Elysée les y encourageait. »

Commentaire-conclusion d'un ministre centriste plein de bon sens : « Dans le fond, pour qu'un gouvernement travaille en harmonie, il faut que les ministres, qui sont toujours issus du couple président-chef de gouvernement, se sentent bien les enfants de ce couple. Entre 1974 et 1976, les ministres qui avaient été choisis par le président se reconnaissaient une filiation uniquement avec le chef de l'Etat et pas avec Jacques Chirac. »

Qui dit conflit entre un Premier ministre et son gouvernement dit arbitrage du président de la République. La première tentative d'explication entre les deux hommes se situe au début du mois de mars 1975 à l'Elysée. Jacques Chirac tient à peu près ce langage musclé : « Je sens que le pays fermente. La grève des postiers a duré deux mois, les jeunes appelés ont défilé dans la rue. Nous risquons d'avoir un climat social très agité. Si les ministres continuent à dire et faire n'importe quoi, nous allons à la catastrophe. Si votre intention, comme la mienne, est que le régime évolue vers un régime présidentiel, il faut que la majorité soit cohérente. Il faut la tenir en main. » Et Jacques Chirac de plaider pour une organisation de la majorité dont le président serait le chef, mais déléguant la responsabilité de sa conduite au Premier ministre. « L'idée est intéressante. On verra », aurait répondu le président, résolument ambigu.

Car si Jacques Chirac entend déjà mobiliser le ban et l'arrière-ban de l'électorat majoritaire, donc d'abord gaulliste, en revanche, VGE, lui, veut prendre son temps pour apprivoiser cette frange précieuse des électeurs qui campent encore dans l'aile droite de la gauche et qu'il est urgent de faire venir sur l'aile gauche de la majorité, le gaullisme n'incarnant plus à ses yeux que le passé et le conservatisme.

En un mot, VGE ne veut pas enrégimenter la majorité parlementaire, ni la figer dans son organisation pompidolienne. Il ne veut pas que les frontières en soient franches et définitives. D'ici à 1978, pense-t-il, les Français le jugeront à l'œuvre, certains politiques se laisseront peut-être séduire. Voilà pourquoi le président répète à chaque occasion : « Il n'y aura pas d'élections législatives anticipées. Elles auront lieu à leur date, en 1978. »

Faute de recevoir du président des encouragements immédiats lors de ces explications en tête à tête, Jacques Chirac, rentré à Matignon, rédige de sa main noir sur blanc, sur quatre feuillets, ses suggestions pour organiser la majorité. Elles sont portées à l'Elysée le soir même. Le président ne lui répondra pas. Est-ce une façon de dire non ?

« Le président a horreur des chocs frontaux. Comme il ne voulait pas heurter Jacques Chirac qu'il aimait bien, mais comme il ne voulait pas non plus — tant que l'UDR était majoritaire — que le Premier ministre devienne le chef de la majorité, il a pensé qu'à la longue Chirac finirait bien par comprendre qu'il ne fallait pas insister », explique, en substance, un collaborateur de l'Elysée, qui ajoute : « A l'époque, le président, qui prêchait avant tout la décrispation avec l'opposition et la réforme, jugeait cette agitation majoritaire à la fois bien subalterne et tout à fait compréhensible. La démocratie, n'est-ce pas le conflit permanent et le compromis ? Et gouverner, n'est-ce point diviser ? »

Toutefois, pour calmer le jeu, le président sermonne ses ministres et les appelle à un peu de retenue. Le 20 mai, il leur dit : « L'important, ce sont les relations interpersonnelles au sein de la société plus que les structures. Ce qui compte, c'est l'atmosphère dans laquelle baignent ces relations. Il y faut de l'amabilité, de la détente. La vie publique sans cordialité serait insupportable. »

Le 29 octobre, devant des jeunes parlementaires de la majorité qu'il a conviés à déjeuner, il fustige « ces discours dominicaux qui relèvent de querelles d'état-major ». « Ce n'est pas par des affrontements verbaux que l'on prépare les élections. Il faut poursuivre l'effort de décrispation », dit-il.

C'est le temps où il rabroue encore ceux qui viennent à l'Elysée critiquer le Premier ministre et ses conseillers : « Jacques Chirac est un excellent Premier ministre et il a toute ma confiance. [...] Je ne veux pas que l'on me dise du mal de M. Juillet et de Mme Garaud. Ce sont mes amis. » A l'époque pourtant, Marie-France Garaud dit à ses visiteurs : « Giscard est typiquement centriste. Il est très intelligent, mais tout à fait indécis. »

Un proche du maire de Paris explique ainsi la mauvaise communication entre VGE et son Premier ministre : « Jacques est un militaire. Il faut lui dire oui ou non et lui donner des ordres précis. Or, VGE n'ayant pas tranché nettement sur les questions d'organisation de la majorité, le Premier ministre a cru (ou voulu comprendre) que le président hésitait et qu'en le forçant un peu, il finirait bien par le convaincre et obtiendrait gain de cause. »

« Dans le fond, ce qui différencie le plus le président et Jacques Chirac, note de façon plus nuancée Michel Durafour, c'est que le premier a le sens de la durée. Il ne s'émeut pas si les choses ne vont pas bien tout de suite et il s'en accommode. Le second prend cette attitude pour du laxisme. Il ne supporte pas que tout ne tourne pas rond tout le temps. Au besoin, il serait prêt à céder à toutes les revendications. Il ne supporte pas de perdre. »

Aussi, leurs différences de caractère aidant, très vite un dialogue de sourds s'instaure entre Valéry Giscard d'Estaing et Jacques Chirac. Devant des tiers, en parlant l'un de l'autre, ils se ménagent, se complimentent et miment encore une amitié presque ardente. Face à face, ils n'osent plus s'expliquer. Quand le Premier ministre sort du bureau du président, après l'une de ses audiences hebdomadaires, il éructe et dévide dans le bureau de Claude Pierre-Brossolette, le secrétaire général de l'Elysée, tout ce qu'il a sur le cœur, tout ce qu'il n'a pas réussi à faire avaliser.

Un familier de l'Elysée l'assure : « Dans leurs tête-à-tête, les désaccords n'apparaissaient pas, car le président les esquivait. Mais ensuite, il décidait tout seul ! »

Dans le fond, le chef de l'Etat et le chef du gouvernement vivent ce grand malentendu des couples désassortis, quand chacun des deux partenaires, encore amoureux mais déjà déçu, découvre chez l'autre des défauts rédhibitoires. Les premiers temps, chacun se croit suffisamment aimé et l'autre suffisamment aimant pour changer. Mais a-t-on jamais changé quelqu'un ? Ainsi, pendant plusieurs mois, s'ils ne cherchent pas encore à se tromper l'un l'autre, tous deux, déjà, se trompent copieusement l'un sur l'autre.

Valéry Giscard d'Estaing croit son Premier ministre assez souple et maniable pour lui être indéfectiblement soumis et Jacques Chirac croit le président assez malléable et fragile pour lui imposer à la longue ses volontés. C'est la double méprise. En vertu de cette illusion d'optique, chacun joue sa partition — en force pour Jacques Chirac, en demi-teintes pour Valéry Giscard d'Estaing —, chacun croyant entraîner l'autre.

« Le président de la République est le chef de la majorité, le Premier ministre en est l'animateur », déclare, sans se lasser, le patron de l'UDR successivement le 17 avril, puis le 22 avril et encore le 10 mai. Prémonitoire sans le savoir, il affirme : « Vouloir exister contre le chef de l'Etat, c'est faire ce qu'a tenté Chaban, cela finit toujours mal. » Un autre jour, il déclare, péremptoire : « Il y aura une candidature unique de la majorité aux élections législatives. » En vain. L'Elysée fait la sourde oreille et M. Chirac n'est toujours pas intronisé chef de la majorité.

Le 15 juin, croyant pouvoir forcer le destin, il frappe un grand coup en abandonnant bruyamment le poste de secrétaire général de l'UDR, aux assises qu'il réunit à Nice. (A la suite de quoi, Ponia démissionnera de la présidence des RI au mois de décembre.) Jacques Chirac fait surgir à sa place un inconnu, au fort accent alsacien, un certain André Bord. Mais pourquoi Bord ? se demandent les compagnons.

Député de Strasbourg, depuis neuf ans secrétaire d'Etat aux Anciens Combattants, il n'a guère pour lui qu'une fidélité gaulliste à toute épreuve. Il a été un grand résistant. Mais ce n'est pas un orateur, encore moins un théoricien, et son charisme a toujours paru assez grêle.

Tout le monde comprend que Jacques Chirac restera le patron, lequel précise d'ailleurs sans ambages : « Je me considérerai toujours comme responsable de votre mouvement. » Dans la foule, des militantes sanglotent, des militants crient à la trahison. A la tribune, le secrétaire général démissionnaire est plus épanoui que jamais : maintenant qu'il n'est plus le chef de l'UDR, les obstacles sont levés. Rien n'empêche qu'il soit désigné chef de la majorité.

S'attend-il à être intronisé ? Il retient son souffle le 17 juin, quand Valéry Giscard d'Estaing, qui n'a pas l'habitude d'évoquer en Conseil des ministres la politique politicienne, prend acte avec satisfaction de son initiative. Mais le commentaire est bien ambigu : « Le Premier ministre a mis fin à ses fonctions de secrétaire général de l'UDR. C'est une sage décision. Les réformateurs ont mis sur pied une organisation commune. C'est une initiative utile. Le moment venu, il faudra aller plus loin et envisager une organisation d'ensemble de la majorité présidentielle. » Sur ce, le président s'envole pour la Pologne, en voyage officiel. Jacques Chirac est effondré. Avec cette obscure clarté présidentielle, qui pourrait bien penser que le voilà investi d'une autorité nouvelle sur la majorité ? A coup sûr, personne ! Il faut tout reprendre à zéro.

Pis, M. Giscard d'Estaing n'a-t-il pas voulu signifier à l'UDR et à son leader que le renouveau et le dynamisme du mouvement gaulliste ne devaient pas leur faire perdre la tête, ni les inciter à se montrer trop dominateurs à l'égard de leurs partenaires ?

Au cas où M. Chirac n'aurait pas compris cette aimable fin de non-recevoir, le bon Ponia lui fournit, le 28 juin, une explication de texte. Les députés sortants « ne seront pas reconduits automatiquement. [...] Ils seront jugés moins sur leur passé que sur leur aptitude à soutenir la politique de réforme du président, lequel est peut-être encore à l'Elysée pour treize ans », précise, sur un ton bonasse, le ministre de l'Intérieur devant le Conseil national des républicains indépendants.

Comme s'il jugeait que la provocation à l'égard de l'UDR est trop mince, le chef de file giscardien, pas peu fier de lui, annonce qu'il va mettre en place le club Agir pour l'avenir, une sorte d'école pour les candidats aux législatives, dont il sera le responsable. De quoi tenter tous les jeunes loups de l'ENA et tous ces Rastignac qui se morfondent au fond de leurs provinces. En un mot comme en cent, l'UDR ne restera pas la majorité de la majorité et ce n'est pas le Premier ministre qui distribuera les investitures. Que Jacques Chirac et ses amis se le disent ! L'émulation continue.

Malgré ces avertissements déplaisants, Matignon, qui n'entend recevoir d'explications et d'ordres que de la bouche du chef, ne désespère pas obtenir gain de cause de l'Elysée. En 1980, le maire de Paris raconte — feignant d'oublier que le chef de l'Etat n'avait nulle intention de lui accorder ce qu'il lui refusait avec tant d'obstination souriante : « Combien de fois n'ai-je pas dit à Giscard : " Il faut un chef de la majorité. " Et il me répondait : " Vous êtes Premier ministre. Vous êtes donc le chef de la majorité. " Mais je lui faisais remarquer : " Si vous ne m'appuyez pas de toute votre autorité, vos ministres ne me reconnaîtront jamais comme tel et ils vont continuer le jeu de leurs petites phrases. " »

Jacques Chirac croit-il enfin avoir obtenu le feu vert présidentiel, comme il l'assure, le 25 septembre, à Claude Labbé et Yves Guéna ? Toujours est-il qu'aux journées parlementaires UDR qui se tiennent à Tessé-la-Madeleine (Orne), il revient à la charge. Après avoir prêché l'autorité, la fermeté, la rigueur et l'ordre, semblant avoir retrouvé son assurance d'antan, il propose, de créer une structure de coordination de la majorité, « mieux adaptée qu'aujourd'hui au combat de demain ».

Pour faire bon poids, Jacques Chirac n'en cite pas moins de dix-huit fois le nom de Valéry Giscard d'Estaing dans son discours. Au premier rang, l'invité d'honneur de cette belle fête gaulliste, le giscardien Roger Chinaud, hoche la tête. Signe d'approbation ou de dénégation ? l'Elysée ne souffle mot. Huit jours plus tard la réponse du berger à la bergère parvient à Jacques Chirac. Elle tombe raide comme une guillotine. Le même Roger Chinaud déclare dans une interview au *Figaro* : « Personne n'a jamais reçu mission d'imposer telle ou telle organisation de la majorité. » René Tomasini explique : « Jacques était persuadé que Chinaud avait été téléguidé par Ponia. Et il écumait de rage. " Parce que, nous disait-il, en tête à tête, le président est toujours d'accord avec moi, mais, en dernier ressort, il écoute toujours Ponia, qui prend un malin plaisir à me court-circuiter. " »

En 1980, le maire de Paris en reste persuadé : « Sans Ponia, j'aurais trouvé un modus vivendi avec le président. » « Sans Marie-France Garaud et Pierre Juillet, les relations entre VGE et Jacques Chirac auraient été plus aisées », remarquent symétriquement les conseillers de l'Elysée.

Le Premier ministre s'exagère l'influence du ministre de l'Intérieur sur le chef de l'Etat. A l'automne, certains ministres le remarquent : en Conseil — c'est nouveau —, VGE omet ostensiblement de lire tous les petits mots que lui glisse son ami Michel. Depuis qu'il est au pouvoir, toutes les mauvaises nouvelles lui viennent du prince Ponia : de la révolte des prisons dans l'été 1974 aux trois morts d'Aléria dans l'été corse de 1975, de la prise d'otages d'Orly à la prise d'otages de l'avenue de Breteuil, des fusillades qui ensanglantent les rues de Paris — deux policiers abattus le 27 juin par un terroriste international — jusqu'à l'insaisissable Carlos qui défraie la chronique en juillet.

A contrecœur, Ponia a bien dû revêtir un uniforme qu'il aurait mieux aimé laisser dans un placard : celui de premier flic de France. Condamné à des tâches ingrates, le ministre d'Etat se débat comme il peut et tente de réagir au coup par coup. Une situation où, surtout dans ses fonctions, il est bien difficile d'être gagnant tout le temps.

A la manière d'un lancier polonais, le prince se lance dans des attaques si violentes contre la gauche que son image s'éloigne à toute allure du centrisme libéral et débonnaire que le chef de l'Etat voudrait bien incarner. « Georges Séguy défend la criminalité, le désordre et la délinquance », lance le ministre de l'Intérieur sur les ondes d'Europe 1. « Les communistes, dénoncez-les, dénoncez-les ! » dit-il encore, comme si l'on était revenu au temps de la guerre froide, devant une assemblée de jeunes giscardiens. Après cela, allez donc prêcher la décrispation !

Du coup, à l'Elysée, on se demande soudain si Ponia, sous sa mâle prestance, ne cacherait pas, en définitive, un Machiavel un peu brouillon, meilleur théoricien et conseilleur que politique et homme d'action. Dans les coulisses du pouvoir, on chuchote que le président, par deux fois, aurait manifesté de l'humeur à l'endroit de son bon ami. L'agence Tass ayant reproché au ministre de l'Intérieur des propos irresponsables et hostiles à l'URSS, M. Giscard d'Estaing le tiendra en partie pour responsable du déroulement houleux de sa visite officielle à Moscou quelques semaines plus tard, à la mi-octobre.

Ponia, qui a tancé à plusieurs reprises les juges « trop cléments » et les magistrats « trop laxistes », s'attire cette riposte du garde des Sceaux : « Il serait injuste et vain d'attribuer le développement de la violence et du crime à de prétendues carences de la justice. Il ne faut pas confondre la cause et l'effet. » M. Giscard d'Estaing tranche la polémique entre ses deux ministres en donnant raison sans détour au garde des Sceaux.

Mais Jacques Chirac, qui comprend mal les relations entre le président et le ministre de l'Intérieur, ne perçoit pas que le chef de l'Etat regarde soudain son vieil ami avec un sens critique brusquement en éveil. Et il continue de rager comme un mari trompé.

A ce dissentiment politique sur l'organisation de la majorité, s'ajoute un grand malentendu gouvernemental. Depuis que Valéry Giscard d'Estaing est à l'Elysée — Jacques Chirac en est convaincu —, une fois épuisé le petit train des réformes initiales et le plaisir tout neuf de jouer de sa puissance, le président reviendra à la logique et au bon sens, bref au pompidolisme (autorité de l'Etat, réformes limitées au strict nécessaire, et non pas le superflu que sont ces réformes sur le divorce ou l'avortement). Il faut satisfaire, croit-il, l'appétit revendicatif et frondeur des Français par les cadeaux qui s'imposent, quand ils s'imposent, ni avant... ni après. C'est une philosophie que Georges Pompidou et son conseiller, Pierre Juillet, ont partagé de toute éternité. Jacques Chirac, de tout son être, adhère à ce credo traditionaliste.

En 1980, Ponia raconte : « Plusieurs fois, Pierre Juillet est venu me voir et nous avions ce dialogue : " Essayez donc de convaincre le président de rayer de son vocabulaire le mot *libéralisme avancé*. Les Français ne veulent rien changer. Le président se fait beaucoup de tort. Il est fragile parce qu'il est trop pour le changement ", me disait Juillet. Je lui répondais : " De Gaulle a fait la décolonisation, Pompidou l'industrialisation, Giscard doit ajuster la France au monde scientifique et à l'évolution des mœurs. Ce n'est pas facile ! " » L'ex-ministre de l'Intérieur ajoute encore : « Juillet avait la même réaction à l'égard des réformes du président que du temps de Pompidou à l'égard de la Nouvelle Société de Chaban. Il ne comprenait pas. »

De l'autre côté de la scène, à l'Elysée, il n'est en effet pas question de ralentir le changement. « La France sera un chantier de réformes », a promis VGE en arrivant au pouvoir. En 1975, il veut les mettre en train au plus vite. Depuis Mai 68, cet héritier de notables modérés a compris à sa manière les revendications des étudiants et des lycéens : « J'ai la conviction profonde que bien que les facteurs économiques soient importants, ils ne sont pas les seuls. Je crois que beaucoup de grands événements se sont produits pour des causes non économiques. » D'où son objectif primordial : faire évoluer la société.

Résumons : le 2 janvier 1975, au Conseil des ministres, il dresse le menu du premier semestre. Ce sera une réforme par mois. Pendant une heure et quart, piétinant les plates-bandes de la gauche, distribuant de la besogne à tout le monde, le président récite son programme : la réforme de l'entreprise, la réforme des collectivités locales (Paris aura un maire élu comme n'importe quelle ville de France), la réforme du système éducatif, la réforme de la répartition des revenus, avec la taxation de toutes les formes de plus-value. Il veut que la justice française devienne plus moderne et efficace. Il veut réformer le divorce (les époux, d'accord pour se séparer, ne devront plus jouer l'humiliante comédie des insultes et des griefs), modifier la loi électorale municipale et définir une nouvelle politique urbaine. De quoi donner une indigestion aux plus friands de changement !

« La réforme, c'est ma guerre d'Algérie à moi », confie-t-il à un intime. Il veut que cela se dise : il n'est pas le conservateur, le grand bourgeois classique que pensent certains, et il a trois années pleines pour le démontrer.

« Croyez-vous qu'aux yeux de l'opinion publique, je passe toujours pour un homme de droite ? aurait-il demandé au printemps 1975 à l'un de ses ministres qui l'accompagnait en voyage officiel. — Vous cesserez de l'être quand vous ne vous poserez plus la question », aurait répondu le ministre, alors bien hardi.

L'anecdote est presque trop belle pour être vraie. En tout cas, s'il n'est pas certain que le président soit un réformiste, il est sûr qu'il brûle de pouvoir s'en croire un. Au besoin, en allant pêcher dans le vivier des bonnes idées de gauche.

Le 20 mai, le président déclare à RTL : « La gauche, c'est un terme ambigu. Je veux dire qu'il y a dans la pensée de gauche des éléments positifs importants, dont je compte bien, en effet. m'inspirer. Je vous dirai que parmi les hommes politiques que j'admire, il y a, par exemple, Léon Blum, dont l'intelligence, la qualité d'analyse, le type de sensibilité m'ont toujours beaucoup impressionné et touché. Ce qui fait que dans l'action réformatrice libérale avancée, il y a beaucoup d'idées de gauche qui doivent être mises en œuvre. »

Au nom du changement encore, le 11 juillet 1975, Jacques Chirac reçoit de l'Elysée un nouveau calendrier des réformes à venir : réforme de la condition des travailleurs manuels, lutte contre le gaspillage, réduction des inégalités.

L'activité du gouvernement est si intense que l'administration éprouve le plus grand mal à suivre. De nombreuses lois n'entrent pas en vigueur, faute de décrets d'application. Les fins de sessions parlementaires sont engorgées. Le Conseil d'Etat est encombré de textes pour lesquels le gouvernement attend son avis. Il faut l'intervention expresse de Mme Simone Veil pour que la libération de la contraception et de l'avortement puisse se démontrer dans les faits. Certains projets de loi sont hâtivement préparés. (Ainsi la taxe professionnelle, qui remplace la patente, n'est toujours pas appliquée en 1980, si ce n'est partiellement et avec des mesures transitoires toujours prorogées.) Mais cette année 1975 est cependant une année législative importante : plus de cent cinquante textes sont votés.

Pour amener les Français à ses idées, VGE sait qu'il faut leur parler constamment. Aussi sa méthode consiste-t-elle à être présent jusqu'à l'obsession : la télévision n'a pas de secret ni de refus pour lui. Il s'y fait grand semeur de mythes et de symboles. Bravant la tradition et le conformisme de sa lignée d'origine, il ne cesse d'étonner.

Georges Pompidou, qui connaissait la France profonde, et surtout les Français moyens (il en était issu), n'avait nul besoin de rencontrer des familles comme les autres pour savoir les comprendre. Pour Valéry Giscard d'Estaing, les approcher sera une découverte, une source d'informations inédites.

Il décide donc d'aller dîner presque à l'improviste chez des familles de toutes conditions. Dans cette innovation, il voit, pêle-mêle, une manifestation incontestable de l'introuvable consensus français, une méthode à l'américaine, un antidote précieux à l'isolement et à la courtisanerie des palais officiels. Mme Giscard d'Estaing, cela va de soi, est associée à cette grande première.

C'est ainsi que le couple présidentiel se rend successivement chez un encadreur parisien, des jeunes cadres tourangeaux, un chauffeur de poids lourd des Yvelines, un garde champêtre de l'Eure, un sapeur-pompier de Paris.

Au XVIIe siècle, le duc de Montausier, gouverneur du Dauphin de France, suggérait au futur souverain « d'aller souvent manger familièrement chez des personnes de mérite, quand on sait qu'il y a quelque fête chez eux, mais sans les avertir, de peur de les obliger à de grandes dépenses. Cette familiarité produit des effets merveilleux d'amour dans les cœurs des sujets », concluait le duc. En 1975, un sondage IFOP révélera qu'en ce qui concerne le président français, 72 p. 100 des ouvriers voient de ce fait en VGE un homme plein de simplicité. Les cadres se montrent beaucoup plus circonspects.

A peine élu à la présidence des Etats-Unis, Jimmy Carter ira, lui, passer carrément un week-end dans une famille du Middle West. Le général de Gaulle préférait des bains de foule anonymes et collectifs. VGE, lui, personnalise et individualise. Cela correspond, croit-il, au climat d'une société qui ne déteste rien tant que la « foule solitaire ».

Sur un registre plus frivole, le président républicanise la république. Le 26 janvier 1975, toute référence à des titres nobiliaires français est désormais interdite au protocole de l'Elysée. Le duc de Castries redevient prosaïquement M. de Castries, la princesse de Faucigny-Lucinge tristement Mme de Faucigny-Lucinge et le baron de Rothschild simple M. de Rothschild. La France s'aligne ainsi sur l'usage helvétique. C'est presque du Jean-Jacques Rousseau actualisé. Les plus dépités sont sans doute les lecteurs de *Point de vue-Images du monde*. Il est vrai qu'ils votent de toute façon pour la majorité.

Pour ouvrir les Journées internationales de la femme, le président trouve cette formule biblique : « Au commencement était l'esclavage, et la première esclave fut la femme. » Les hommes ricanent. Les ménagères essuient une larme sur leurs tabliers. Elles savent que ce président-là ne les oublie pas dans ses prières. Pour elles qui forment 53 p. 100 du corps électoral, il fait voter, pêle-mêle, l'avortement, la prolongation du congé maternité, la formation professionnelle pour les veuves, la procédure gratuite de recouvrement des pensions pour les divorcées, l'allocation de la mère célibataire, la déduction des frais de garde des enfants des impôts des jeunes ménages, le complément familial, etc., etc. « Si plus tard il y a quelques lignes sur moi dans les livres d'histoire, on dira que j'ai fait quelque chose pour les femmes ! » s'exclame un jour le président devant une assemblée féminine.

4 avril : la simplification des mœurs gagne les réunions gouvernementales. Si la dynamique de groupe m'était contée... Le chef de l'Etat convie, au château de Rambouillet, ses ministres au fameux week-end de réflexion sur la « société libérale avancée ». Il en règle le protocole dans les moindres détails. Les invitations le précisent explicitement. Les excellences doivent arriver en costume de sport pour les hommes et en

tenue de week-end pour les dames (celles-ci ne sont donc pas supposées sportives). Pendant deux jours, le président maintient une ambiance étrange de solennité discrète et de liberté de propos également recommandées.

« La simplicité, explique le président en accueillant ses invités, implique une certaine grandeur. Rappelez-vous, dit-il avec un mélange de conviction et d'ironie ceux qui vous ont précédés dans vos fonctions : Colbert pour vous, monsieur le ministre des Finances, Vergennes pour vous, monsieur le ministre des Affaires étrangères, et pour vous, monsieur Poniatowski... Fouché. »

L'opposition persifle et s'esclaffe. Mais quelques mois plus tard, François Mitterrand réunit à son tour la direction du Parti socialiste à Chantilly, pour un week-end de *brain-storming* politique. L'interprétation n'est pas tout à fait la même, mais les musiques se ressemblent.

8 mai : VGE, trente ans après, décide de ne plus commémorer la victoire alliée du 8 mai 1945. Il s'en explique dans une lettre aux membres du Conseil européen (les huit chefs de gouvernement des partenaires de la Communauté). « C'est pour faire apparaître notre volonté d'organiser en commun notre avenir pacifique que j'ai décidé de ne plus commémorer cet anniversaire. » Et de proposer en lieu et place « une grande journée du souvenir européen », qui pourrait être célébrée le 11 novembre. « Une décision courageuse », commente *le Figaro*. « Un outrage à la mémoire de ceux qui ont donné leur vie », s'indigne *l'Humanité*. Pour le coup, les Français réagissent franchement mal. Sur proposition du doyen communiste Virgile Barel, l'Assemblée nationale interrompt ses travaux symboliquement pendant deux heures. La fête européenne vient trop tôt et la date du 11 novembre n'est pas la plus indiquée. Les gaullistes s'arrachent les cheveux. Plus d'un député UDR découvre, ce jour-là, le sentiment d'un abîme entre la sensibilité du président et la sienne.

Omniprésent sur le petit écran — où il n'a pas son pareil pour métamorphoser quelque évidence en hardiesse de pensée —, on voit donc VGE successivement à Noël, appliqué au piano au côté de Claude François, emprunté et souriant en famille, dans les appartements privés de l'Elysée, rayonnant en Alsace, à Ringeldorf, pour commémorer le premier anniversaire de son élection et avec des villageois qui ont eu le bon goût de voter VGE à l'unanimité.

On l'aperçoit encore, réfléchi, avec Jacques Chancel, dans un exercice d'introspection assez insolite. D'où cet étonnant dialogue : « Qui est au-dessus de vous ? » interroge l'intervieweur. Silence inspiré, puis réponse dangereusement sincère : « Les grands intellectuels. Je considère que les grands intellectuels français ou étrangers sont des hommes vis-à-vis desquels j'ai un rapport d'admiration. Je dirai même de déférence. » Autre question : « Vous pensez à la postérité, à l'image qu'elle gardera de vous ? » Autre réponse : « Je suis sûr que la postérité ne gardera aucune image de moi et que les hommes politiques ne laisseront pratiquement aucune trace. »

Modestie inhabituelle et même franchement étrange chez un chef d'Etat qui se dévoile à quelques millions de Français... Les commentateurs en restent un peu interdits. Rien ne prouve, en revanche, que le bon peuple soit le moins du monde offusqué. Peut-être comprend-il mieux que les professionnels de la politique qu'il y a là une nostalgie de l'authenticité.

« En un an, Valéry Giscard d'Estaing aura surpris quarante-quatre fois », titre le journal *France-Soir*. « En comité restreint, raconte un ministre giscardien, Jacques Chirac se demandait souvent à voix haute : " Qu'est-ce que le président va encore nous inventer cette semaine ? " » « Il a encore eu une idée. J'espère qu'il n'en aura pas deux comme celle-là. » Une façon plus irrespectueuse de traduire le même sentiment. Un fonctionnaire de Matignon explique : « La multiplication des gadgets irritait Chirac. Il trouvait que le président démythifiait sa fonction et que cela était mauvais. »

A la différence du général de Gaulle, qui ne se sentait gouverner que dans le drame, VGE recherche instinctivement l'harmonie et la courtoisie. Je décrispe, tu décrispes, nous décrispons. A ceux qui s'interrogent sur son rêve d'une société plus détendue et se demandent si cette quête de la sérénité ne serait pas quelque peu de l'angélisme, il répond, au Mont-Dore : « Dans ma fonction, j'ai plus que quiconque la préoccupation des Français. »

De nouveau, il lance aux leaders de la gauche des invitations à lui rendre visite. Il demande même à Jacques Chirac de les consulter pour la préparation du fameux plan de soutien. L'UDR s'agace. L'électorat de gauche approuve. Les leaders de l'opposition sont perplexes. François Mitterrand songe à accepter pour donner une leçon de tolérance à ses propres partenaires et confirmer ainsi sa prééminence à gauche. Robert Fabre, le petit troisième de l'Union faussement innocent, le prend de vitesse. Le 30 septembre 1975, il répond à grand fracas aux sollicitations présidentielles.

Dans la cour de l'Elysée, il y a l'affluence des grands jours. Les caméras du monde entier sont venues saisir cette rencontre d'un président élu avec un député de la gauche modérée. A force de se faire le visage d'un Français moyen et de savoir le promener aux bons endroits, Fabre finit par se tailler un rôle presque important, à la fureur des deux grands de la gauche. Du coup, la télévision japonaise NHK ne quittera pas d'un pouce le pharmacien de Villefranche-de-Rouergue pendant plus de trois mois. On en parle encore sur les marchés des Causses.

En politique étrangère aussi, VGE s'efforce d'introduire un style nouveau et une affabilité universelle dans ses relations avec le reste du monde. La France, puissance moyenne, peut et doit jouer, selon lui, le rôle de leader moral en Europe et ailleurs. « Mon idée fondamentale, dit-il le 20 mai 1975 à la télévision, c'est que la supériorité de la France est une supériorité de l'esprit. Ce n'est pas une supériorité de la force. Ce ne peut pas être une supériorité de l'économie. C'est une supériorité de l'esprit, c'est-à-dire celle du pays qui conçoit le mieux les problèmes de son temps et qui apporte les solutions les plus imaginatives, les plus ouvertes et les plus généreuses. » « C'est sans doute au nom de la supériorité de l'esprit que les Français se montrent si arrogants et bruyants dès qu'ils ont franchi les frontières de leur pays », songent, en l'écoutant, les mauvais esprits.

Le président, lui, pense, évidemment, à tout autre chose. Dans cette déclaration, outre le fait qu'un chef de l'Etat projette toujours quelque peu l'image qu'il se fait de lui-même sur le visage du peuple qu'il conduit, il y a là aussi l'affirmation d'une conviction profonde : la France doit peser plus que les courbes et les statistiques ne l'indiquent. Elle a un registre, une mission et une voix. Elle peut, sans renier son appartenance au camp occidental, s'efforcer de combattre la logique simplificatrice des deux blocs et le condominium abusif des deux grands. Il est même possible — croit-il — de faire avancer la détente de façon significative en adoptant un vocabulaire mesuré et en faisant preuve d'aspirations élevées.

Les déconvenues de sa campagne de Russie (à la mi-octobre

1975) vont lui démontrer malheureusement qu'en matière diplomatique, l'innovation conduit parfois tout droit au malentendu. La gerbe déposée au mausolée de Lénine, à Moscou (un geste propre habituellement aux pays frères), déroute les Soviétiques au moins tout autant que les Occidentaux. Le général de Gaulle, lui, en arrivant dans la capitale soviétique, se rendait à la messe ! De même, les propos insolites qu'il tient sur l'utilité d'une détente idéologique — contraire à tous les dogmes communistes — troublent et irritent Léonide Brejnev et son entourage. De façon savamment discourtoise, on le fait bien sentir au président français, qui doit lanterner quarante-huit heures avant de rencontrer une nouvelle fois le numéro un soviétique. Les gaullistes — l'honneur national toujours à vif — s'offusquent de ces mauvaises manières des Soviétiques et de la trop grande impavidité de Valéry Giscard d'Estaing. « De Gaulle n'aurait pas attendu », maugréent-ils.

Le président français est plus heureux lorsqu'il organise, parraine et réunit à Paris la première conférence mondiale Nord-Sud (réunion des pays importateurs et exportateurs de pétrole). Son intuition, cette fois, ne l'a pas trahi, même si cette innovation n'a pas, jusqu'ici, permis d'aboutir à des initiatives bien consistantes. Au moins n'est-ce point de sa faute, et la France y manifeste-t-elle l'amorce d'une vocation.

Si VGE se voit lui-même comme un traditionaliste libéral et comme un homme de progrès, les paradoxes s'accumulent sur sa tête et les Français deviennent perplexes. Ils veulent bien reconnaître les qualités personnelles de VGE, ils admettent même qu'il a un certain goût des réformes, bien qu'ils en voient peu la trace (75 p. 100 des Français estiment que les changements introduits ont glissé sur la société sans la modifier), mais ils s'interrogent sur ce qui inspire concrètement l'action du président : s'agit-il d'un idéaliste ou d'un conservateur ? Est-il un calculateur qui joue au spontané, un timide qui se contraint à l'exhibitionnisme ou un traditionaliste qui s'entraîne au réformisme ?

Cette relative incompréhension des Français tourne, chez les députés UDR, à l'aigreur véhémente : « Qu'il cesse donc d'être en campagne électorale permanente et qu'il gouverne ! » grondent les élus, en rentrant de leurs circonscriptions. « Ah ! elle est belle, la société libérale avancée. C'est la violence dans la rue, la pornographie qui s'étale [elle sera prestement réglementée] les soldats qui manifestent, les lycéens qui défilent, le gouvernement qui dialogue avec les prostituées [un M. Prostitution est nommé par le Conseil des ministres du 7 juillet 1975]. C'est le relâchement des mœurs, le culte de la jouissance avec l'avortement, la contraception, le divorce. Bref, c'est l'anarchie, c'est la chienlit ! »

Voilà ce que répètent désormais, semaine après semaine, les députés gaullistes de base, reçus à déjeuner à Matignon. « Que l'on cesse donc de faire la politique de nos adversaires. Nous irritons notre clientèle sans gagner une voix à gauche », ronchonnent-ils.

Ces grognards de l'UDR se sentent confortés dans leur allergie croissante à l'égard du président par deux indices : Matignon laisse voir sous le manteau un sondage confidentiel selon lequel la réforme de l'entreprise, dont on parle si haut et si fort, n'intéresse réellement que 3 p. 100 des Français. En revanche, aux élections cantonales partielles, l'UDR, qui sait, bien sûr, ce que sont la vigueur, la fermeté et la clarté, a gagné globalement 6 p. 100 des suffrages. CQFD : la France profonde est UDR. Les députés gaullistes n'en doutent pas et se convainquent chaque jour davantage que le président commet, au sujet des Français, un contresens psychologique et politique qu'ils auraient bien tort de ratifier.

Jacques Chirac est-il gagné par la contagion ? En privé, il s'avoue de plus en plus impatienté par la réformite, alors qu' « on ne s'attaque pas aux véritables privilèges et aux véritables réformes de structures ». Une figure de rhétorique dont l'impact tient tout entier dans le mystère et dans le flou. « Faisons plutôt la participation », chantent en refrain les députés gaullistes, comme à chaque fois que l'on veut déranger leurs habitudes. (Lors de la discussion du projet de loi sur la construction, l'UDR André Fanton propose la création d'un impôt foncier et une taxe sur les patrimoines. VGE et Jacques Chirac s'y opposent.)

Selon la formule de rigueur, la rentrée d'automne est chaude. La mauvaise humeur grommelée tourne à l'antipathie proclamée. Le pompidolien René Ribière écrit aimablement dans *le Monde* : « On a dit souvent du libéralisme de Benjamin Constant qu'il était une sorte de philosophie politique de l'irrésolution... Je crains que la société libérale de type avancé ne se situe dans la postérité directe de ce libéralisme-là. » Voilà qu'apparaît le thème de l'irrésolution présidentielle.

En novembre, au comité central de l'UDR, Michel Debré en personne s'exclame : « Si Chirac n'était pas Premier ministre, combien de nos compagnons se reconnaîtraient dans toutes les oppositions ? » La longue marche du maire d'Amboise vers les frontières de l'opposition commence.

Le même jour, Alexandre Sanguinetti enjoint aux compagnons gaullistes de ne pas confondre le libéralisme, « qui permet tous les laxismes », avec la liberté. Il veut bien admettre la légalité du chef de l'Etat, mais il met en doute à voix haute sa légitimité, au sens gaullien du terme. Mal lui en prend, car, en toute légalité, l'Elysée lui retire sur-le-champ une présidence rémunératrice et point trop accaparante, celle de l'ORSTOM (Office de la recherche scientifique et technique d'outre-mer), dont la « légitimité » n'éclatait pas.

A travers les charges de l'impétueux Sanguinetti, le thème ambigu de l'illégitimité du président se profile à son tour pour la première fois. « Quand le monarque est suffisant, le Premier ministre l'assiste, quand il est insuffisant, le Premier ministre le supplée », déclare un baronnet pompidolien, avant de conclure : « Nous voulons que Chirac gouverne. » Curieuse conception pour une famille politique qui soutient depuis vingt ans la thèse de la primauté nécessaire du chef de l'Etat.

Pendant que ses troupes s'emportent, tempêtent et conspuent l'Elysée, Jacques Chirac fait officiellement de sa loyauté un rempart fièrement dressé autour du président. « Nous sommes loyaux parce que nous sommes responsables », dit-il.

La limpidité de ses sentiments se trouble, toutefois, de quelques équivoques : à Dijon, fin novembre, le Premier ministre accompagne le chef de l'Etat, lequel, dans un discours sévère, enterre sans fleurs ni couronnes les grands projets de réforme régionale (l'explosion corse de l'été a refroidi son désir de changement, au moins sur ce terrain-là). Les réformateurs devraient prendre le deuil et les gaullistes se réjouir. Or, que voit-on aux pieds de la tribune officielle ? Des militants gaullistes agitant sous le nez du président des pancartes sur lesquelles on peut lire : « Chirac président ! » « Quelles sont donc ces pancartes ? » interroge d'un air pincé Valéry Giscard d'Estaing.

Quinze jours plus tard, les jeunes gaullistes récidivent. Lors de leur réunion du Bourget, les 5 et 6 décembre, ils scandent :

« Chirac président ! Chirac président ! » à l'arrivée du Premier ministre. Jacques Chirac jurera ses grands dieux qu'il n'y est pour rien. Il dit sans doute vrai. Cependant, dans les partis bien organisés comme l'UDR, les improvisations sont rares.

Dans le climat frisquet qui s'instaure entre le président et Jacques Chirac, l'Elysée doute fort de la candeur de Matignon. En l'occurrence, l'innocent est tout de même un peu coupable. Car au même moment, les trois conseillers les plus proches du Premier ministre (Pierre Juillet, Marie-France Garaud et René Tomasini) s'emploient activement autour de leur patron : pour eux il s'agit de rien moins que réfléchir à des élections législatives anticipées. Leur raisonnement a sa logique : les Français sont irrités, le style du président passe mal, la crise économique s'aggrave, la situation électorale risque de se détériorer. En faisant voter le pays impromptu, la gauche sera prise de court. Jacques Chirac mènera tout naturellement la bataille, à la tête de l'ensemble de la majorité. La majorité vaincra. L'UDR verra sa position renforcée. Personne, chez les centristes, les réformateurs et autres giscardiens, ne pourra plus contester l'autorité de Jacques Chirac. Ce sera, sous le règne de Valéry Giscard d'Estaing, la revanche du pompido-lisme. Un sondage secret leur donne toutes ces assurances.

Pour le Premier ministre, nul doute que ce scénario serait effectivement avantageux. Mais s'ils manifestent ainsi le plus grand souci de l'avenir de leur poulain, les conseillers de Jacques Chirac traitent le chef de l'Etat comme un monarque qu'il faut réduire.

Le député-maire de Périgueux, Yves Guéna, alors fort chira-quien, résume en 1980 : « Ils projetaient de gouverner. Ils auraient généreusement laissé Versailles à Giscard pour donner des dîners. »

Cependant, le Premier ministre lui-même n'est sans doute pas encore décidé à guerroyer contre le chef de l'Etat. En revanche, il est bien convaincu de la nécessité d'élections anticipées : « J'y ai pensé bien avant 1975 », confirme-t-il d'ailleurs aujourd'hui.

Quoi qu'il en soit, en cette fin d'année 1975, ces bleus à l'âme n'entraînent pas encore de rupture avec le président. Mais l'hypothèse est là. En coulisses, on la chuchote. La rumeur va grandir...

7

La rupture

Rien ne divertit plus le bon peuple que les malheurs des grands. Quand les rois et les reines souffrent mort et passion, et se déchirent comme des manants, on sourit dans les chaumières : des larmes coulent donc dans les palais dorés ! De même, rien n'exalte autant la classe politique que ces heures chargées d'électricité, traversées d'imprévus, secouées de péripéties, qui scandent la désagrégation lente des couples au pouvoir.

La nuque encore frémissante de plaisir, le regard encore chaviré de voyeurisme féroce, le Tout-Etat se remémore la pesante agonie du mariage de Gaulle-Pompidou. L'on se souvient avec gourmandise des mille et un grincements et des chuchotis vinaigrés annonciateurs de la rupture Pompidou-Chaban. Pour ceux qui hantent la salle des Pas-Perdus du Palais-Bourbon et les couloirs feutrés du Sénat, ces atmosphères de fin de règne valent presque des bains de jouvence. Le phénix renaît de ses cendres, la classe politique retrouve sa jeunesse et son allant quand les tandems président-Premier ministre se désintègrent douloureusement.

Jouissance suprême : il faut prendre parti, choisir son camp, s'apitoyer, rapporter les rumeurs, changer d'amis, parfois de convictions, applaudir, gémir, espérer, triompher ou prendre le deuil. Le cruel et le cocasse se prennent par le bras. Enfin, l'on vit et l'on revit !

Aux heures les plus douces de 1974, déjà, dans le sérail politique, les pythonisses les plus goulues se lèchent les babines. Ah, comme le spectacle promet ! Quelles belles étincelles, quels corps à corps féroces en perspective, quand Valéry

Giscard d'Estaing et Jacques Chirac, après avoir uni leur jeunesse, leur fougue et leurs rêves pour le meilleur et pour le pire, se découvriront rivaux plus que complices, et bientôt adversaires plus qu'amis !

Déjà ces vieux gourmets de la discorde savourent un divorce qui s'annonce si bien. Depuis longtemps, tout le monde le sait : ces deux-là n'ont rien en commun. C'est l'eau et le feu, ce président trop optimiste, rêvant à voix haute d'une France mondialiste, libérale et gouvernée au centre par une majorité nouvelle, et ce Premier ministre impulsif, activiste, aimant la discipline, les ordres tranchés et le commandement (surtout quand il l'exerce), persuadé que l'avenir appartient aux nations fortes et aux régimes musclés et réfractaire aux volutes et autres arabesques giscardiennes.

En ce début du mois de janvier 1976, à plus d'un signe on s'en persuade : le premier acte du drame est engagé. Non seulement le Premier ministre n'est toujours pas promu chef de la majorité, non seulement le Très Haut se refuse, avec une obstination souriante, à un partage des tâches, mais, par deux fois, VGE inflige — et publiquement — à Jacques Chirac la démonstration que le pouvoir et l'impulsion résident plus que jamais à l'Elysée. « Il ne me laisse rien faire », gémit rageusement le futur maire de Paris. (Si Jacques Chirac n'a aucune influence sur la stratégie globale, il peut tout de même stopper net ce qui le hérisse : par exemple, la publication du rapport Granet sur le livre, ou bien l'adoption du rapport Deniau sur l'agriculture. Il se fait même écouter, dit-il, sur des sujets aussi directement présidentiels que la défense.)

11 janvier : remaniement gouvernemental. « Simple réaménagement technique », selon le chef de l'Etat à la télévision. Un coup dur pour Jacques Chirac. Les membres du gouvernement sont nommés par le président de la République « sur proposition du Premier ministre », précise la Constitution. Or, cette fois, les apparences ne sont même pas sauves. L'Elysée rappelle brusquement Jacques Chirac, le dimanche matin, de Corrèze. Le Premier ministre est poliment consulté, mais chacun sait que la liste des noms est déjà établie. Le leader de l'UDR est convoqué beaucoup plus pour la ratifier que pour en délibérer.

Très ostensiblement, le président, comme s'il voulait réduire le rôle de son Premier ministre, a pris l'avis des autres chefs de la majorité, Michel Poniatowski et Jean Lecanuet. Celui-ci confirme en 1980 : « J'ai toujours été consulté pour la formation des gouvernements. »

Or, depuis plusieurs semaines, il n'en faisait pas mystère, Jacques Chirac souhaitait gouverner avec une équipe plus restreinte, donc plus solidaire. Au cours de son voyage officiel aux Antilles quelques jours plus tôt, à Noël, il s'était même fait fort, devant des journalistes, d'obtenir « le retrait des ministres bavards ».

C'est tout le contraire qui se produit. Le gouvernement devait perdre du poids, il prend de l'embonpoint. Jacques Chirac voulait réduire le nombre des excellences, celui-ci passe de trente-sept à quarante-trois. Le Premier ministre voulait écarter les ministres prolixes, Michel Poniatowski, Jean-Pierre Fourcade et Françoise Giroud sont bel et bien confortés dans leurs citadelles respectives. Quant à Jean Lecanuet, garde des Sceaux, il est promu ministre d'Etat, devenant ainsi l'alter ego, le jumeau du ministre de l'Intérieur.

Jacques Chirac aimerait bien s'en réjouir — l'ami intime du président paraissant, dès lors, banalisé, il n'est plus le seul numéro deux, selon le protocole. Au lieu d'en rire, il lui faut en pleurer. Car cette ascension du leader centriste consacre surtout la réduction de la distance entre le Premier ministre, le ministre de l'Intérieur et le garde des Sceaux. Ainsi les trois symboles des trois familles de la majorité — UDR, RI et réformateurs — sont-ils collectivement honorés.

« Vous vous êtes fait manœuvrer comme un trompette », gronde Pierre Juillet, en épluchant la liste du gouvernement devant un Jacques Chirac marri et vexé.

Episode plaisant mais édifiant : à l'occasion de ce remaniement, Jacques Chirac fait venir dans son bureau le secrétaire d'Etat Norbert Segard (membre du gouvernement depuis 1974), ce Lillois peu sectaire, d'origine chrétienne-démocrate, qui aimait bien de Gaulle a préféré jusqu'ici le statut assez flou d'apparenté au groupe gaulliste. Il n'a jamais adhéré à l'UDR. Il est tout entier dans la majorité, mais il n'appartient à aucune branche bien précise de la famille. Il est un légitimiste œcuménique.

Le Premier ministre lui explique : « Pour des questions de dosage politique, il faut étoffer le contingent gaulliste. Tu vas prendre l'étiquette UDR. C'est un service que je te demande. Giscard est d'accord. » Le ministre s'incline. Si cela fait tant plaisir au chef du gouvernement et si tout le monde est d'accord...

Deux jours après le remaniement, Norbert Segard se trouve face à Valéry Giscard d'Estaing, qui l'interroge au détour d'une phrase : « Alors, monsieur le secrétaire d'Etat, vous avez voulu adhérer à l'UDR ? » Et celui-ci, un peu surpris, de raconter son entrevue à Matignon. Quel n'est pas son étonnement : sous ses yeux, le chef de l'Etat intime, par téléphone, à son Premier ministre, l'ordre de les rejoindre sur-le-champ. Jacques Chirac arrive. L'air embarrassé, il doit bien expliquer qu'il a un peu forcé la main au ministre et anticipé les propos du président. Simple malentendu, bien sûr. Ainsi la rivalité politique entre VGE et Jacques Chirac peut-elle passer aussi par une guerre de dosage assez saugrenue.

Le nouveau ministre d'Etat, Jean Lecanuet, pavoise et savoure bruyamment ce beau succès de l' « orientation européenne du président ». De son côté, le chef de l'Etat se réjouit à la télévision de la consécration d'un homme du centre.

A l'UDR, on fait grise mine. Les nez s'allongent. Certes, le ministère de la Coopération échappe aux centristes (Pierre Abelin a quitté le gouvernement) et revient aux gaullistes, le nouveau titulaire étant le député-maire de Royan, Jean de Lipkowski. Certes, cinq ministres et huit secrétaires d'Etat restent en place.

Mais l'inquiétude des gaullistes vient de l'entrée en force de deux européens de renom. L'un s'appelle Raymond Barre. Cet universitaire corpulent à la silhouette de monsignor est un professeur d'économie politique bien connu. Il a publié un lourd traité — un grand classique que les étudiants éprouvent toujours quelques difficultés à digérer, sans pouvoir pourtant s'en passer. Le général de Gaulle qui le respectait, l'appréciait, le consultait l'avait expédié à Bruxelles comme vice-président de la Commission de la Communauté. C'est un européen convaincu et réaliste. Il entre au gouvernement comme ministre du Commerce extérieur. VGE veut l'éprouver aux affaires. Peut-être songe-t-il alors en faire un jour un ministre des Finances...

L'autre s'appelle Jean François-Poncet. Le président en fait un secrétaire d'Etat au Quai-d'Orsay auprès du ministre Jean Sauvagnargues. Chacun comprend aussitôt que ce n'est qu'une étape. Ce fils de famille blond et fin, brillant et parfois cassant, a tout ce qu'il faut pour déplaire aux gaullistes. Il a toujours

212

combattu l'UDR aussi efficacement qu'il a pu. Sacrilège suprême, il a défié le Général lui-même, critiqué sa politique extérieure et soutenu ses adversaires. Il a été, aux côtés de Maurice Faure (aujourd'hui député-maire radical de Cahors), l'un des négociateurs pour la France du traité de Rome.

Pierre-Christian Taittinger, lui aussi, fait une entrée observée avec curiosité par les connaisseurs. On lui confie le secrétariat d'Etat aux Collectivités locales, avec une mission toute spéciale : préparer la mise en œuvre du nouveau statut de Paris. Chez les gaullistes, on n'ignore pas que ce grand bourgeois long et distingué, qui pourrait, sans détonner, figurer sur une photo de famille du président de la République, a une carrière toute tracée : l'Elysée veut en faire le premier maire élu de Paris.

Autre indice inquiétant pour le Premier ministre : l'apparition d'une étiquette toute neuve — « majorité présidentielle ». Plusieurs nouveaux membres du gouvernement l'adoptent sur l'injonction aussi ferme que courtoise de la présidence. Quatre bons élèves, quatre favoris de l'Elysée l'arborent fièrement : MM. Barre et François-Poncet — justement —, puis Alice Saunier-Seïté et Lionel Stoléru, qui viennent d'être nommés respectivement au secrétariat d'Etat aux Universités et aux Travailleurs immigrés.

La morale de cette petite histoire n'échappe pas à l'UDR : c'est un indice supplémentaire de la volonté giscardienne de bien marquer la primauté du président et l'évolution des contours de la majorité.

L'Elysée rend publique la lettre directive semestrielle, qui fixe souverainement au Premier ministre les orientations du gouvernement. Elle pourrait s'intituler : « Je maintiendrai. » La réforme demeure à l'ordre du jour. VGE refuse de céder à ceux — ils sont légion — pour qui la crise commanderait une pause.

Pourtant les axes ne changent guère. Sont annoncées comme l'année passée, cette réforme de l'entreprise qui agite tant le patronat, cette taxation des plus-values qui inquiète tant les propriétaires, cette réforme du financement de la construction qui frustre tant les professionnels et cette revalorisation du travail manuel qui fait tant de sceptiques.

Le Premier ministre fait la grimace. Pour lui, le changement signifie qu'il n'y a rien de changé. Et le climat s'aigrit franchement. Les ministres le ressentent, même si les apparences sont maintenues. « L'atmosphère était très tendue », disent-ils unanimement.

L'un des rares vrais amis du Premier ministre au sein du gouvernement, René Tomasini, raconte : « En Conseil, Jacques se plongeait souvent dans ses dossiers, les lunettes relevées sur le front. A plusieurs reprises, Giscard l'a rappelé ironiquement sur terre, en lui suggérant de porter quelque intérêt plus visible aux travaux du Conseil. » « J'avais l'impression de côtoyer un marteau-piqueur, plaisante Jean Lecanuet. Le Premier ministre manifestait son malaise en agitant frénétiquement les jambes. La table du Conseil en vibrait. » Ce que Françoise Giroud évoque d'une manière plus acidulée : « Il semblait que Jacques Chirac allait, de ses grandes mains et de ses grands pieds, soulever la table, tel un squale furieux. »

Nos excellences ne se montent pas la tête : entre le président et son Premier ministre, la lune de miel est bien finie. Le doute et la suspicion ont remplacé la confiance. Claude Labbé, lors d'un déjeuner à l'Elysée, au printemps raconte : « J'ai vu que rien n'allait plus entre eux deux à la façon dont Giscard regardait Chirac. Tout ce que celui-ci disait semblait révulser le président. »

En 1980, le maire de Paris raconte : « Dès le début de l'année 1976, j'ai dit au président : " Il faut que vous cherchiez un autre Premier ministre. " Il ne me croyait pas. » Il avait bien tort. Quasi quotidiennement, Pierre Juillet répète à son protégé : « Vous allez vous user, à faire appliquer une politique dont vous ne voulez pas. Giscard, ce n'est pas le gaullisme. Il faut quitter Matignon. » D'autres aussi le pressent de s'en aller. Le plus véhément est, comme toujours, Alexandre Sanguinetti.

D'ailleurs le Premier ministre est déjà plus qu'à moitié convaincu. Dès cette date, il ne se pose qu'une seule question : « Quelle est la meilleure façon de partir ? » Un de ses proches collaborateurs le révèle : « Au début de l'année, Jacques voulait que Giscard le renvoie, il ne voulait pas démissionner. » En dehors même des deux intéressés, beaucoup le sentent : l'attelage va bientôt se briser et les fausses notes ne passent pas inaperçues.

A gauche, au contraire, malgré le contentieux, on sent une fois de plus les ailes de la victoire repousser. Un signe ne trompe pas : à grands fracas, Georges Marchais décrète soudain l'abrogation du dogme sacré de la dictature du prolétariat. Ses camarades, qui préparent laborieusement leur

XXIIᵉ congrès, apprennent la nouvelle en même temps que les bourgeois, par la presse.

La dictature du prolétariat rappelait encore un peu trop l'homme au couteau entre les dents et la violence révolutionnaire. Au grenier ! Si le secrétaire général du Parti communiste décide de s'en dépouiller sans autre forme de procès, ou scandale, c'est bien qu'il n'en a plus besoin : il croit aux chances de la victoire de la gauche. Tout le monde l'a compris.

Dans ce drôle de climat — un gouvernement où l'on ne s'entend pas, une gauche qui joue à *Je t'aime, moi non plus*, une crise économique qui assombrit les esprits —, on s'achemine vers les élections cantonales du mois de mars. Elles constituent une nouvelle péripétie de l'irrésistible dégradation des relations entre Valéry Giscard d'Estaing et Jacques Chirac. Les deux hommes divergent dès le départ.

Le chef de l'Etat voudrait soigner ces Français trop facilement atteints d'électoralite chronique. « Ce climat de campagne électorale permanente est nuisible pour la France », dit-il. Alors pourquoi politiser des élections locales à caractère si évidemment administratif, pourquoi vouloir remettre en cause le destin de la société tous les six mois ? Et si l'on calmait un peu le jeu ?

Dès le 14 janvier, il déclare à la télévision : « Il n'y aura pas de combats électoraux en 1976. » Il précise encore, le 22 février, sur les ondes d'Europe 1 : « Ces élections ne sont pas de nature politique. »

Le président n'est pas le seul de son avis. Autour de lui, on dédramatise de bon cœur. Dans un déjeuner de presse, Michel Poniatowski affirme : « Les élections cantonales se traduiront dans l'ensemble par une grande stabilité pour la majorité. » Il se fie sans doute un peu trop aux rapports de ses préfets de région, qui (à l'exception de celui de Bordeaux) ne discernent pas la moindre menace de marée noire pour la majorité.

Officiellement, Jacques Chirac ne dit pas autre chose. Il déclare à plusieurs reprises : « Les élections cantonales sont des élections administratives. » Devant ses collaborateurs et même quelques journalistes, il se montre beaucoup plus réservé.

Par tempérament, le Premier ministre est toujours prêt à

enfourcher son destrier de bataille dès qu'il entend le mot
« élection ». Par nature, il s'impatiente de voir les formations
de la majorité manifester tant de mollesse dans la préparation
de ce scrutin (à l'UDR comme ailleurs).

Ces problèmes grotesques n'existeraient pas s'il était l'animateur politique incontesté de la majorité.

Faute de l'être, il refuse d'affronter François Mitterrand à la
télévision avant le premier tour, comme le souhaitait le
président de la République. Jean-Pierre Fourcade, à l'apogée
de sa faveur, se dévoue et le remplace. Il s'en tire avec les
honneurs. Valéry Giscard d'Estaing, qui admet plus volontiers
l'impact d'un bon débat télévisé que celui d'élections locales,
soir après soir, bombarde de conseils le ministre des Finances.

La gauche, elle, s'engage en revanche sans lésiner. « Les
cantonales sont des élections politiques », clament d'une
même voix les leaders de la gauche, qui escomptent bien
gagner du terrain. François Mitterrand promet : « Le Parti
socialiste obtiendra au moins 25 p. 100 des suffrages », et
Gaston Defferre assure : « Ce sera un avertissement à l'adresse
du gouvernement. »

Il est vrai que lorsque six ministres (dont le chef du
gouvernement), cent vingt députés et soixante-treize sénateurs
sont en lice, il est difficile de conserver à ces élections le
caractère paroissial que leur prête le président ! Il est vrai aussi
que les Français n'en font pas un enjeu très sérieux. Un sondage
de la SOFRES montre que 52 p. 100 d'entre eux ignorent tout
du visage et du rôle de leurs conseillers généraux.

Le dimanche 15 mars, la gauche pavoise. La majorité met un
crêpe noir à son revers. L'opposition totalise plus de 53 p. 100
des suffrages. Le Parti socialiste, flanqué des radicaux de
gauche, pulvérise tous les records et dépasse 28 p. 100 des
voix. Jamais la gauche n'a obtenu un tel score sous la
Ve République.

Un malheur n'arrive jamais seul : un sondage IFOP réalisé
entre les deux tours confirme la poussée socialiste et conclut
que si des élections législatives avaient lieu à ce moment, la
gauche l'emporterait aussi à l'Assemblée nationale.

Dans la majorité, c'est l'abattement général, la *deprimata*. Ils
sont des dizaines, députés ou sénateurs, qui, sous le choc,
s'interrogent, moroses, sur l'ampleur de la poussée socialiste.
Beaucoup y voient un tournant du septennat et les élus du

Palais-Bourbon tremblent pour leurs sièges. Les retrouveront-ils en 1978 ? Contrairement à ce que les états-majors et les leaders leur avaient assuré, ces élections locales prennent bien un air fâcheusement politique.

Il faut un responsable : Valéry Giscard d'Estaing est la victime désignée. N'est-il pas le premier à avoir dit et proclamé que ces élections n'étaient pas politiques ? Il a été personnellement sanctionné et presque désavoué dans son fief même du Puy-de-Dôme.

Dans le canton de Rochefort-Montagne dont il fut le conseiller général jusqu'en 1974, le républicain indépendant Claude Wolff se fait battre sur le fil par un adversaire socialiste qui multiplie par plus de trois les voix de son parti. Or, M. Wolff n'est pas un candidat comme les autres. Le président l'a installé dans le fauteuil qu'il occupait à la mairie de Chamalières. M. et Mme Giscard d'Estaing sont allés dîner chez lui la veille du premier tour des cantonales. Difficile de ne pas y voir un geste de mauvaise humeur contre l'Elysée...

La présidence fait mine de ne pas prendre l'aventure au tragique. Avec un million de chômeurs, on ne s'attendait certainement pas à des prouesses du côté majoritaire. Les politologues du château se rassurent en rappelant que les Français, peuple prudent mais frondeur, n'aiment rien tant que se défouler à l'occasion d'élections dont l'enjeu n'est pas directement politique. Cela leur permet de voter ensuite sans trop de regrets pour la majorité lors d'échéances plus importantes.

Les partis gouvernementaux ne se sont d'ailleurs pas donné beaucoup de mal. Dans plus d'un département, il a fallu l'intervention pressante des préfets pour susciter des candidats de la majorité, alors que la gauche multipliait et renouvelait les siens.

En somme, à l'Elysée, on murmure volontiers : « C'est la faute aux partis », alors que dans les états-majors, on peste : « C'est la faute à Giscard. » Comme dans la majorité les analyses sont parfois bien subjectives, on reproche même au président le grand dîner annuel du gouvernement qu'il a offert entre les deux tours. On blâme beaucoup la veste de smoking en velours vert qu'il arborait ce soir-là. Un signe irréfutable — juge-t-on — de sa frivolité. On se gausse des parties de scrabble, d'échecs ou de gin-rummy d'après dessert. Françoise Giroud, présente au dîner, assure même avoir relevé des propos gentiment impertinents contre le président à certaines tablées ministérielles.

Exagérée, injuste ou partiellement vraie, cette avalanche de critiques, de banderilles plantées dans le flanc élyséen, dénote tout de même un changement de climat. Au début de son septennat, VGE semblait protégé par la grâce, comme invincible. Or le charme se dissout. La crise économique assombrit de plus en plus les esprits, les querelles et les déconvenues de l'exécutif ressemblent soudain à des manières de sanctions.

Politiquement, le président paraît plus vulnérable et le résultat de ces élections cantonales est ressenti, dans le sérail majoritaire, non seulement comme un signe, mais aussi comme un sérieux avertissement.

Une défaite peut toujours en cacher une autre. Le soir du deuxième tour, le franc, victime de la tempête monétaire européenne et de la spéculation, mal défendu sans doute par ses partenaires, est obligé de sortir sans gloire du serpent. Le vendredi précédent, un « vendredi noir » selon les dirigeants de la Banque de France, il a fallu puiser un bon milliard de dollars dans les réserves de devises pour soutenir le cours de la monnaie nationale. Un train d'enfer, tout à fait impossible à maintenir. Il faut être réaliste et accepter l'échec. Le franc est ainsi dévalué de près de 4,5 p. 100 par rapport au mark. Ces déconvenues reflètent le scepticisme des experts sur la situation économique française.

Pour VGE, ce revers paraît autrement plus grave que les scores cantonaux auxquels s'attache la classe politique. D'autant que le président croyait bien avoir trouvé une parade au désordre monétaire, grâce à la coopération internationale. Il s'y employait personnellement beaucoup. Non sans mal, il avait réuni à Rambouillet, en novembre 1975, les principaux chefs d'Etat et de gouvernement occidentaux pour chercher un remède à la tourmente monétaire. Ce bel aréopage avait décidé que les banques centrales s'entendraient avant d'intervenir de concert sur les marchés des changes. Si chacun avait joué le jeu, ç'aurait été, de fait, une décision pertinente. Rayonnant, le président français célébrait alors l' « esprit de Rambouillet, fait de coopération et de responsabilité ».

L'entente franco-allemande se trouvait, bien sûr, au cœur du dispositif. L'amitié de Valéry Giscard d'Estaing et d'Helmut Schmidt la garantissait. Après deux jours de conversations entre eux, au mas d'Artigny près de Nice, en février 1976, le chef de l'Etat pouvait commenter avec espoir : « Rien ne justifie une modification des rapports de change entre le mark et le franc. »

Or tout ce dispositif-là vole en éclats. Toutes ces belles espérances, tous ces mécanismes ingénieux sombrent comme vaisseaux fantômes. Triste printemps !

En privé, Jacques Chirac, qui ne propose pas de solution de rechange, donne une explication de cette débâcle : « Par coquetterie, Giscard et Schmidt, en tête à tête, parlent en anglais sans interprètes, d'où une série de bourdes incroyables. » Le Premier ministre, piqué de n'avoir jamais été associé à ces décisions-là et sachant bien que le chancelier allemand le tient en piètre estime, n'est sans doute pas trop porté à l'indulgence.

Il n'empêche : Valéry Giscard d'Estaing est secoué et même, pendant quelques jours, désemparé par ces déceptions en chaîne. Auparavant, il était confiant et, plus tard, lorsqu'il essuiera de nouveaux échecs (quand Jacques Chirac s'emparera de la mairie de Paris), il se montrera combatif et décidé à prendre ses revanches. L'hypothèse d'une victoire de la gauche, dont les risques lui apparaîtront sans précédent, ne le découragera pas. Sans doute est-ce en avril 1976 qu'il paraît le plus pris de court. Il sort d'une période de calme relatif. Il va entrer dans une zone de batailles. Psychologiquement, il est encore au milieu du gué — la situation la plus inconfortable.

Pour réagir, le président consulte. Il reçoit tour à tour les principaux leaders de la majorité, entend leurs plaintes, leurs doléances, mais découvre peu de suggestions et encore moins de solutions dans leurs propos. Tout le monde est navré. Personne n'a de recette.

Personne... sauf Jacques Chirac ! Dès le lendemain du second tour, le Premier ministre a son plan dans la tête. Pour lui, tout est lumineux. La majorité vient d'essuyer un échec parce qu'il y a eu faute. « Chacun a fait cavalier seul, alors qu'il faut s'unir pour se battre. Si nous continuons ainsi, nous allons être transformés en chair à saucisse, dit-il. Désormais, il faut s'organiser, redonner à la majorité de l'espoir, du muscle et une identité. Puisque la gauche s'est organisée en bloc, il faut lui opposer un autre bloc. Le président de la République, élu pour sept ans, ne doit surtout pas monter lui-même au créneau. Il incarne la stabilité et garantit l'essentiel, il ne doit donc pas prendre les coups. Il lui faut un chef de guerre qui puisse s'exposer, polémiquer, attaquer l'adversaire, donner des horions et en recevoir. »

Pour ce rôle, il n'y a pas trente-six candidats. Traditionnellement, le Premier ministre est fait pour cela et Jacques Chirac a, en outre, la chance de savoir ce qu'il veut : il faut désigner l'adversaire principal — François Mitterrand — et le dénoncer comme un révolutionnaire (conscient ou pas), cesser de flirter avec la gauche, remiser les réformes qui choquent, penser davantage à l'électorat de la majorité et se battre autour de quelques thèmes que chacun comprendra (défense des libertés, expansion, politique sociale généreuse). Il faudra établir un projet de société commun à toutes les formations de la majorité, une sorte de charte libérale, un contre-programme commun, en somme. Et puis, une fois l'élan donné, la confiance restaurée, la majorité mobilisée, il s'agira de créer un grand choc dans l'opinion, former un gouvernement de combat plus resserré et plus ardent et prendre la gauche de vitesse. En un mot, faire des élections anticipées. Le fameux rapport secret élaboré à Matignon est apporté au président, comme pour mieux le convaincre que, derrière ce déploiement d'énergie, il y a bien une analyse et, en viatique, un sondage éloquent.

Tactiquement, le plan Chirac a le mérite de la cohérence et de la vigueur, même s'il ne paraît pas d'une nouveauté idéologique suffocante.

En signe de bénédiction, le Premier ministre demande au président l'autorisation d'installer officiellement auprès de lui Pierre Juillet, son conseiller officieux. Avec Georges Pompidou, il a contribué à mener la majorité au succès. S'il vient auprès de Jacques Chirac, l'histoire se répétera. Pierre Juillet n'est-il pas, d'ailleurs, l'inspirateur de ce petit cours accéléré de stratégie électorale ?

Le président de la République reçoit de temps en temps cette éminence discrète, qu'il tient en haute estime : il a fait ses preuves sous le règne de son prédécesseur et, en 1974, il a mieux que quiconque fait le « bon choix ». En 1980, les collaborateurs de l'Elysée le disent encore : « Aux yeux du président, Juillet allait devenir un consultant précieux, mais surtout un modérateur de l'impétueux Premier ministre. » (VGE le pensera longtemps encore, puisque Pierre Juillet sera invité à une chasse présidentielle à Rambouillet, en décembre

1976, six mois après la rupture entre le Président et son chef de gouvernement.)

En résumé, Jacques Chirac demande l'officialisation symbolique du rôle de son mentor, l'intronisation du Premier ministre comme coordonnateur de la majorité, un remaniement vigoureux et des élections anticipées dans un proche lointain. A tout cela, Valéry Giscard d'Estaing répond deux fois oui et deux fois non : oui sans hésitation pour Pierre Juillet, oui sans enthousiasme pour la coordination, non pour les élections anticipées et non pour le remaniement. C'est, en tout cas, ce qu'il laisse entendre au Premier ministre, explicitement pour les oui, implicitement pour les non.

Le chef de l'Etat, qui n'a jamais cru à l'efficacité d'élections anticipées, en veut moins que jamais. Les électeurs, pense-t-il, pourraient y suspecter une manœuvre, les observateurs y dénoncer une contradiction avec la volonté actuellement affichée de dédramatiser la vie politique. Et les sondeurs, plus prosaïques, laissent prévoir une défaite, laquelle, étant déclenchée par le pouvoir, ressemblerait fort à un acte manqué ou à du masochisme involontaire.

A 20 heures, le mercredi 24 mars, les Français ont une surprise : après le rituel *Chant du départ,* ils découvrent sur le petit écran un curieux VGE. Il n'est plus tout à fait le même, ni tout à fait un autre. Cet inconnu dans la maison est vêtu d'un triste costume, il se tient raide, presque guindé. Les mains sont posées à plat sur la table, inutiles, comme deux oiseaux morts. Le regard est sombre, le masque figé, l'élocution même est hésitante, il trébuche sur certains mots. Le fringant Valéry de 1974 n'est plus. A sa place, un quinquagénaire ennuyeux et maussade apparaît ce soir-là. 46 p. 100 des Français en gardent une fâcheuse impression.

« Se veut-il grave ? On le trouve triste. Se compose-t-il un visage sérieux ? On le dit crispé. S'il fuit tout éclat, il paraît terne et, s'il convient, beau joueur, que les résultats des élections cantonales ont traduit " une insatisfaction et une inquiétude ", on déclare qu'il est sur la défensive... La chance abandonne ce grand jeune homme courtois et sobre qui n'avait jamais encore rencontré sur son chemin aucun obstacle », écrit Jean Daniel dans *le Nouvel Observateur.*

Le plus heureux, ce jour-là, s'appelle sans doute Jacques Chirac. Il a réuni spécialement autour de lui, à Matignon, les gaullistes André Bord et René Tomasini, les centristes Jean Lecanuet, Michel Durafour, André Diligent et André Rossi, les giscardiens Michel Poniatowski et Jean-Pierre Fourcade. Tout ce beau monde a été convié à entendre, un verre à la main, l'allocution du président.

Le Premier ministre est enchanté. Il a un mot aimable pour certains, s'empresse auprès de tous. Il croit avoir gagné. Et il savoure chaque propos présidentiel : lorsque l'opposition est rebaptisée « collectivisme » (voilà enfin l'ennemi désigné), quand il est précisé que les réformes seront d'abord achevées (signe de pause : on ne va donc pas ouvrir de chantiers nouveaux), le Premier ministre exulte. Le président trouve de bonnes paroles pour les familles, les personnes âgées, les jeunes à la recherche d'un emploi. (Enfin du solide et du concret !)

Quand le président annonce : « Je confie à Jacques Chirac le soin de coordonner et d'animer l'action des partis politiques de la majorité [...] en me rendant compte des initiatives qui seront prises », c'est l'apothéose. Certains invités font discrètement la moue. En sortant, Ponia se défoule et déclare en ronchonnant devant ses collaborateurs : « La coordination, c'est de la foutaise ! » Le jour même, Ponia doit faire supprimer des colonnes du *Figaro* une interview dans laquelle, avec obstination, Roger Chinaud affirme : « Le chef de la majorité est le président de la République. »

Le président a donc ratifié en partie le plan Juillet-Chirac. Dans la classe politique, tout le monde n'est pas chagriné. A l'UDR, bien sûr, on se félicite bruyamment. Certains élus giscardiens, qui ont senti le vent du boulet et qui veulent avant tout conserver leurs sièges, sont presque soulagés. Après tout, peu importe si l'UDR risque, dans l'affaire, de conserver la majorité de la majorité. L'essentiel n'est-il pas d'être réélus tous ensemble aux législatives de 1978 ?

Valéry Giscard d'Estaing est moins satisfait : « Une heure après sa prestation, il avait déjà compris qu'il avait fait fausse route et il le regrettait », témoigne l'un de ses proches. Le président a accepté de jouer un rôle de composition, poussé par Pierre Juillet (les mains à plat sur la table, c'est son idée). Il a forcé sa nature et exposé un plan qui n'était pas le sien, dans un langage qui était celui d'un autre. Lui, qui est d'ordinaire l'aisance même devant les caméras, a dû recommencer par trois fois l'enregistrement. Déjà, il le sent, il a eu tort. Il en conçoit sur-le-champ un scepticisme irrité pour toute cette stratégie et ses inspirateurs. Il va bien falloir laisser tenter l'expérience. Il la sait déjà condamnée et il ne fera rien pour qu'elle réussisse.

« Il ne me semblait pas, pourtant, que nous étions encore à l'époque où les rois avaient besoin, auprès d'eux, d'un maire de Palais. Mais d'ailleurs, comment donc s'appelaient ces rois-là ? » s'interroge ironiquement François Mitterrand. Des propos que Ponia juge « bêtes et méchants », avant de riposter : « L'opposition conduit la vie politique en France à une situation de guerre civile sans armes. »

Pour sa part, Jacques Chirac considère que le numéro un socialiste a eu des paroles « inadmissibles ». Il se console en entamant sa coordination au triple galop. D'abord, il rassure les médecins mécontents, se réconcilie avec les avocats, reçoit les huissiers, cajole les cadres, soigne les agriculteurs — autant de soutiens classiques de la majorité qui ont besoin d'être rassérénés.

Mais surtout, on le voit bondir à Nice, où les députés giscardiens sont réunis. Quand il s'écrie : « La caractéristique de notre majorité est d'être fondamentalement unie sur l'essentiel. [...] Il faut faire taire les rivalités et les dissensions. [...] Notre tâche est claire : il nous faut mobiliser l'ensemble des Français, en leur donnant conscience des dangers de la gauche qui les guettent. [...] Il nous appartient de soutenir le chef de l'Etat », il est très applaudi.

Propos martiaux et bien calculés. Le Premier ministre montre ainsi son appétit d'action et sa volonté de diriger les manœuvres avec juste ce qu'il faut de dynamisme pour ne pas trop inquiéter le château, ni effrayer la troupe giscardienne.

« Bon vent, Jacques, bon vent... Monsieur le coordinateur, vous pouvez compter sur l'ardeur des républicains indépendants autant que le président compte sur vous pour remplir la mission qu'il vous a confiée », répond chaleureusement, mais avec une pointe d'équivoque, le président du groupe parlementaire, Roger Chinaud. Echange de bons sentiments, d'autant plus appuyés qu'ils ne sont pas sans mélange et dont la relecture quelques mois plus tard ne manque pas de piquant.

Quatre jours plus tard, voilà Jacques Chirac à Saint-Jean-de-Luz. Cette fois, devant les parlementaires UDR. Là, il est littéralement plébiscité dans une atmosphère euphorique et rengorgée. « Nous gagnerons. La majorité restera la majorité », dit-il en martelant bien chaque mot à la tribune. Quand des journalistes lui demandent : « Et qu'est-ce qu'il y a de changé ? » Il répond : « Aujourd'hui, je parle au nom de Giscard, il n'en a pas toujours été ainsi. »

Le triomphe des gaullistes ne surprend pas. La situation nouvelle ne signifie-t-elle pas que leur prééminence est confirmée ? Plus d'un député UDR a, ce jour-là, le sentiment de signer un nouveau bail avec le pouvoir. Et plus d'un parlementaire a l'impression d'avoir devant lui le futur président de la République.

« Vive Chirac ! Chirac président ! Giscard démission ! » crient sur son passage quelques militants bien intentionnés et mal inspirés. Le Premier ministre ne tombe pas dans ce piège : il fait taire les brailleurs et admoneste même plutôt rudement, en aparté, Michel Debré, coupable d'avoir écrit dans le Figaro : « Le libéralisme a pris l'image de l'impuissance. Plus on le dit avancé, plus il apparaît impuissant. Il faut un gouvernement de salut public. » Mais après ce double succès, il est certain de sa mainmise sur la majorité tout entière : « Je vois les centristes le 5 avril. Les radicaux, je ne sais plus quel jour... Il n'y aura aucun problème, strictement aucun. »

C'est un peu optimiste, puisqu'à la même heure à Paris, devant le comité directeur du Centre démocrate, André Diligent renâcle avec véhémence, comme toujours. « Nous n'avons pas l'habitude de marcher au sifflet. Nous ne pouvons pas entériner un retour au pouvoir de l'Etat UDR. » Vifs applaudissements.

Pierre Abelin, ex-ministre de la Coopération de VGE, bougonne, lui aussi : « On nous avait promis l'Europe, la région, la réforme fiscale, la réforme de la loi électorale. Qu'avons-nous obtenu ? Pas grand-chose ! »

Au Parti radical, la réaction instinctive est catégorique. C'est non à Chirac ! Des militants demandent que leur parti échappe aux actions de coordination et d'animation confiées au Premier ministre. « Nous n'avons pas fait élire Giscard pour que le trio Chirac-Juillet-Garaud fasse la loi, disent-ils dans un communiqué. Nous refusons d'être les inconditionnels de ces gens-là. » L'appel est signé par une trentaine de membres du comité directeur.

L'ex-président du Parti radical, J-J S-S, qui va toujours plus loin que les autres, écrit dans son éditorial de l'Express : « En moins de deux semaines, le chef du gouvernement actuel a démontré qu'il n'est pas l'homme de la mission que lui a confiée le chef de l'Etat. » Comme le Premier ministre a écarté sans précautions la demande unanime du groupe réformateur de l'Assemblée nationale d'organiser un débat de politique générale, le directeur de l'hebdomadaire poursuit : « Son réflexe a été de reculer devant le dialogue. [...] Comment le gouvernement, sous la fausse autorité et la conduite irréfléchie de son chef, accepte-t-il de ridiculiser l'espérance ? » Et la couverture de *l'Express* porte en titre : « L'échec de Chirac. »

Le député de Nancy laisse même entendre que VGE était parfaitement au courant de l'existence de ce texte avant sa publication. Flottement courroucé à Matignon. L'Elysée fait répondre que le président serait bien inconséquent si, pour renforcer la majorité, il commençait par conseiller à certains de ses membres de s'installer aux confins de l'opposition.

« Attaquer le Premier ministre, c'est attaquer le chef de l'Etat », riposte aussitôt Jacques Chirac, avant de bondir au siège du Parti radical où, pour dissiper les réticences, il s'est fait inviter à la réunion du comité directeur. Il y fait grand étalage « du sang radical qui coule dans ses veines ». J-J S-S brille par son absence.

L'accueil est mitigé, à peine courtois même. Dans la salle, un militant ulcéré crie : « Au viol! » Un autre traite Jacques Chirac d' « homme de droite » — l'injure suprême dans cette famille politique. « J'en ai entendu d'autres », répond, sans se démonter, Jacques Chirac. Décidément, chez les réformateurs, la coordination patine d'entrée de jeu.

Ponia a-t-il trop compris qu'à l'Elysée l'emballement pour la coordination est bien faible ? Il joue déjà un tour à Jacques Chirac. Yves Guéna, tout juste intronisé nouveau secrétaire général de l'UDR — Albin Chalandon ayant décliné le poste —, raconte : « Ponia cherchait à mettre des bâtons dans les roues. Un jour, il a convoqué tous les secrétaires généraux des mouvements de la majorité pour discuter de la préparation des élections municipales sans prévenir Chirac. Celui-ci a piqué une colère et a convoqué sur-le-champ une contre-réunion. » L'incident est révélateur : le Premier ministre comprend que son plan sera aussi difficile à mettre en œuvre qu'il fut long à arracher au président.

La coordination ne passe pas seulement par la reprise en main des groupes parlementaires ; il faut aussi réaccorder les violons des chefs de la majorité, ce petit groupe dissipé au sein duquel chacun joue sa partition dans son coin. Mais les couacs vont subsister. Pendant quelques semaines, pourtant, chacun fait poliment mine de trouver soudain plus sympathique chacun de ses pairs.

Autour du petit déjeuner organisé tous les mardis matin par le Premier ministre, on se lance des mots presque aimables et des regards presque amicaux entre une gorgée de café et une bouchée de croissant. Jacques Chirac y met beaucoup du sien. Comme, lorsqu'il le veut bien, il a de la chaleur et de l'entrain, l'atmosphère est presque détendue. Est-ce bien efficace ? Il y a là Michel Poniatowski, silencieux et goguenard, Jean Lecanuet, souriant et sceptique, Michel Durafour, affable et circonspect. De Jean-Pierre Fourcade, on n'aperçoit que la brosse couleur paille. Il note fébrilement, sur un cahier d'écolier, chaque mot, chaque virgule, au grand dam de Jacques Chirac.

Gentiment ironique, l'ex-ministre du Travail raconte aujourd'hui : « Semaine après semaine, nous avions droit à des descriptions apocalyptiques de ce qui menaçait la France. Nous recevions des ordres adjudantesques : " Il faut faire ceci, il faut faire cela. Il faut dire ceci, il faut dire cela. " »

« Pendant qu'il jouait les chefs d'orchestre avec nous, s'indigne presque Jean Lecanuet, Jacques Chirac se rendait, sans nous le dire, auprès de tous les centristes et réformateurs en mal de regroupement. A chacun il disait : " N'allez pas vous noyer dans le magma centriste avec Lecanuet ou Ponia. Ils vont vous absorber, vous digérer, vous effacer. Moi, je vous promets un siège au Parlement et une circonscription. " Des promesses que certains écoutaient sans déplaisir. » (Dans cette affaire, décidément, personne ne joue franc jeu.)

En somme, le coordinateur s'emploie activement à empêcher la naissance de tout ce qui, de près ou de loin, pourrait ressembler à un rassemblement des centristes et des giscardiens — bref, de ce qui, plus tard, va s'appeler l'UDF.

En vain. Lors du rituel *breakfast* de Matignon, le 11 mai, Jacques Chirac explique : « L'événement le plus important du week-end, c'est la réélection de Jean Royer. Le maire de Tours l'a emporté au premier tour avec 56,09 p. 100 des voix, un beau succès pour une élection législative partielle, pour la majorité. » Tout le monde comprend : un beau succès pour la coordination.

Jean Lecanuet n'est pas du tout de cet avis. Bien entendu, il se félicite de la victoire de Royer. Mais elle ne l'étonne pas « C'est un grand maire, toujours élu chez lui. » Ce qui l'a frappé, en revanche, ce sont les propos que le secrétaire général de l'UDR, Yves Guéna, a tenus à Bergerac (Dordogne) ce dimanche-là. Il s'est prononcé pour des élections primaires généralisées aux législatives prochaines. Et le garde des Sceaux d'avancer que « s'il y a des candidats gaullistes dans chaque circonscription, il y aura aussi des candidats giscardiens ou centristes partout ». « Guéna a dit des bêtises », tente de minimiser Jacques Chirac.

Il n'empêche, quelques jours plus tard, l'unanimité se fait, au comité central de l'UDR, autour de cette idée de liberté des candidatures. Il y aura un candidat gaulliste dans presque chaque circonscription. Pour la coordination, c'est un tournant. Pas de clerc ou précipitation excessive, le mal est fait et la réplique ne tarde pas.

Le 22 mai, à Rennes, a lieu le congrès constitutif du CDS (Centre des démocrates sociaux). Il s'agit d'y célébrer le mariage du centre Démocratie et Progrès, de Jacques Duhamel, Joseph Fontanet et Jacques Barrot, avec le Centre démocrate de Jean Lecanuet, Pierre Abelin et André Diligent. Pour ces deux formations, où les chrétiens abondent, l'association en bonne et due forme paraît beaucoup plus convenable qu'un concubinage notoire, peu catholique.

L'événement politique ne tient toutefois pas à cette régularisation, mais à la péroraison de Jean Lecanuet. Dans son discours de clôture, il s'écrie : « A président réformateur doit correspondre une majorité réformatrice. C'est dans cette perspective que je serai conduit à proposer à mes amis réformateurs et aux républicains indépendants de s'organiser pour renforcer leur coopération et faire face aux échéances. » Comme dans une mise en scène bien huilée, à peine le leader centriste a-t-il fait cette proposition que Ponia applaudit à tout rompre par le biais d'un communiqué distribué à l'Agence France-Presse, où il précise pour ceux qui n'auraient pas compris : « Cela correspond à une évolution qui est souhaitable et nécessaire. » Après le mariage des centristes, voilà l'annonce publique de leur alliance avec les giscardiens.

A Matignon, le Premier ministre tombe des nues : personne ne l'a prévenu. Rien ne va plus. Il s'emporte. N'y a-t-il pas là un complot tramé dans l'ombre contre lui ? Ivre de rage, il appelle l'Elysée. En 1980, il précise : « Giscard m'a dit ne pas être au courant. On m'a laissé entendre qu'il devait encore s'agir d'un coup monté entre Ponia et Lecanuet. » Toujours blême de fureur, Jacques Chirac joint à son tour le garde des Sceaux, qui lui rétorque sans se démonter : « J'ai agi avec la bénédiction de l'Elysée. » Aujourd'hui encore, le maire de Rouen le confirme : « Le président m'a toujours encouragé à faire l'UDF. »

« Décidément, je ne comprends plus Giscard ! » explose le coordinateur devant ses principaux collaborateurs. Il a tellement l'impression que l'Elysée le manœuvre et se moque de lui qu'il annule sur-le-champ la réunion du mardi suivant. Il n'y en aura plus. La coordination se meurt, elle est morte à l'âge où vivent encore les roses. « Cela n'a pas marché parce qu'il a cru que la coordination, c'était la caserne », dit Edgar Faure qui fut son ami.

Au même moment, le Premier ministre convoque ses conseillers les plus proches : Pierre Juillet, Jérôme Monod, Marie-France Garaud et Jacques Friedman. « Dois-je m'en aller ? » interroge-t-il. Tous les avis concordent : c'est oui. « Nous n'avons rien de commun avec ces gens-là », ponctue même Pierre Juillet, qui, peu de temps auparavant, étant allé rendre visite à VGE pour lui demander la nomination de quelques amis politiques à des postes de confiance, s'est vu éconduire le plus courtoisement du monde.

Autour de Jacques Chirac, les collaborateurs de moindre rang se rendent parfaitement compte qu'entre l'Elysée et Matignon, les choses vont de mal en pis : « Nous étions devenus les huissiers de la présidence, se plaignent-ils. On ne nous écoutait plus, on nous tolérait de plus en plus mal. Seul Jérôme Monod trouvait encore grâce au château. On montait les ministres contre nous. »

Ce climat délétère rappelle aux plus avisés ou à ceux dont la mémoire est la plus fidèle la dégradation des rapports entre l'équipe du président et celle du Premier ministre au temps où Georges Pompidou et Jacques Chaban-Delmas allaient divorcer.

Si Jacques Chirac a l'impression d'être effrontément trompé par VGE, le chef de l'Etat n'est pas en reste : il a perdu sa belle confiance en son Premier ministre, il est certain que celui-ci ne joue plus le jeu.

Psychologiquement, c'est à ce moment-là que Jacques Chirac rompt les ponts avec l'Elysée. Le maître absolu de l'UDR ne doute plus de pouvoir construire son destin personnel sans tuteur. Il se sent prêt à prendre son envol. A l'opposé, le président ne cherche plus, dorénavant, qu'à exploiter jusqu'au bout les derniers avantages de cette collaboration expirante. C'est la technique du citron pressé.

Après quelques semaines de flottement et de réflexion, VGE a digéré ses échecs, médité, repris confiance. Il est remonté sur sa bête, comme on dit à Saumur. Des signes extérieurs l'encouragent : deux semaines après les cantonales, il a entrepris un voyage en Alsace. Comme au beau temps de sa campagne présidentielle, de Sélestat à Colmar, la foule est là, joyeuse, nombreuse, chaleureuse, on l'acclame, on lui sourit.

Puisant dans ces applaudissements une force neuve, il découvre, agréablement surpris, qu'entre la France profonde et lui le contact n'est pas rompu. Le courant passe toujours. Et comme l'Alsace c'est la France, il en conclut que la France l'aime bien. Les conseilleurs funèbres qui passaient tout au noir et le convainquaient presque de prendre le deuil l'ont donc trompé. On l'a « dindonné » (l'une de ses expressions favorites).

Nouvelle trahison : le 20 avril, *l'Aurore* imprime noir sur blanc ce qui se chuchote depuis quelques semaines dans les salles de rédaction les mieux renseignées : un rapport confidentiel circule à Matignon. Son auteur présumé se nomme Pierre Juillet, à moins que ce ne soit René Tomasini. Il préconise des élections anticipées et l'on y retrouve des arguments développés par certains dignitaires gaullistes bien intentionnés comme Olivier Guichard, peu suspect pourtant de vouloir servir les intérêts de Jacques Chirac. En un mot, selon ce rapport, il faut sauver les meubles, et mieux vaut une demi-défaite maintenant qu'une défaite complète dans deux ans.

Scandale à l'Elysée. Le président pense qu'on veut lui forcer la main. De même que Jacques Chirac a voulu savoir quelle part le président a prise dans le discours de Jean Lecanuet à Rennes, de même VGE s'enquiert et exige d'apprendre qui a organisé la fuite. L'ordre d'un double démenti est intimé au Premier ministre. Il ne doit pas y avoir de rapport Juillet. Il n'y aura pas d'élections anticipées.

Signe de représailles ? Dans sa conférence de presse du 22 avril, un petit mois après l'avoir intronisé coordinateur, le chef de l'Etat n'a pas un mot pour son Premier ministre. « Ce qui compte le plus, dit-il, c'est la réforme. Les députés de la majorité qui ne voteraient pas celle de la taxation des plus-values ne recevraient pas d'investiture pour les élections législatives. » Avis aux intéressés...

Quelques jours plus tard, la présidence annonce avec éclat la nomination de Jean Serisé (déjà chargé de mission auprès du président de la République) comme conseiller politique. Cet homme venu du mendésisme, souriant et malicieux, disert et discret, a fait ses preuves pendant la campagne présidentielle. Il a été directeur de cabinet de VGE ministre des Finances. A ce titre, il connaît mieux que quiconque les discours du président. Il peut en réciter de mémoire des passages entiers. Il a ce don précieux de les rendre, auprès de tiers, presque aussi séduisants que le souhaiterait son auteur. Il aime Giscard, ce qui est assez banal à l'Elysée. Il sait le faire aimer, ce qui est infiniment plus rare. Il pratique le hobby le plus pacifique et le plus « décrispé » du monde : la cueillette des champignons.

A Matignon, on ne s'y trompe pas : Jean Serisé peut être aussi un adversaire parfaitement redoutable. Par tempérament, il est enclin à la tolérance, mais, pour son maître, il sait se battre et mordre. Ainsi devient-il le pendant de Pierre Juillet, façon de signifier que l'influence du « père Joseph » de Jacques Chirac s'arrête désormais à la porte de Matignon.

Les deux hommes incarnent d'ailleurs deux politiques opposées : l'éleveur de moutons de la Creuse veut jouer bloc contre bloc la droite contre la gauche ; le ramasseur de cèpes du Béarn milite pour la conquête du centre gauche et des républicains avancés. Ils symbolisent l'abîme qui existe désormais entre le président et son Premier ministre.

Parallèlement, 1976 n'est pas, tant s'en faut, l'année de cette giscardisation de l'UDR, rêvée au début du règne. Autant d'initiatives présidentielles, autant de malentendus.

Premier dissentiment : le 23 mai, le président, en visite officielle aux Etats-Unis, y proclame sa « fidélité sans complaisance ». « La France n'est pas un sujet, mais un allié », confie-t-il au journal *Daily News*. Cela pourrait convenir aux gaullistes, qui n'ont pas non plus de raison particulière d'être choqués par la religion kennedyste du chef de l'Etat : « Il était pour moi un aîné, déclare VGE, sa tentative d'amener de la spontanéité et de la gaieté dans la vie publique fut et est toujours ce que le public attend, mais ce dont il se méfie aussi. Personnellement, j'essaie de faire le même genre de choses que lui », confie-t-il à quelques journalistes, avant d'aller déposer un bouquet de violettes sur la tombe du président assassiné.

En revanche, à l'UDR, les députés de base ricanent un peu lourdement de ce que VGE ait choisi La Nouvelle-Orléans — dans le seul Etat américain où l'on parle français — pour s'adresser à la population, dans un anglais d'ailleurs bien amélioré depuis le début de son septennat. Ils ne lui savent aucun gré de sa proposition, formulée en termes ambigus, de faire jouer à la France un rôle au Liban. Il est vrai que quand il s'agit du Proche-Orient, les controverses les plus aigres s'engagent avant même que l'on sache très exactement de quoi il retourne.

Mais ce que l'UDR obtient surtout de ce voyage, c'est une réponse à la journaliste américaine Flora Lewis, au cours de la célèbre émission *Meet the Press*. Citant de récents sondages selon lesquels une légère majorité de Français estimeraient que le président devrait démissionner si la gauche l'emportait aux élections législatives, la correspondante du *New York Times* interroge : « Qu'en pensez-vous ? » Et le président de rétorquer vivement : « La France n'est pas gouvernée par les sondages. La France est gouvernée par des institutions démocratiques. J'ai été élu pour sept ans, je resterai sept ans. C'est là ma responsabilité propre. »

Propos d'une grande fermeté. Si d'aventure la majorité présidentielle était battue, VGE ne s'avouerait pas vaincu. Il resterait en place pour accélérer la revanche et défendre les institutions. Voilà ce qu'il entend faire savoir.

Ces propos sonnent faux et hérétiques aux oreilles UDR. La troupe gaulliste n'imagine pas sérieusement — à tort ou à raison — qu'un chef de l'Etat, élu par une majorité donnée et sur des orientations définies, puisse rester en place si une majorité opposée sortait des urnes. (« Giscard sera chassé par les sans-culottes », avertit Jacques Chirac.) Les gaullistes s'offusquent de voir ainsi le président démobiliser les électeurs les plus faibles et les plus indécis.

Second dissentiment : la défense nationale. Pour les gaullistes, c'est le domaine sérieux par excellence. A plus d'un signe, ils suspectent une « déviation » présidentielle. L'analyse du projet de loi de programmation militaire, soumis au parlement à la mi-mai 1976, cristallise brusquement toutes ces appréhensions. Le rapporteur Joël Le Theule, député UDR de la Sarthe, qui connaît bien son dossier, éreinte littéralement le texte : « L'absence de renseignements chiffrés sur l'emploi des crédits autorise toutes les inflexions dans notre politique de défense, voire même un certain laxisme. »

Il y voit en particulier une tendance inacceptable au déclin relatif des crédits consacrés aux forces nucléaires et il déplore aussi l'arrêt de la construction du sixième sous-marin nucléaire lanceur d'engins (l'*Inflexible*). « On peut se demander, s'interroge à la tribune cet homme de mesure, si le renforcement de nos forces classiques ne se fait pas au détriment des forces nucléaires, malgré la priorité que l'on veut accorder à ces dernières. »

Il n'est pas le seul à s'inquiéter. Pierre Messmer, qui a été pendant neuf ans ministre des Armées du général de Gaulle, dénonce « une orientation qui tourne le dos au gaullisme ». Jacques Chirac, qui s'est toujours intéressé aux affaires militaires, plaide auprès de VGE pour rectifier la tendance et prévenir un glissement : « Au moment de la préparation de la loi-programme, raconte Jean-Pierre Fourcade, j'avais travaillé avec Yvon Bourges, le ministre de la Défense. Chirac est intervenu, car il nous trouvait trop pingres pour les crédits en faveur du nucléaire. Il a demandé l'arbitrage du président. »

Les dogmes sacrés de la politique de défense, legs suprême du fondateur de la Vᵉ République, vacilleraient-ils sur leur base ? Chez les parlementaires, on s'agite, on frissonne. Les doutes sont brusquement renforcés. D'abord, par un article du général Méry, chef d'état-major des armées, précédemment chef de l'état-major particulier de Valéry Giscard d'Estaing. Dans la très sérieuse *Revue de la défense nationale,* où l'on écrit rarement pour ne rien dire, ce militaire à l'esprit rapide avance qu' « une puissance moyenne comme la France se devrait d'adopter une politique de " sanctuarisation élargie ". »

Les UDR s'effarouchent de cette transgression de la doctrine gaulliste orthodoxe. Celle-ci commande la sanctuarisation intégrale du territoire national : la force nucléaire française ne doit être engagée que si l'Hexagone est directement menacé. Envisager autre chose, c'est accepter l'emploi de moyens nucléaires au bénéfice d'alliés européens.

VGE lui-même met le feu aux poudres quand il déclare à son tour, devant l'Institut des hautes études de la Défense nationale : « Certains raisonnent comme si le conflit se déroulant en dehors de l'espace national, celui-ci pouvait rester entièrement étranger à la bataille. Cette conception n'est pas réaliste. » Pour les gaullistes, il y a là, en germe, des risques de déviation intolérables : la crainte d'une coordination clandestine avec les autres états-majors de l'Alliance atlantique (en un mot : un retour déguisé dans l'OTAN). « Je suis allé voir Giscard, à la suite des déclarations du général Méry, pour lui demander s'il y avait un infléchissement de la stratégie militaire. Il m'a donné toutes les assurances que sa politique était bien dans le droit-fil gaulliste », dit Yves Guéna.

Mieux au fait des réflexions élyséennes, Michel Poniatowski explique : « Le président a mis deux ans à se faire une idée personnelle et à bien dominer les dossiers de la Défense nationale, qui demandent une grande technicité. » Dans son esprit, il y a bien, désormais, une doctrine Giscard. Elle ne trahit pas l'héritage gaulliste, mais, dit-il, elle le modernise et l'adapte.

Si VGE, en tant que ministre des Finances, a assisté à de nombreux conseils de Défense, il réagissait alors en responsable des cordons de la bourse, surtout soucieux de savoir ce que lui coûtait chaque décision. Une fois élu, il lui faut, au contraire, préciser sa propre doctrine dans un domaine qui évolue au rythme de la mise au point des nouveaux moyens techniques.

Troisième sujet de discorde (beaucoup plus terre à terre, celui-là) : l'affaire des plus-values, la réforme du siècle selon VGE.

Depuis deux ans qu'il est au pouvoir, pas un mois ne se passe sans qu'il n'évoque, la prunelle dilatée par l'audace, cette taxation des plus-values. A ses yeux, elle constitue la méthode la plus moderne pour imposer les enrichissements de nature essentiellement spéculative (ceux qui font des profits en achetant et revendant des biens).

Plutôt que frapper les héritages en ligne directe (les Français en ont horreur et le président est bien français), plutôt qu'introduire — comme le demandent la gauche et une poignée de gaullistes (dont André Fanton) — un impôt sur les grandes fortunes, Valéry Giscard d'Estaing préfère de beaucoup taxer les profits. Il choisit cette réforme qui a, selon lui, l'avantage de combiner le prestige et l'utilité en frappant sans trop choquer les Français, ni mettre en cause les gros patrimoines familiaux qui se transmettent de génération en génération.

Un sondage non publié, commandé par le gouvernement, l'encourage dans cette voie : 76 p. 100 des Français se disent favorables à la taxation des plus-values, à condition qu'en soient exemptées les résidences principales (ou, à défaut, la première résidence secondaire).

Dans l'esprit du président, le vote de ce projet à l'Assemblée nationale sera le premier test grandeur nature pour séparer les vrais réformistes des pitoyables conservateurs qui se révéleraient en s'y opposant.

Hélas ! la France doit être bien conservatrice. A peine connu, le projet fait l'union sacrée contre lui : « Un projet inopportun », s'indigne le syndicat national des classes moyennes. « Un effet anti-économique », dénonce Michel Jobert. « Une taxation inquiétante », s'émeut Antoine Pinay. « Le grand capital n'est pas touché », tranche la CGT. « Un alibi et une mystification », déplore la CFDT. « Un trompe-l'œil », s'indigne le Parti socialiste. « Une réforme inadmissible », ponctue Claude Labbé. « Cette réforme peut attendre cent ans », moque Edgar Faure, président de l'Assemblée nationale.

Les arguments hostiles tombent comme grêle. Le député gaulliste du Cher, Maurice Papon, rapporteur du budget, regrette : « Les moyens proposés risquent beaucoup plus de faire obstacle à la formation des patrimoines des gens modestes qu'à l'accroissement des patrimoines déjà acquis. »

Jacques Marette, député de Paris, touche au but en s'interrogeant : « Comment expliquer aux Français que les droits de succession en ligne directe sur les fortunes importantes resteront plafonnés à 20 p. 100, alors que les plus-values réalisées sur les patrimoines moins importants pourront être taxées jusqu'à 60 p. 100 ? »

C'est encore bien français : le projet est à peine connu que déjà les dérogations se multiplient. Il y en a d'office pour le napoléon (il sert de référence à un emprunt d'Etat, et puis menacer les économies des nombreux détenteurs de pièces d'or serait électoralement explosif), pour certains fonds de commerce, pour les terrains agricoles (sur intervention de Chirac), pour les résidences principales ou, à défaut, la première résidence secondaire.

Devant cette levée en masse, le président se cabre. Il s'impatiente d'une mauvaise volonté générale qui lui semble —

234

non sans raison — directement proportionnelle à l'intérêt que l'on sait lui voir porter personnellement à l'affaire. Il juge que la réforme — même si ses modalités peuvent être discutées et sûrement améliorées — est, sur le fond, parfaitement légitime et concourt à cette modernisation de la France qu'il veut mettre en œuvre par petites touches.

Il s'identifie peut-être aussi à un certain Joseph Caillaux, ministre des Finances en 1907, qui s'était battu, dans l'indignation et la mauvaise grâce générale, pour introduire en France l'impôt sur le revenu. Cet autre grand bourgeois de souche provinciale, inspecteur des Finances appartenant comme lui à une dynastie politique et financière, brillant, doué et ne détestant pas en faire quelque étalage lui non plus, blâmé par son propre milieu pour trahison des intérêts de caste, friand d'amitiés aristocratiques et féru d'idées hardies lui aussi, n'avait pu triompher des obstacles qu'au bout de sept ans. En 1976, de même, une nouvelle guerre de sept ans menace.

Déjà il a fallu plus de six mois pour mettre au point le projet. Quand il vient la première fois devant le Conseil des ministres, il est si mal ficelé que le président renvoie Jean-Pierre Fourcade avec sa copie à réécrire : « Il faudrait être fiscaliste pour comprendre », lui dit-il. VGE aurait même réécrit de sa main certains des articles incriminés.

Quand le projet revient à l'Elysée, aucun tour de table n'est organisé pour la circonstance. On sent bien que plusieurs ministres nourrissent plus que des réserves à son endroit et, parmi eux, celui du Commerce extérieur : Raymond Barre.

A peine le projet est-il déposé sur le bureau de l'Assemblée nationale que quelque six cents féroces amendements l'attendent, prêts à le vider de sa substance. « On nous présente un bébé atteint de mongolisme et, parce que nous n'en voulons pas, on nous dit que nous n'aimons pas les bébés », raille le gaulliste Pierre Ribes.

Le président doit avoir le sentiment d'être bien seul. Les députés giscardiens eux-mêmes manifestent un enthousiasme strictement de commande dans les votes indicatifs. Le nombre des récalcitrants est proportionnellement équivalent dans les rangs gaullistes, centristes ou giscardiens. Seul J-J S-S voit dans cette réforme une innovation capitale.

Tel l'anachorète devant la luxure, Jacques Chirac lorgne le projet en se demandant manifestement comment y résister au mieux. A l'ouverture du débat, il se sauve à toutes jambes pour tenir, à Matignon, une réunion urgente sur la préparation physique des athlètes de compétition. Lorsqu'il se résigne à se rendre au Palais-Bourbon, il monte à la tribune plus pour tancer l'opposition que pour vanter les mérites de la taxation des plus-values. On le remarque.

Trois semaines durant, le débat s'enlise et menace de ne pas aboutir avant la fin de la session. La complexité juridique du projet et l'intégration d'amendements innombrables en ont fait un monstre législatif à peu près inopérant et parfaitement incompréhensible.

Elevant le ton comme il ne l'a jamais fait jusqu'alors, Valéry Giscard d'Estaing exige de son Premier ministre un engagement sans retenue. « Il faut en finir : l'UDR doit voter. C'est à vous de l'en convaincre. » La manière dont s'en acquitte Jacques Chirac en dit long.

« On veut nous diviser. C'est un piège ! » Ainsi prévient-il les UDR réunis salle Colbert, sachant bien qu'il va déclencher chez eux un réflexe de solidarité instantané. Et il ajoute : « Je vous demande de voter non pas pour moi, mais dans l'intérêt du groupe, du mouvement, de la majorité. Vous vous en rendrez compte plus tard. »

Cette petite phrase est, bien sûr, relevée et commentée. Bientôt, il n'est plus question que de son départ. Des rumeurs de divorce couraient déjà depuis quelque temps dans le Landerneau politique. Mais, pour la première fois, Jacques Chirac contribue lui-même à les accréditer.

Autre signe avant-coureur du divorce entre le président et son Premier ministre : ce drôle de week-end de la Pentecôte au fort de Brégançon, où Valéry Giscard d'Estaing convie Jacques Chirac — plus exactement où M. et Mme Giscard d'Estaing prient M. et Mme Chirac de venir passer la fin de semaine en leur compagnie.

Personne ne saura jamais exactement ce qui s'est passé là-bas, mais tout le monde se le raconte : Jacques Chirac en revient très courroucé. Il croyait pouvoir parler de ses affaires avec le président, il a eu le sentiment de perdre son temps. On a échangé des considérations aimables sur le monde et le temps. Le moniteur de ski du couple présidentiel, Gaby Fejoz, était de la fête. Le Premier ministre imaginait qu'ils parleraient politique et s'expliqueraient. Il a dû participer à un exercice de détente distingué, corrigé par un protocole aimable et une étiquette discrète.

Par la suite, le chef du RPR a relaté qu'à table, M. et Mme Giscard d'Estaing étaient assis dans des fauteuils, alors que le Premier ministre, le moniteur de ski et leurs épouses respectives n'avaient droit qu'à de simples chaises. « Jacques est rentré à Paris dépité et frustré, ayant plus que jamais le sentiment que le président et lui appartenaient à deux planètes distinctes et à des milieux étrangers », dit l'un de ses familiers. On peut se demander dans quelle intention Valéry Giscard d'Estaing a invité son chef du gouvernement. L'un de ses collaborateurs explique : « Il n'avait probablement aucun objectif directement politique, mais plutôt le désir de faire montre de gentillesse, de politesse à tout le moins, et de détendre le climat. « Michel Poniatowski, à qui l'idée n'a pas dû faire grand plaisir sur le moment, décèle aujourd'hui, chez son ami Valéry, « le goût de l'entomologiste qui veut chatouil-ler la patte du puceron ».

A dire vrai, cette réconciliation manquée ne pouvait pas réussir. Jacques Chirac est arrivé trop crispé, Valéry Giscard d'Estaing l'a reçu de manière trop décontractée. L'un est venu en homme politique préoccupé, l'autre l'a accueilli en homme du monde affable, décidé à passer un week-end de détente. Or, on ne fait bien l'humour qu'entre amis : il faut beaucoup de complicité sérieuse ou authentique pour pouvoir apprécier une conversation anodine. Les journalistes, venus en nombre mais soigneusement tenus à l'écart, l'ont tous compris : le compte à rebours des jours de Jacques Chirac à Matignon a commencé. Ils le subodorent d'ailleurs plus qu'ils ne le savent précisément.

Lorsque, deux semaines plus tard, interrogé à *Cartes sur table* sur Antenne 2, le Premier ministre lance tout à trac : « Je suis persuadé d'avoir la confiance entière du président. Un homme politique ne démissionne pas. [...] Dans notre Constitution, le départ ou le maintien du Premier ministre dépendent du président », on peut croire à un démenti sur les rumeurs de séparation. Aujourd'hui, Jacques Chirac éclaire son propos : « Je croyais avoir convaincu le chef de l'Etat qu'il devait me remplacer. J'ai dit cela pour lui faciliter mon départ. »

Le Premier ministre souhaite être remercié sans tarder. Il n'a plus qu'une idée en tête : relancer l'UDR, la rebaptiser, lui donner une seconde jeunesse, créer, à son propre profit, ce choc dans l'opinion, ce sursaut qu'il a voulu convaincre VGE de déclencher avec des élections anticipées. En vain.

Yves Guéna témoigne : « C'est bien à cette époque que Jacques Chirac m'a parlé pour la première fois de son intention de lancer le RPR. » Et d'ajouter : « Chirac avait tout intérêt à partir : il risquait de perdre sur tous les tableaux. Les ministres ne lui obéissaient pas, il ne présidait plus de comité interministériel, son groupe parlementaire risquait de lui échapper. »

Faute d'être remercié comme il le souhaite, Jacques Chirac envoie, le 4 juillet, une première lettre au président, lui exprimant poliment son désir d'être déchargé de ses fonctions. Le chef de l'Etat n'y consent pas encore. Il veut décider lui-même du moment et de l'heure du départ de son chef du gouvernement. Il devine peut-être déjà que celui-ci sera plus redoutable hors du gouvernement qu'à la table du Conseil.

Et puis, songe-t-il encore, il faudra bien quelqu'un pour endosser la responsabilité des élections municipales, qui s'annoncent peu glorieuses. Mieux vaut que Jacques Chirac en soit le vaincu et porte le chapeau. Dans une ruche, les abeilles meurent pour la reine. En politique, le Premier ministre expire pour le président. Enfin, la vie n'allant pas sans paradoxes, selon un conseiller de l'Elysée, Valéry Giscard d'Estaing est un peu peiné à l'idée de se séparer d'un homme qu'il a bien aimé, dont la vitalité et l'entrain l'ont séduit un temps et ne lui déplaisent pas encore tout à fait.

En 1980, Jacques Chirac raconte cette anecdote : « Pour me garder, le président a annoncé devant moi au Premier ministre iranien, Amir Hoveyda, en visite à Paris : " Vous pourrez dire à Sa Majesté le Chah que M. Chirac sera mon Premier ministre jusqu'à la fin du septennat. " » Le maire de Paris ne court pas le risque d'être démenti par ce témoin-là !

Jacques Chirac dit encore : « Pour me convaincre de rester, Giscard m'avait promis la peau de Ponia. » Là non plus, aucun témoin pour contester Ponia, lui, assure au contraire : « C'est à cette époque que le président m'a dit : " Il faut chercher un autre Premier ministre. " »

Un ministre gaulliste important laisse entendre un son de cloche intermédiaire : « Le président m'interrogeait : " Dois-je garder Chirac ? Il n'est pas usé. " Je lui repondais : " Gardez-le jusqu'aux élections municipales, mais donnez-lui plus de pouvoir " Et le président rétorquait : " Je voudrais bien, mais c'est impossible. Nous ne sommes pas sur la même longueur d'ondes. " »

Un drôle de mois de juillet s'engage donc, avec, pour commencer, une dernière escarmouche qui met aux prises le groupe UDR à l'Assemblée nationale et le ministre de l'Intérieur. Un projet de loi — que Jacques Chirac assure bizarrement avoir découvert en Conseil alors que Ponia garantit, lui, en avoir parlé à plusieurs reprises — propose de modifier la loi électorale. Il faudrait, dorénavant, qu'un candidat recueille au moins 15 p. 100 des voix des inscrits aux élections pour pouvoir se maintenir au deuxième tour.

L'UDR comprend bien qu'il s'agit d'éliminer les petits partis, ou, plutôt, d'obliger ces centristes ou ces radicaux à s'unir avec les giscardiens pour concurrencer l'UDR. Pour détourner la manœuvre, les gaullistes voudraient faire abaisser le seuil de 15 à 10 p. 100. Jacques Chirac ne les décourage pas, jusqu'au moment ou un appel téléphonique personnel et comminatoire de VGE lui enjoint de faire admettre par ses troupes le compromis de 12,5 p. 100.

Un autre épisode permet à la France entière de constater *de visu*, de façon pittoresque, combien le climat est détérioré entre Valéry Giscard d'Estaing et Jacques Chirac : le 12 juillet, les deux hommes, qui passent en revue l'escadre de la Méditerranée, se trouvent à Nice, sur la passerelle du *Clemenceau*.

Pendant que le président est interviewé à TF 1, on peut voir le Premier ministre, à trois pas de lui, en proie à une grande agitation. L'air passablement exaspéré, il lance au chef de l'Etat des regards franchement vengeurs. Les spectateurs les plus attentifs remarquent que le Premier ministre est à ce point irrité qu'il scrute la mer en tenant ses jumelles à l'envers. On apprendra que, quelques instants plus tôt, le président vient de l'admonester vertement, sous l'œil interdit des marins. (On ne saura jamais à quel sujet !)

A leur tour, les ministres gaullistes sont renseignés de manière précise sur l'état de l'union entre l'Elysée et Matignon. Au cours d'un déjeuner, auquel il les a conviés, Jacques Chirac se livre à une critique fort acerbe de la politique giscardienne et des méthodes présidentielles de gouvernement. Il exhale sa rancœur : « Je ne peux plus rester à Matignon, leur dit-il. Je suis l'objet de pressions continuelles, d'attaques inadmissibles. On veut faire voter des réformes bidons ou bâclées. C'est le laxisme le plus complet. Je veux m'en aller. »

Autour de la table, il y a là, interloqués au point d'en rester la bouche ouverte et le couteau en l'air, Yvon Bourges, Robert Galley, Vincent Ansquer, Olivier Stirn et Jean de Lipkowski. Dans un grand élan fraternel, ce dernier s'écrie : « Si tu t'en vas, tout le monde doit s'en aller avec toi. » L'un ou plusieurs des ministres présents ont tellement envie de partir qu'ils courent sur-le-champ avertir l'Elysée de ces propos sacrilèges.

Pour s'exprimer ainsi sans plus de précautions, il faut que Jacques Chirac soit, cette fois, bien atteint par ce que l'on pourrait appeler le syndrome de la valise. Moralement, il n'est déjà plus à Matignon. « Puisque je dois partir, dois-je tout de même me rendre au Japon ? » s'enquiert-il, à la fin du mois de juillet, auprès du chef de l'Etat. Il lui est répondu le plus ferme des oui.

Avant de s'envoler pour Tokyo, le Premier ministre démissionnaire fait porter à Valéry Giscard d'Estaing une seconde lettre. Il y confirme son intention de se démettre le plus vite possible de la charge du gouvernement. La missive est datée du 25 juillet. A son retour, on lui répond en substance : « C'est entendu, vous partirez, mais pas avant la fin des vacances. Gardez cette décision secrète, mais réfléchissez quand même. »

« C'est tout réfléchi. » Jacques Chirac commence à rédiger la déclaration qu'il lira, le 26 août, dans le salon chinois de l'hôtel Matignon, devant les caméras de télévision. La phrase clef en est : « Comme je ne dispose pas des moyens que j'estime nécessaires pour assumer efficacement les fonctions de Premier ministre, dans ces conditions, j'ai décidé d'y mettre fin. »

Voilà qui constitue une rupture sans précédent avec tous les usages de la Ve République : il est admis que les chefs de gouvernement présentent docilement leur démission à des présidents qui l'acceptent courtoisement... après la leur avoir demandée. Le général de Gaulle, qui voulait être bien certain du départ de ses Premiers ministres à l'heure de son choix, leur demandait, le jour de leur nomination, une lettre de démission en blanc. Cette fois, c'est le contraire : l'initiative est clairement revendiquée par le Premier ministre. Elle est expliquée sans détour aux téléspectateurs par une grave divergence avec le chef de l'Etat. C'est le monde à l'envers !

Jacques Chirac assure avoir soumis ce texte fracassant au président avant de le rendre public. Le ton dramatique sur lequel il le prononcera, en martelant chaque mot, les lèvres crispées, le front traversé d'orages, démontrera en tout cas aux Français éberlués combien la rupture est consommée entre Valéry Giscard d'Estaing et son chef de gouvernement.

Pour les ministres, l'éclatement officiel du couple a lieu dans un climat plutôt étrange : le 25 août, le Conseil se réunit le plus banalement du monde. Les excellences, revenant de vacances, sont bronzées et ont l'air plus pimpantes que d'habitude. Jacques Chirac, lui, est blême, il a la mine sombre des mauvais jours. Le scénario a été réglé d'avance par l'Elysée.

Le Premier ministre entrera seul dans la salle du Conseil et dira quelques mots. Le président ne fera son entrée que plus tard. Les propos de Jacques Chirac ne sont pas aimables. Il reproche brièvement à certains ministres (sans les nommer) de ne pas lui avoir facilité la tâche. Il remercie les autres de leur collaboration. Ceux-ci comprennent, quand il se plaint de n'avoir pas disposé des moyens nécessaires pour engager résolument une action contre l'opposition, que Jacques Chirac s'en va parfaitement brouillé avec le président.

De l'avis de tous, Jean-Pierre Fourcade semble sous le coup d'une violente émotion. Est-ce parce qu'il vient de se sentir visé ou parce qu'il compte succéder au démissionnaire ? C'est bien ainsi qu'il a compris, au début du mois d'août, le conseil amical du président de lire, pendant ses vacances, les mémoires de deux grands hommes politiques français : Joseph Caillaux et Paul Reynaud. Jean Lecanuet, lui, garde un silence détendu. Ponia promène un air absent, mais sans doute point trop chagrin. Raymond Barre regarde par la fenêtre. Simone Veil semble peinée.

Le président fait son entrée. Chacun se lève. Il fait se rasseoir les ministres et passe, avec une sérénité affichée, à l'ordre du jour. Pendant plus d'une heure et demie, on parle du Liban, de l'évacuation des habitants de l'île de Basse-Terre, menacés par l'éruption du volcan de la Soufrière, et de la solde des élèves de Polytechnique.

Les petits mots circulent à travers la table du Conseil. Quand l'ordre du jour est épuisé, le président fait durer le plaisir en relatant avec force détails son intéressant voyage officiel au Gabon Son exposé achevé, l'air plus impénétrable que jamais, il regarde Jacques Chirac, en face de lui, et enchaîne : « Monsieur le Premier ministre, je crois que vous avez quelque chose à dire ? — Monsieur le président, j'ai l'honneur de vous présenter la démission de mon gouvernement. »

Le chef de l'Etat explique alors : « J'ai accepté cette démission parce que, lorsque quelqu'un souhaite s'en aller, il faut accepter. Ensuite, parce que j'ai dit à la télévision qu'une phase nouvelle allait s'ouvrir à la rentrée, qu'une nouvelle action politique allait s'engager. Enfin, j'ai observé le poids excessif qu'a fait peser le mouvement des partis sur l'action du gouvernement, en particulier dans les derniers temps de la session parlementaire. Cela n'est plus possible. »

Le gouvernement est donc démissionnaire. Le couple VGE-Jacques Chirac vient de se défaire.

Valéry Giscard d'Estaing a plus d'un reproche à adresser à Jacques Chirac : il attendait de lui une giscardisation de l'UDR, il a assisté à une chiraquisation des gaullistes. Il espérait une mise en œuvre des réformes qu'il avait choisies, il les a vues contrariées, freinées, détournées par Matignon. Il comptait sur l'âge du Premier ministre pour garantir une volonté d'innovation, il a découvert un chef de gouvernement obsédé par les inconvénients électoraux du changement, le contrôle de l'UDR et le destin de la Corrèze. Il voulait un allié presque soumis, il a trouvé un rival presque rebelle.

Jacques Chirac, lui, n'a jamais pu obtenir du président les pouvoirs nécessaires pour imposer son autorité. Il n'a jamais pu tenir pleinement son rôle. Il n'a jamais compris ce président qui alternait, en lui parlant, une immuable courtoisie avec une causticité déconcertante. Là où le Premier ministre attendait des indications précises et des réponses carrées, il trouvait des préférences aimables, des suggestions en demi-teintes. Pendant deux ans, il a eu le sentiment que le « château » ne décourageait pas les ministres d'en prendre à leur aise et de multiplier les déclarations contradictoires et parfois désobligeantes. Enfin, comme il a commis plus d'un contresens sur les objectifs véritables du président — faire ou ne pas faire l'UDF —, il lui est arrivé de se sentir dupé, alors qu'il ne voulait pas comprendre.

Ce trop jeune couple, arrivé si tôt au faîte du pouvoir, manquait peut-être de l'expérience et de la cohésion nécessaire pour durer.

Il est encore plus difficile de réussir un divorce qu'un mariage. Deux ans de vie commune avaient fait de Valéry Giscard d'Estaing et de Jacques Chirac des adversaires irréconciliables.

8

Vipère au poing

Lorsqu'un couple vient de se séparer, les nouveaux divorcés ont un même réflexe instinctif : chacun entend démontrer son aptitude à reconstruire sa vie, à réussir seul ce qui vient d'échouer à deux. Façon de convaincre l'ex-partenaire — et soi-même — que les torts étaient bien de l'autre côté.

Valéry Giscard d'Estaing et Jacques Chirac n'échappent pas à la règle. A peine ont-ils rompu, qu'aussitôt ils échafaudent mille projets, bâtissent une nouvelle stratégie et se complaisent à imaginer les infortunes et les désarrois qui vont s'abattre sur l'autre.

Le président tire les leçons de cette union ratée. Il va prendre l'exact contre-pied de son attitude passée. Il choisit un nouveau Premier ministre : Raymond Barre — l'anti-Chirac par excellence —, auquel il accorde d'emblée les pouvoirs et la confiance qu'il avait naguère refusés à son ex-chef de gouvernement. Il appuie une politique d'austérité qui tourne résolument le dos à tout ce qui avait été mis en œuvre. Et pour bien démontrer qu'il sait où il va et comment il faut y aller, Valéry Giscard d'Estaing publie, en octobre 1976, un essai politique : *Démocratie française*, qui veut éclairer et ordonner sa philosophie.

Le chef de l'Etat parie sur le temps et la durée, ces deux denrées précieuses entre toutes dont il se croit pourvu en abondance par l'onction du suffrage universel, la grâce des institutions et la bienveillance du ciel. Tous les désordres du monde doivent, selon lui, se soumettre aux règles de la logique et de l'harmonie française. Dans son esprit, Jacques Chirac, « cet agité », va se détruire tout seul. Il en est convaincu :

l'avenir appartient aux hommes d'Etat « conceptuels », réfléchis, maîtres d'eux-mêmes et non point aux leaders fébriles, fracassants, mirobolants, bref aux aventuriers.

Jacques Chirac, lui aussi, a son plan, savamment concocté depuis des mois par ses conseillers. A peine a-t-il claqué la porte du foyer dans un grand coup de botte, comme dans les westerns spaghetti, qu'il multiplie les initiatives. Valéry Giscard d'Estaing n'a pas voulu lui confier la direction de la majorité : il va l'arracher de haute lutte. Le président a laissé s'instaurer un climat de doute et d'abandon : il va réagir, provoquer un sursaut, revigorer cette opinion qui se laisse aller. Le chef de l'Etat a voulu lui imposer une idéologie equivoque et artificielle : il va, lui, se démarquer en chaque occasion, indiquer les vrais choix, s'affirmer. Ses conseillers l'y poussent de toute leur force et l'en convainquent sans mal. Il faut lancer un grand rassemblement populaire sur le modèle de ce que fut le RPF du général de Gaulle, y réunir les intellectuels les plus prestigieux, les gaullistes les plus authentiques, les militants les plus ardents, les jeunes les plus enthousiastes et surtout le bon peuple de France : les travailleurs, les employés, les cadres, les cols bleus et les cols blancs, qui feront de ce mouvement une force toute neuve qui ne ressemblera à aucune autre. Impossible d'en douter, ce qui sera le premier parti de France attirera à lui au moins 30 p. 100 des électeurs. Pour y parvenir, il faut multiplier les appels, être sans cesse sur le terrain, organiser des meetings, courir la France d'est en ouest et du nord au sud, être partout applaudi. Jacques Chirac a assez de vitalité et de tonus pour courir ce grand prix-là. Pierre Juillet, Marie-France Garaud et lui-même en sont persuadés : l'avenir appartient aux leaders musclés, à ceux qui ne doutent pas, qui affirment et qui tranchent.

Face à l'irrésistible élan, le président est, selon le trio, condamné : sa cote s'effilochant, le plan Barre ayant toutes chances d'échouer, la gauche unie menaçant et croissant, que pourra-t-il faire d'autre, veulent-ils croire, que s'incliner et partir ? Là où VGE parie sur l'obstination, la lucidité et le sang-froid, Jacques Chirac mise sur la fermeté, le choc et le fracas. L'ex-Premier ministre voit déjà se créer toutes les conditions d'un nouveau 18 Juin dont il sera l'homme, bien sûr. Au plus fort de la tempête, le président ne doutera pas que sa présence finisse par calmer sinon endiguer la fureur des flots.

Deux tempéraments. Deux stratégies. Deux phases successives. Elles porteront leurs fruits l'une après l'autre, contradictoirement.

Chirac démarre en trombe, marque des points, impose le RPR, enlève la mairie de Paris, anime la campagne législative... et s'enlise.

Giscard débute en catastrophe, décontenance, piétine, reçoit des coups, vacille... puis s'impose.

Jacques Chirac, qui apparaît d'abord comme le vainqueur probable, se laisse déposséder de ses victoires. VGE, un moment presque vaincu, empoche le succès.

L'entrée en lice du nouveau Premier ministre donne le départ de cet étrange combat. Dès son arrivée à Matignon, chacun le comprend : le président ne pouvait choisir un homme plus radicalement opposé que le professeur Raymond Barre à celui qu'il remplace.

Jacques Chirac ressemble à un lieutenant de dragons, parle haut, agit vite, suit son instinct. Raymond Barre a l'air d'un chanoine résolu. Il est économe de ses propos, a une démarche dandinante. Ses discours politiques ont le ton des homélies épiscopales. Il réfléchit sans se hâter. En poésie, ses vers préférés sont ceux de Valéry : « Patience, patience, patience dans l'azur ! » Et l'on ne peut douter qu'il ne fasse siens les deux vers suivants : « Chaque atome de silence est la chance d'un fruit mûr[1] ! »

Certes, Barre et Chirac ont en commun un goût égal pour la bonne chère, les plats en sauce et les menus gastronomiques. Mais leur métabolisme se charge de les distinguer. L'un camoufle aisément un estomac naissant dans ses costumes-gilets. L'autre n'a jamais songé à faire « le joli cœur » en blue-jeans et tee-shirts.

Le professeur Barre jouit avec délectation d'une notoriété solide dans les milieux universitaires et monétaires internationaux : parle-t-il dans une capitale étrangère, devant un cercle distingué d'experts, de banquiers, de VIP ? On l'encense, on le révère, on boit ses paroles comme élixir de vérité, on l'applaudit. Il s'épanouit. Mais s'il monte à la tribune de l'Assemblée nationale, on l'interrompt, on le chahute, on le conteste, des pupitres claquent, des lazzi fusent : M. Barre se renfrogne et en conçoit un mépris de béton pour toute cette volaille qui piaille

1. « Palmes », in *Charmes*.

Le nouveau Premier ministre a, il en est certain, la science et la compétence pour lui. Son inaptitude au doute est une véritable cuirasse blindée qui le protège et l'isole. Avec lui — il n'en doute pas — le gouvernement est en de bonnes mains. Avant lui, et il ne se gêne pas pour le proclamer, l'action gouvernementale était irréfléchie et inefficace. Si Jacques Chirac est bien sûr la cible visée, l'Elysée se trouve abondamment éclaboussé au passage. Etrange mais vrai : lorsque des vérités cruelles ou des blâmes injustifiés sont formulés sur le ton d'un cours magistral, les victimes se sentent blessées mais protestent avec une insolite retenue, comme si ces manières magistrales leur donnaient des réflexes d'étudiants pris en faute.

Critique-t-on M. Barre ? Il hausse les épaules. Lui oppose-t-on les faits qui ne correspondent pas toujours à ses pronostics, il secoue la tête, navré de tant de mauvaise foi. S'acharne-t-on ? Il s'irrite, tempête, admoneste et gronde. Insiste-t-on vraiment, concentre-t-on sur sa personne un feu roulant d'attaques et de reproches ? Il trouve une parade qui laissera sans voix ses adversaires : il tombe malade. On l'hospitalise. La France entière s'émeut pour le champion de son économie, que les persifleurs et les esprits négatifs osent persécuter au lieu d'encourager.

Si l'économie est chose trop sérieuse pour la laisser aux députés, la politique est un art trop frivole pour intéresser Raymond Barre. Avec lui, les ministres se taisent, on ne les entend plus : existent-ils encore ? On le prétend. Le Premier ministre s'est débarrassé dès qu'il l'a pu des hommes les plus politiques de son gouvernement (Michel Poniatowski, Jean Lecanuet, Olivier Guichard). Les autres, domptés, s'abstiennent de toute activité politicienne. Les excellences se taisent désormais le dimanche. Jamais le Conseil des ministres n'a tant ressemblé à un comité de fonctionnaires. Pour M. Barre, les bons élèves de la classe ministérielle, ses chouchous, sont ceux qui administrent et gèrent en silence, après lui avoir téléphoné et tout de même prudemment vérifié à l'Elysée que tout est bien en ordre. C'est la République des grands commis.

Raymond Barre, qui aime donc si peu la politique, bénéficie de tous les moyens gouvernementaux obstinément refusés à Jacques Chirac : le 28 août 1976, jour de son intronisation, le chef de l'Etat explique sans ambages quel sera désormais le rôle du Premier ministre : « Il lui revient, et à lui seul, de diriger et de coordonner l'action de tous les ministres... S'il est nécessaire que je reçoive de ceux-ci des informations utiles à l'exercice de mes responsabilités, les décisions concernant leur action leur seront toujours adressées par le Premier ministre. » (En 1974, le même VGE annonçait : « Je gouvernerai directement avec le Premier ministre. ») Quant aux réformes, en 1976, elles « n'ont pas pour objet de brusquer arbitrairement les habitudes, ni d'imposer des bouleversements, mais d'adapter patiemment toutes les données de la vie française aux exigences de notre temps ». En 1974 le président voulait faire de la France « un chantier de réformes » : peu à peu le mot réforme se fait rare dans son vocabulaire.

Décidément, l'expérience a servi. Le président confie de bonne grâce à Raymond Barre la mise en œuvre d'une politique économique et sociale qu'ils élaborent de concert. Le partage des tâches est devenu réalité. Au Premier ministre, la gestion quotidienne d'une politique dont il peut revendiquer une bonne part de la paternité. Au président, la réflexion sur les options de fond et la conduite de la politique étrangère et militaire.

Tous les témoignages concordent. Une métamorphose quasi miraculeuse s'est produite. VGE a trouvé en Raymond Barre son complément idéal. Au physique, ne l'est-il pas ? Les meilleurs couples de la Vᵉ République allient les hautes silhouettes et les embonpoints plus brefs : de Gaulle et Pompidou, VGE et Raymond Barre. Politiquement, l'attelage a tout pour réussir. Raymond Barre, tout gaulliste qu'il est à titre personnel, n'a jamais eu en poche la moindre carte du moindre parti. Il ne revendique pas la conduite de la majorité ni même la direction d'une simple formation. Quand il s'y essaiera — de mauvaise grâce — au cours de la campagne législative, ce ne sera guère un succès. En revanche, il réalise des prestations télévisées plus que convaincantes (notamment contre François Mitterrand).

Ainsi, l'esprit bien tranquille, VGE peut-il, tout à son aise, tirer discrètement les fils de l'UDF et préparer des campagnes électorales dont il est sûr que ce Premier ministre ne cherchera pas à détourner les bénéfices.

Avec les années, les observateurs les plus attentifs s'apercevront que l'indifférence affichée de M. Barre à l'égard de la politique ressemble fort à une méthode délibérée. Le Premier ministre a vite perdu son innocence initiale, s'il l'a jamais eue. Son éloignement ostensible du « microcosme » de la classe politique n'est-il pas une vieille recette qui permet de tirer parti de l'anti-parlementarisme des Français ? Son dédain ostensible des états-majors et de leurs jeux « lilliputiens » n'est-il pas une manière de se hisser sur une chaire mieux adaptée à sa stature particulière ? Son mépris vis-à-vis des « magouilles » et des controverses subalternes cache de plus en plus mal un tempérament belliqueux et un goût prononcé pour les horions qu'il rend avec prodigalité. Jadis ses collaborateurs redoutaient les moments où il fallait le pousser vers la tribune de l'Assemblée. Maintenant, ils doivent le retenir par les basques. Mais, comme il ne s'agit jamais de gêner l'Elysée, le président s'en divertit plus qu'il ne s'en alarme.

Psychologiquement, il n'y a jamais eu de coup de foudre entre les deux hommes. Par exemple, à Bruxelles, quand VGE représentait la France dans les négociations européennes, Raymond Barre avait tendance à regarder le ministre des Finances à travers ses lunettes d'universitaire et réussissait mieux que d'autres à résister à l'éblouissement général. « Allons nous faire noter par le professeur Barre », disait de son côté, mi-figue mi-raisin, le futur chef de l'Etat qui jugeait ce vice-président de la Commission de Bruxelles enclin à quelque pédantisme.

Ils se connaissent depuis longtemps, se respectent et se côtoient. Ils n'ont sûrement pas envie de partir en vacances ou en week-end ensemble. En revanche, ils savent être d'accord sur l'essentiel. Ils ont des institutions une conception presque identique et de leur rôle une semblable bonne conscience. Ne s'étant pas séduits, ils ne risquent pas d'être déçus, de souffrir de dépit amoureux. Se considérant grandement l'un l'autre, jugeant avoir l'un comme l'autre une réelle connaissance technique des problèmes les plus ardus, parlant entre eux un langage très similaire, bref, résistant admirablement l'un comme l'autre au doute métaphysique, ils communiquent sans mal. A l'expérience, ils se savent mutuellement gré de cette répartition des tâches. Ils ne s'agacent pas trop, ne rivalisent guère, ils s'entendent donc aussi bien que possible. Tout le contraire, en somme, du couple précédent.

Quatre jours après son départ de Matignon, Jacques Chirac entame sa course de haies : vers quel destin ?

Le dimanche 29 août 1976, l'ex-Premier ministre, Marie-France Garaud, Jérôme Monod et Jacques Friedman se retrouvent à Puy-Judeau, dans la Creuse, chez Pierre Juillet. Toute la journée ils élaborent tambour battant le plan de lancement du RPR. Il faut commencer par un appel aux militants : un communiqué début septembre fera l'affaire. Il annoncera de grandes initiatives, délibérément mystérieuses. Il faut ensuite écrire à Yves Guéna, secrétaire général de l'UDR. Il devra convoquer à Paris des assises extraordinaires au mois de décembre. Pour être sûr du retentissement de cette démarche, la missive lui parviendra à Rocamadour, le jour où s'y réunissent les parlementaires gaullistes, fin septembre. Après la mobilisation des militants, les députés seront donc bruyamment mis en alerte. Il faut enfin — c'est le clou du dispositif — lancer un appel au peuple. Il se fera du sein de la France profonde, à Egletons, au cœur de la Corrèze. Ce jour-là, la France entière apprendra le grand dessein et saura qu'au milieu du doute, du désarroi et des épreuves, un homme jeune, vigoureux et combatif va relever le drapeau de l'énergie nationale. Il incarnera l'espérance, le renouveau, le sursaut. Il s'adressera aux milieux les plus divers, à toutes ces familles qui se querellent entre elles mais se retrouveront derrière lui pour terrasser le collectivisme. Le paladin de cette croisade salvatrice s'appellera Jacques Chirac.

A Puy-Judeau, nul ne doute du succès de l'entreprise. Tous les signes concordent, ce dimanche, pour conforter les cinq amis. L'air a cette légèreté grisante et éphémère des automnes naissants. Annick Juillet, la maîtresse de maison, a trouvé autant de trèfles à quatre feuilles qu'il y a d'invités et les a soigneusement disposés sur chaque assiette. Jacques Chirac est particulièrement gai et disert, soulagé d'avoir recouvré enfin sa liberté.

Les quatre conseillers s'entre-regardent avec la complicité toute neuve de ceux qui vont entreprendre, à une poignée, une action de résistance destinée à gagner la France entière. Jusqu'aux législatives, pas un jour ne se passera sans initiative chiraquienne. Il faut mettre l'opinion — et pour commencer la presse et les médias — sous pression constante et irrésistible. « Les Français, il faut leur faire du théâtre », avait coutume de dire Georges Pompidou. Les Français vont avoir droit, soir après soir, à une série de représentations données à un rythme effréné.

De fait, le scénario est bien réglé et se déroule comme prévu. Les militants UDR s'enthousiasment. Les députés (à quelques exceptions près) emboîtent le pas en jubilant. A Egletons (« L'envol de l'Aigleton », titre *le Quotidien de Paris*), Jacques Chirac entre en scène dans une belle armure toute neuve, bannière au vent. A ses côtés, pour symboliser l'enracinement populaire, la réconciliation des anciens et des modernes, la réunion de la France éternelle et de la France de demain, trône un octogénaire encore vaillant : Charles Spinasse, ancien ministre socialiste de la IIIe République, qui a malencontreusement voté les pleins pouvoirs à Pétain.

Ce soir-là, dans la salle du gymnase municipal (construit grâce à la manne chiraquienne), l'ancien chef de gouvernement de Valéry Giscard d'Estaing s'adresse à une foule compacte, en délire. Il est à la fois à gauche, à droite et en avant : brusquement plein de tendresse pour les idées avancées, il cite les socialistes utopiques du répertoire français (le Père Enfantin et Armand Bazard), proclame l'urgence d'un impôt sur les grandes fortunes, promet d'éteindre le paupérisme. Il cède soudain aux charmes d'un « travaillisme à la française » (une expression aussi vite oubliée qu'apprise). D'un même mouvement, il en appelle aux valeurs éprouvées : l'ordre, la fermeté, la détermination. Il y en a pour tout le monde. L'appel d'Egletons renoue avec la grande tradition gaullienne du rassemblement, au-delà des classes et des idéologies. Ce nouveau RPF s'appelle RPR : Rassemblement pour la République.

« Quelle est donc cette réforme de l'alphabet ? » laisse ironiquement tomber Valéry Giscard d'Estaing.

L'acte de baptême a lieu à Paris, au Parc des Expositions de la porte de Versailles, le 5 décembre 1976 (il était impossible de retenir la date du 2 décembre, anniversaire de la victoire d'Austerlitz, pour coïncidence fâcheuse avec le souvenir d'un coup d'Etat contre la République). Grand succès ! On attendait vingt-cinq mille personnes, il en vient le double. A leur revers, les fans arborent un macaron « Chirac, t'es un crack ». Quelque six cents journalistes, dix-neuf chaînes de télévision et vingt et un ambassadeurs se pressent aux premiers rangs. Dans son discours, le président du RPR vagissant développe les thèmes qu'il va désormais inlassablement marteler, de meetings en réunions aux quatre coins de la France, jusqu'aux élections législatives : droit au travail, démocratie du quotidien, participation, société sans privilège, efforts, fermeté, et surtout, combat sans relâche contre le diable collectiviste.

« Mon appel n'est que l'écho de l'éternel appel des nations qui ne veulent pas mourir », s'écrie-t-il sous les applaudissements. Les initiés reconnaissent là sans hésiter la patte de Pierre Juillet.

Tout va bien. Les statuts du RPR s'inspirent directement de la Constitution de la Ve République. C'est dire que les pouvoirs du jeune président ne sont pas minces. De même que le chef de l'Etat choisit souverainement son Premier ministre, le président du RPR nomme à sa guise le secrétaire général : Jérôme Monod, quarante-six ans, son ex-directeur de cabinet, un haut fonctionnaire actif et capable : un protestant qui, dans le sillage de Jacques Chirac, se laissera brusquement embraser par une passion froide, laquelle retombera, après mars 1978, aussi vite qu'elle avait surgi. Ses familiers ne sont toujours pas revenus de cette métamorphose de vingt-quatre mois. Lui non plus ! Et puis le chef du RPR est, aussi, libre de désigner, sans contrôle, les membres de l'état-major. Il est le seul maître à bord.

Pour illustrer son démarrage spectaculaire, l'ex-UDR abandonne le vieux siège de la rue de Lille et s'installe dans le cadre futuriste, dressé vers le ciel et dominant le monde, du dernier étage de la tour Montparnasse. De son fauteuil, Jacques Chirac peut apercevoir les frondaisons du parc de l'Elysée. Déjà, Paris est à ses pieds.

Des sacs entiers de chèques affluent vers les nouveaux locaux. Charles Pasqua, plus organisateur que jamais, arrondi par la satisfaction, les ouvre devant qui veut les voir avec la mine d'une jeune mère présentant son incomparable poupon.

Seule ombre au tableau : l'élargissement tant souhaité ne se concrétise pas sans mal. Jacques Chirac espérait faire venir sur les fonts baptismaux de son Rassemblement, un échantillonnage de parrains plus représentatifs les uns que les autres. Il comptait sur la présence de plusieurs anciens présidents du Conseil de la IVe République : Maurice Bourgès-Maunoury, René Pleven, Pierre Pflimlin, Antoine Pinay, Edgar Faure qui auraient symbolisé l'hommage des caciques des régimes disparus à la seconde génération du gaullisme triomphant. Le général de Gaulle lui-même ne l'avait pas obtenu. Hélas, les gloires sépia de la République se montrent souvent contrariantes. Seul, Edgar Faure veut bien être de la fête, il est de toutes les fêtes !

Jacques Chirac espérait recevoir le renfort d'une aile gauche de bon aloi, de quelques intellectuel(les) comme Gisèle Halimi, de quelques radicaux, et — qui sait — d'un socialiste repenti. Las, dans la foule, on remarque surtout la carrure avantageuse de l'ex-pilier de rugby corrézien Amédée Domenech. Il milite, il est vrai, au Parti radical. Et si deux giscardiens en coquetterie avec l'Elysée, les anciens ministres Jean Chamant et Jean de Broglie, montrent le nez, on ne saurait prétendre qu'ils gauchissent cette réunion. Quant aux socio-professionnels, enjeu principal de cette ouverture attendue, ils brillent par leur absence. Ni les dirigeants agricoles (Michel Debatisse) ni les représentants des cadres de la CGC, ni les responsables nationaux de FO n'ont voulu choisir aussi visiblement leur camp. Sur ce point, les terres élargies de Jacques Chirac tiennent plus, en ce mois de décembre 1976, du jardin de curé que du parc de Versailles.

Le président du RPR a néanmoins réussi l'essentiel : le gaullisme vient de prendre un nouvel essor et, cette fois, sous sa conduite exclusive.

Voilà la première haie franchie.

La seconde s'appelle la mairie de Paris. De nouveau, le leader du RPR s'élance au triple galop. Il va s'agir d'une confrontation directe entre le chef de l'Etat et son ex-Premier ministre.

Faire de Paris une ville comme les autres avec un vrai maire et de vrais pouvoirs, élu par un vrai conseil municipal : dès son installation à l'Elysée, VGE a voulu cette réforme. Il y voyait à la fois la concrétisation spectaculaire de sa volonté de donner plus de poids aux collectivités locales et un geste de décrispation supplémentaire puisqu'elle entraînerait la suppression d'un statut spécial qu'aucune raison impérative ne justifiait vraiment.

A Matignon, Jacques Chirac s'était montré plus que tiède : installer un maire à Paris, cela pouvait devenir dangereux, disait-il alors. Qu'adviendrait-il si, par malheur, un adversaire du président emportait, un jour, la place ? Mais VGE tenait à son idée. Il souhaitait donner un maire à la capitale. Jacques Chirac s'était incliné. Le nouveau statut de Paris avait été voté par les députés en décembre 1975. Restait à trouver la personnalité idoine. Pour le président, il allait de soi que le premier maire devait être giscardien, bien que Paris fût de longue date dominé par les gaullistes (la majorité du conseil municipal appartenait à l'UDR). Au cours de plusieurs réunions à l'Elysée, Jacques Chirac en avait accepté le principe.

Jacques Dominati, député et conseiller municipal RI de la capitale, comptait bien faire l'affaire, d'autant qu'il avait beaucoup incité le président à mettre la réforme en place. Malheureusement pour lui, il incarnait l'antéchrist aux yeux des gaullistes locaux, particulièrement réfractaires au charme giscardien. Depuis des années, ils guerroyaient les uns contre les autres, RI contre UDR, sans ménagement aucun.

S'avance alors un candidat de compromis : Pierre-Christian Taittinger. Il a déjà été président du conseil municipal de Paris (son père également), il est mi-gaulliste, mi-giscardien, modéré avant tout. Il a un physique républicain indépendant et les meilleures relations du monde avec l'UDR. Le président apprécie cet homme distingué et fin. Il donne son accord pour sa candidature au poste de patron de la capitale. A Rocamadour, les élus gaullistes parisiens acceptent ce choix sans irritation particulière. Tout est réglé. Mais rien n'est dit.

A l'automne, le climat a changé. Jacques Dominati n'a pas renoncé et s'agite. Pierre-Christian Taittinger, à qui rien n'est confirmé, attend le feu vert du palais présidentiel pour entrer en campagne et se manifester. Les gaullistes, ombrageux, soupçonnant alors quelque sombre manœuvre se concertent et tournent les yeux vers l'un des leurs : Christian de La Malène. Pendant ce temps-là, les autres responsables nationaux des partis de la majorité — qui savent bien que La Malène, antigiscardien notoire, ne ferait peut-être pas le poids face à la vague montante de la gauche — cherchent un quatrième homme, susceptible de faire l'unanimité. Ils l'ont trouvé : c'est une femme, Simone Veil, le plus populaire des ministres.

Et le président ? L'offensive de Jacques Chirac a balayé chez lui toute velléité d'œcuménisme. Son ex-Premier ministre faisant campagne, il faut le contrer. Pierre-Christian Taittinger lui semble désormais bien trop gaulliste : n'envisageait-il pas de partager équitablement le conseil municipal entre giscardiens et gaullistes ? Paris qui a voté Giscard en 1974 doit avoir un maire giscardien et un conseil municipal giscardien. D'ailleurs, pourquoi s'embarrasser de scrupules ? Lors de l'élection du premier président du conseil régional de l'Ile-de-France, les gaullistes n'ont pas tenu parole. Ils ont élu l'un des leurs : Michel Giraud, alors qu'ils s'étaient plus ou moins engagés à soutenir Alain Griotteray, le giscardien désigné. En privé, Ponia a ce mot : « Il faut dératiser Paris. »

Au début du mois de novembre, VGE convie à déjeuner ses propres barons : Michel Poniatowski, Michel d'Ornano, Christian Bonnet, Jean-Pierre Fourcade, Roger Chinaud. Jean Serisé, son conseiller politique, est à ses côtés. Aux hors-d'œuvre, la mine espiègle, il annonce en regardant ses ministres : « Messieurs, l'un de vous quatre sera maire de Paris. » Les quatre excellences se trémoussent sur leur coussin. « Monsieur Bonnet, vous ne pouvez pas abandonner vos alignements de Carnac. Monsieur Fourcade, vous devez rester sur les hauteurs de Saint-Cloud. » Restaient les deux Michel. On fait valoir au président qu'avec un Ponia en lice, l'Elysée serait inévitablement la cible de toutes les attaques. Michel d'Ornano n'a plus qu'à se dévouer. Sa fidélité lui interdit d'hésiter. Il abandonnera son fief rutilant de Deauville à sa femme. A lui de conquérir Paris. Le 12 novembre, Michel d'Ornano se déclare sur le perron de l'Elysée. Personne ne risque ainsi de se demander d'où vient l'investiture.

Pierre-Christian Taittinger et Simone Veil comprennent alors que leur tour est passé, ce dont chacun des deux aurait aimé être informé. Le ministre de la Santé avait été pressentie sans être volontaire, retenue sans être approchée, elle est écartée sans être avertie. Elle peut à bon droit en marquer quelque humeur. Le président a cru l'avoir sondée, Simone Veil a cru ne pas l'être. Malentendu, ou réticence élyséenne ?

Il y a maintenant un candidat nettement giscardien. Et bientôt, il va y avoir un candidat bien chiraquien qui recevra l'entière caution du président du RPR : Jacques Chirac décide, en effet, de porter personnellement les couleurs de son mouvement.

Marie-France Garaud songe pour la première fois à cette solution miraculeuse le 14 novembre (soit deux jours après l'annonce officielle de la candidature de Michel d'Ornano). Ce jour-là, Jacques Chirac est brillamment réélu au premier tour dans sa circonscription de Corrèze avec 53,65 p. 100 des voix. Son ami Jean Tibéri, ex-secrétaire d'Etat aux Industries alimentaires (aux choux farcis, comme dit Alexandre Sanguinetti), se fait de même réélire, au premier tour, dans le Ve arrondissement de Paris avec 54,36 p. 100 des suffrages. Il y avait des lustres qu'un député UDR ne l'avait emporté au premier tour dans la capitale. Deux résultats de très bon augure, à un moment où les Français sont de fâcheuse humeur. Au contraire, les giscardiens, Gérard Ducray et Bernard Destremeau perdent leur siège et des plumes.

Les dieux sont décidément du côté des plus actifs, se réjouit Marie-France Garaud. La hardiesse réussissant à Jacques Chirac, pourquoi ne pas décupler la mise et se lancer tout bonnement à l'assaut de la mairie de Paris ? Voilà qui constituerait en cas de succès un donjon et une base logistique incomparables.

Le président du RPR est vite séduit mais ne se découvre pas pour autant. Il laisse s'avancer La Malène et joue, pour son état-major, celui qui songe à enlever la mairie d'Egletons. Avec ses intimes, Jérôme Monod et Pierre Charpy, il est à peine plus franc et ne fait mine de s'intéresser à Paris qu'à l'approche de Noël. Pour sa part, Marie-France Garaud fait semblant d'être saisie d'une inspiration subite à la mi-décembre : « Je verrais bien Jacques, faisant campagne dans les bistrots et les marchés parisiens », risque-t-elle devant Jérôme Monod et Pierre Charpy. A tout le monde, l'idée paraît séduisante bien que fort audacieuse. On consulte sur-le-champ Pierre Juillet qui feint de s'interroger. On téléphone à Jacques Chirac (il se repose en famille aux Ménuires) : il mime l'hésitation alléchée. Il ne doit pas réfléchir avec beaucoup d'angoisse, puisque sa décision semble bien avoir déjà été prise un mois plus tôt, fin novembre.

Témoin cette anecdote : après le pèlerinage rituel du groupe parlementaire gaulliste à Colombey, Alain Peyrefitte convie à déjeuner, dans sa bonne ville de Provins, Jacques Chirac et Michel Debré. Le climat est à l'amabilité et à l'optimisme :

« Dire que je déjeune entre un futur président de la République et un futur académicien », s'exclame, lyrique, le député de la Réunion, avant de s'emporter et de partir en guerre contre le projet giscardien d'élection de l'Assemblée européenne au suffrage universel.

« Mais l'Europe, nous avons bien le temps d'y penser ! » éclate de rire le député de la Corrèze. « Croyez-moi, il n'y a qu'une chose qui compte, en ce moment, c'est la mairie de Paris ! »

Les deux autres convives ne relèveront le propos qu'après coup, très exactement le 19 janvier 1977. Ce jour-là, Jacques Chirac est candidat à la mairie de Paris. Avec sobriété, il déclare : « Je viens dans la capitale de la France parce que dans notre histoire, depuis la Révolution de 1789, chaque fois que Paris est tombé, la France a été vaincue. »

Une heure à peine avant de se déclarer, le leader du RPR a prévenu de son intention un Raymond Barre interloqué qui s'arrache les cheveux à l'avance, à l'idée du duel fratricide, inexpiable et maintenant inévitable dans la majorité.

Le nouveau candidat justifie son entrée en lice par la

nouvelle règle du jeu que le président vient tout juste de définir dans sa réunion de presse du 17 janvier : « Au lieu de voir la majorité comme uniforme, il faut maintenant vous habituer à voir la majorité comme pluraliste », a expliqué Valéry Giscard d'Estaing.

Ce pluralisme organisé annonce donc et légitime la concurrence dans la majorité. Jacques Chirac saute sur l'occasion. Les primaires vont se multiplier au sein de la majorité. Il donne l'exemple ! Michel d'Ornano est bien candidat, lui aussi ! Première application zélée de la nouvelle loi politique imaginée à l'Elysée.

Scandale dans la majorité. Indignation et mines allongées à l'Elysée. Tentatives infructueuses de Raymond Barre pour fléchir Jacques Chirac et le faire renoncer. Rien n'arrête le président du RPR qui mène campagne à un rythme de pilote de formule 1. Il est partout : dans les arrondissements, sur les marchés, dans les échoppes, à la radio, à la télévision et même en province.

Marie-France Garaud joue les managers de champion professionnel. Elle prévoit tout, minute l'emploi du temps, quadrille chaque quartier de Paris, chronomètre chaque déplacement, chaque interview, chaque rencontre de son poulain, chaque récréation même.

« Je suis fait pour courir le huit cents mètres mais j'ai mes soigneurs », commente le candidat, reconnaissant d'un tel débordement d'énergie et d'un dévouement aussi dévorant. Il faut avoir vu Marie-France arpentant nerveusement le trottoir devant le siège du RPR, l'œil vissé sur sa montre, les joues se creusant d'impatience à chaque minute de retard alors qu'une meute de journalistes attendait le héros.

La campagne parisienne ne se déroule pas dans le style « bon petit diable ». En fait de niches enfantines et de bagarres innocentes entre cousins, on assiste à une lutte mortelle où tous les coups sont permis. On s'épie, on se calomnie allégrement, on s'entre-intoxique à coups de sondages.

L'illustration la plus typique du combat Chirac-d'Ornano a lieu dans le XV⁰ arrondissement, où deux dames redoutables se crêpent le chignon. D'un côté Nicole de Hauteclocque, conseillère municipale et député RPR inamovible du quartier, imbattable pour les bonnes œuvres et les bons sentiments, inégalable dans les ventes de charité et l'exercice de la tasse de thé et du gâteau sec. Face à elle, Françoise Giroud, candidate de l'Elysée, secrétaire d'Etat à la Culture, le sourire savamment charmeur, la voix de miel liquide, l'œil de carbone brillant tantôt d'une irrésistible séduction, tantôt d'une indestructible pugnacité. Avec elles, le quartier devient le siège d'une bataille rangée où l'on rivalise à coups de goûters pour personnes âgées. Un jour, elles ont droit à la crème chantilly giscardienne, le lendemain au mille-feuille RPR. Vingt-quatre heures ne se passent pas sans gâteries. Pour mieux arracher leurs bulletins, on fait avaler pendant un mois aux représentants du quatrième âge tant de calories, que certains pointeurs électoraux redoutent leur trépas avant même le vote, pour overdose de pâtisseries. On a recours aussi à des armes moins pacifiques. On se poignarde cruellement pour une affaire de médaille de la Résistance (et pas en chocolat) que les gaullistes ne pardonnent pas à Françoise Giroud d'avoir revendiquée.

Jacques Chirac n'est jamais si efficace, si heureux, ni tant lui-même que dans ces affrontements électoraux. Rien ne le rebute, rien ne le décourage. Jérôme Monod a raconté en s'esclaffant : « Un jour où plusieurs sondages le donnaient perdant, j'entre dans le bureau de Jacques, et le trouve effondré dans son fauteuil, les pieds sur la table, la tête dans les mains. Je m'inquiète, je redoute une crise d'abattement et m'enquiers timidement : " Jacques, cela ne va pas ? " et Chirac de me répondre : " Ça ne va pas du tout, je n'arrive pas à digérer les deux douzaines d'escargots que j'ai mangées à midi. " »

Face à cette invraisemblable vitalité et à ce professionnalisme de haute volée, l'équipe giscardienne fait quelque peu figure d'amateur.

Malgré la poussée socialiste dans la capitale, malgré les efforts pas toujours très ordonnés des centristes et des républicains indépendants, Jacques Chirac l'emporte. Le candidat du président est battu. Le RPR encore dans l'enfance fait ses premiers pas électoraux à la manière d'un surdoué.

Le nouveau maire de Paris a gagné la première manche. Il a sans coup férir réussi à intéresser l'opinion, à se faire réélire en Corrèze, à lancer gaillardement le RPR, à se hisser sur le pavois parisien. Il peut réunir sur un même blason le plateau de Millevaches et le vaisseau de Lutèce. Il a atteint ses objectifs mais, paradoxalement, trop vite et trop bien. Car, lancé sur ce rythme, Jacques Chirac ne sait plus s'arrêter. Sa rage de vaincre, sa certitude de gagner, la mobilisation un tantinet frénétique de son entourage, obscurcissent son jugement. Il sous-estime tout le monde dans la majorité : le président, qu'il croit vulnérable, le Premier ministre, qu'il juge inoffensif, ses alliés — ses rivaux —, qu'il imagine incapables de s'unir. Ayant bousculé sur son passage les premiers obstacles qui le séparent du pouvoir suprême, il se figure volontiers que les derniers remparts tomberont dès qu'il paraîtra.

Depuis qu'il a quitté Matignon, et jusqu'aux élections législatives de mars 1978, il poursuit en fait trois buts à la fois. Il veut battre la gauche, mais à condition d'en être visiblement le vainqueur.

Il veut imposer sa suprématie au sein de la majorité et arracher, grâce à des meetings à travers la France, au nombre de ses militants et aux suffrages à venir (il vise les 30 p. 100 pour le seul RPR), cette primauté que le président lui avait refusée.

Enfin, il veut réduire à merci ce chef de l'Etat dont il n'a au fond de lui-même jamais tout à fait accepté la souveraineté. Il a pu le faire élire, l'admirer, faire équipe avec lui, mais sous la pression conjuguée de ses conseillers, de son tempérament et de quelques contresens, il s'est vite persuadé qu'il était souhaitable et possible de devenir l'homme fort du tandem.

D'août 1976 à mars 1978, Jacques Chirac s'en prend donc à plusieurs reprises à Valéry Giscard d'Estaing. Le chemin de la discorde est jalonné de gros cailloux noirs. Le groupe parlementaire RPR lui emboîte le pas.

Novembre 1976 : une rumeur insidieuse se chuchote dans les cercles politiques et bientôt les cocktails parisiens. On le tient de source sûre : le président serait en analyse. On vous le jure, on connaît le nom du spécialiste célèbre qui le confesse sur un divan. *La Lettre de la Nation* s'en fait l'écho. Cette attaque particulière d'une élégance fort relative a pris sa source — les conseillers de l'Elysée en sont tout à fait convaincus — au dernier étage de la tour Montparnasse.

Février 1977 : devant plus de quatre mille supporters, à Saint-Nazaire, et en présence de deux ministres gaullistes de VGE : Olivier Guichard et Vincent Ansquer, benoîtement installés à la tribune, Jacques Chirac s'écrie : « L'Etat ne doit pas se dévoyer dans la surveillance tatillonne de toutes les formes d'activité, alors même qu'au niveau suprême, là où doit s'affirmer en toute clarté une volonté nationale, la certitude semble faire défaut. » Et comme si cela ne suffisait pas encore, *la Lettre de la Nation* ajoute : « Quand on ne veut faire de peine à personne, on choisit Vichy. » Impossible de mettre en cause plus brutalement la fermeté du chef de l'Etat. Impossible d'en donner davantage une image de renoncement.

Mars 1977 : par deux fois, Michel Debré joint sa voix aux attaques du chef du RPR. Devant le comité central du Rassemblement, il s'exclame, comme le rapporte André Passeron dans *le Monde* : « Notre seule chance serait que Giscard s'efface pendant un temps et que le gouvernement prenne en main la direction des affaires. »

L'ancien Premier ministre du général de Gaulle a une solution dans ses cartons : un gouvernement de salut public. Chacun suppose qu'il s'agirait de réunir des hommes de qualité sans étiquette partisane. Chacun comprend surtout qu'à sa tête le valeureux Premier ministre pourrait se nommer Michel Debré. Quelques jours plus tard, lors des journées parlementaires du RPR qui se déroulent aux Baux-de-Provence, le même Michel Debré déclare : « Nous n'avons plus le droit de nous confondre avec un pouvoir qui ne bénéficie plus de la confiance populaire. » Et d'ajouter, bien sûr : « Il faut un gouvernement de salut public. » Yves Guéna, délégué politique du RPR, déplore pour sa part à plusieurs reprises devant des journalistes : « Il est bien dommage qu'il n'y ait pas dans la Constitution la procédure d'*impeachment* » (celle qui peut contraindre un président à abandonner ses fonctions).

Avril 1977 : session de printemps au Parlement. Les députés gaullistes ne manifestent pas le moindre enthousiasme à l'idée de compléter et de soutenir les mesures d'austérité demandées par Raymond Barre. Claude Labbé, le président du groupe, résume ainsi le sentiment du RPR : « Nous ne sommes pas pour le *oui-mais*, mais pour le *non-sauf*. » Le groupe renâcle tant qu'il faut une intervention de Jacques Chirac pour le convaincre de voter. Ayant beaucoup critiqué le plan Barre, si impopulaire, les députés RPR n'ont aucune envie de l'avaliser. Mais après l'avoir bien discrédité, le maire de Paris préfère en rester là. Il ne peut être question d'ouvrir une crise ministérielle et moins encore de risquer paraître en porter la responsabilité.

Juin 1977 : happening européen. L'Assemblée nationale doit se prononcer sur les modalités de l'accord intervenu entre les

Neuf pour l'élection de l'Assemblée européenne au suffrage universel direct.

Michel Debré, très hostile à l'accord et qui ne doute de rien, propose rien moins qu'une renégociation du traité de Rome. Il rage : « L'Europe qui nous est présentée est la négation des nations et la France a une exigence de défense et de diplomatie qui lui est propre. »

En réponse, Valéry Giscard d'Estaing choisit de consulter le Conseil constitutionnel, qui juge l'accord des Neuf conforme au droit... A Michel Debré qui lance : « Les débordements de pouvoirs de l'Assemblée européenne ne sont pas probables, ils sont certains [...] Cette Assemblée sera une machine de guerre contre les gouvernements », le président de la République rétorque : « Il n'est pas possible pour l'Assemblée d'élargir ses compétences sans recourir à la procédure de modification constitutionnelle française. » Deux thèses parfaitement incompatibles se trouvent en présence.

Toujours désireux de critiquer le président mais fermement décidé à éviter une crise gouvernementale, Jacques Chirac s'oppose à Michel Debré qui rêve de motion de censure. Mais pour mieux dégager sa responsabilité, le leader du RPR commet une imprudence en assurant à la tribune de l'Assemblée nationale : « Vous savez que ce texte n'a jamais eu mon accord, vous savez que toutes les négociations ont été conduites hors de ma présence, vous savez que j'ai exprimé les plus expresses réserves auprès du chef de l'Etat, vous savez que j'étais déjà démissionnaire le 15 juillet. Lorsqu'un Premier ministre prend la responsabilité de se démettre de ses fonctions, c'est qu'il a de bonnes raisons de le faire. Le projet européen était l'une d'elles. » Personne, au gouvernement, ne se rappelle, et pour cause, avoir entendu Jacques Chirac s'élever contre le projet de loi européen. D'où une explication orageuse, en tête à tête, avec Raymond Barre. Et le lendemain de cette entrevue, le leader du RPR affirme : « J'ai expliqué au Premier ministre que je n'ai fait que répondre aux attaques de Guiringaud [le ministre des Affaires étrangères], et si j'ai haussé le ton c'est parce que les communistes faisaient du chahut. »

Jacques Chirac n'a convaincu personne de sa bonne foi. Sur le plan politique, tout le monde a compris qu'il se démarquait de VGE d'autant plus vigoureusement que ses troupes accueillaient plus mal le projet gouvernemental. Afin que chacun tire bien les leçons de l'affaire, dans une interview accordée au *Point*, le maire de Paris proclame : « Le président n'est pas le chef de la majorité puisqu'il a décidé de ne pas assumer la responsabilité de sa majorité. Lorsqu'il dit qu'il restera au pouvoir quel que soit le résultat des élections, il a renoncé à être le chef de la majorité en renonçant à assumer le destin de celle-ci. »

Derrière le contentieux européen affleure le véritable désaccord : tout en s'opposant à l'orientation européenne du président, Jacques Chirac veut démontrer, une fois de plus, qu'il est le seul capable de mener la majorité à la victoire face à la gauche.

Menton, fin septembre 1977 : les députés RPR tiennent leurs rituelles journées parlementaires. La grande nouvelle est la rupture fracassante de l'Union de la gauche. Elle vient tout juste de survenir. Elle a eu lieu en direct, devant les caméras de la télévision. Tout est changé. Dans l'état-major chiraquien, suivent huit jours de flottement. Si le PC et le PS se tournent désormais le dos, l'électorat majoritaire ne va-t-il pas se démobiliser ? La gauche ne va-t-elle pas cesser d'effaroucher ? La croisade de Jacques Chirac ne risque-t-elle pas de paraître inutile ? Pierre Juillet et Marie-France Garaud trouvent vite la parade. Rien n'est changé, disent-ils, pis, le danger est même plus grand... parce qu'il est sournois. Les électeurs communistes voteront tout autant socialiste au deuxième tour, le PS effraiera moins les modérés puisqu'il ne fera plus entrer les communistes dans ses fourgons. La vigilance et la combativité s'imposent donc plus que jamais. Aussi bien à Menton, dans son discours de clôture, le leader du RPR lance-t-il une philippique enflammée contre la gauche. Il prononce en outre un mot qui va susciter des gloses, des commentaires infinis et force polémiques dans la majorité. Le RPR doit pouvoir être le recours, dit en substance Jacques Chirac. Et chacun de s'interroger. Le maire de Paris mise-t-il sur la victoire de la gauche ? Ne vient-il pas d'abattre son jeu et d'avouer implicitement que le chef de l'Etat lui paraît un rempart trop fragile contre l'opposition ?

Dans cette période-là, Pierre Juillet et Marie-France Garaud font vivre le maire de Paris dans un climat étrange, pour mieux le mettre en condition. Dans l'enthousiasme de la bataille, dans l'allégresse des premiers succès, dans la dramatisation de

262

l'enjeu politique presque sans précédent que constituent les élections législatives, ils entretiennent autour de lui une atmosphère survoltée, un brin artificielle, sans rapport avec le monde extérieur, qui fait perdre à chacun le sens de la mesure. Selon un témoin « très direct », au cours d'une séance de travail à Puy-Judeau, Pierre Juillet aurait confié, « sur un ton incantatoire un rien vaudou : " J'ai rêvé cette nuit : je voyais un chevalier qui se levait pour sauver la France, je croyais d'abord que c'était de Gaulle, mais je m'apercevais que ce chevalier avait les traits de Jacques Chirac... "» Aucun des participants n'a le bon sens de rire.

A Paris, les autres conseillers du président du RPR se plaignent d'être écartés. N'étant pas du cercle élu, ils s'avisent des dangers qu'il y a à construire un tel univers, si soigneusement clos, autour de Jacques Chirac. « Il était impossible de l'approcher, dit Alexandre Sanguinetti, il était presque aussi difficile de voir Pierre et Marie-France. Je leur ai d'ailleurs dit un jour : " Je me demande bien pourquoi vous m'avez fait venir auprès de vous, puisque vous ne me consultez jamais. Si je mourais dans mon bureau vous ne vous en rendriez compte qu'un mois plus tard, à l'odeur derrière la porte. "»

L'actuel secrétaire général du RPR, Bernard Pons, le confirme : « Pierre Juillet et Marie-France avaient un peu trop tendance à faire croire à Chirac qu'il ne devait avoir confiance en personne, eux deux exceptés, bien sûr. » Tous les amis du maire de Paris balancent alors entre deux sentiments : ils s'irritent de ne pouvoir le rencontrer et s'agacent du monopole d'influence réservé aux deux conseillers, mais ils admirent, en même temps, les résultats obtenus et se disent que le forcing effréné auquel se livre leur champion exige peut-être cette mise en condition-là.

7 décembre 1977 : événement inouï, Jacques Chirac est reçu en audience à l'Elysée par Valéry Giscard d'Estaing L'entretien dure quarante-trois minutes. Pour cette rencontre, présentée comme historique par le RPR, son leader a annulé des voyages en province, renoncé à un *Club de la presse* à Europe 1, mis tous les journaux, toutes les radios, toutes les télévisions, sur le pied de guerre. « La dramatisation de l'ordinaire », commente le placide Olivier Guichard.

VGE accueille Jacques Chirac à la demande de ce dernier. L'ex-Premier ministre, qui a commencé un tour de France épuisant pour mieux combattre la gauche, de département en département, veut absolument expliquer au chef de l'Etat qu'il doit s'engager dans la campagne législative, indiquer le bon choix, prendre parti pour son camp. En réalité, le président a déjà marqué publiquement son hostilité au programme commun et annoncé, dans le style délibérément olympien qui est le sien, qu'il prendrait position, publiquement et officiellement, « le moment venu ».

Au sortir de cette rencontre, Jacques Chirac annonce tout sourire sur les marches de l'Elysée : « Je crois que j'ai été compris, ce qui me fait plaisir. » Le président a parfaitement saisi que le leader du RPR souhaitait surtout paraître l'avoir convaincu de quelques idées fortes, lesquelles n'avaient pourtant rien d'une nouveauté pour l'Elysée. Ainsi Jacques Chirac ne fait-il que poursuivre son but désormais bien établi : démontrer, au grand jour, que lui seul représente le dynamisme et la combativité face à la gauche.

16 janvier 1978 : meeting à Vierzon. Devant quelque cinq mille militants fort satisfaits, le maire de Paris prononce le discours probablement le plus désagréable de toute cette campagne pour l'Elysée : « Quand l'ennemi approche, la tentation vient aux faibles de l'aider en sa victoire, dans l'espoir — toujours vain — de se le concilier ou au moins d'en réduire l'hostilité. [...] Pour le reste, nous dirons la vérité au pays afin de lui fournir, comme dans le passé, son espérance ou son recours. » Toujours la faiblesse du président. Toujours le recours du RPR. Les gaullistes légitimistes Jacques Chaban-Delmas et Olivier Guichard lèvent les bras au ciel.

La langue de Jacques Chirac n'a pourtant pas fourché puisque, le mois suivant il laisse encore tomber : « Nous n'avons aucune leçon à recevoir de ceux qui parlent du changement comme les vieillards parlent des petites filles. »

11 février 1978 : le RPR rassemble, porte de Pantin, à la Halle aux bœufs, plus de cent mille personnes venues de la France entière par cars et trains spéciaux. L'organisateur de cette prouesse est Charles Pasqua. Jacques Chirac clôt ainsi par un succès populaire incontestable une campagne qui aura duré trois mois et une semaine, l'aura conduit dans soixante-dix-neuf départements, au cours de laquelle il aura tenu cinq cent dix-sept réunions. « Je n'ai pas couché deux soirs de suite dans

le même lit pendant tout ce temps », dit-il encore tout fier aujourd'hui.

Le froid est glacial, mais l'assistance chaleureuse. Une nouvelle phrase du leader du RPR donne le ton. « Si par malheur le peuple était privé de ses libertés, les gaullistes seraient l'ultime rempart des institutions de la République et du président. » Rempart de la République sûrement, rempart du président... voire !

A l'issue de son offensive d'hiver, le bilan de Jacques Chirac semble plus nuancé qu'il n'en a l'air. Certes, il a fait la démonstration de son allant, de sa détermination, de sa capacité à drainer les foules. Mais, en donnant l'impression qu'il veut mener ses partenaires centristes et giscardiens à la cravache, en ne cachant même pas le peu de considération qu'ils lui inspirent, le président du RPR est inévitablement apparu comme un dominateur quasiment impérialiste. En l'occurrence, il ne s'est pas montré d'une adresse folle : plus il fustigeait ses alliés dispersés, plus il les incitait à se rassembler. Enfin, en critiquant ouvertement et sans précaution aucune le chef de l'Etat, Jacques Chirac a choqué tout ce que l'électorat majoritaire compte de gouvernementaux et de traditionalistes : il s'est lui-même exposé aux soupçons d'illégitimité.

Il lui est arrivé d'en prendre conscience : chaque fois qu'il laissait tomber une petite phrase bien meurtrière, il tentait dans les vingt-quatre ou quarante-huit heures de se rattraper en exigeant soudain, et de façon plutôt saugrenue, le respect d'un code de bonne conduite au sein de cette majorité qu'il malmenait si fort.

Les Français ont le sens de la politique. Au moment des élections législatives, beaucoup avaient déjà compris que le maire de Paris se battait pour son propre compte.

Jacques Chirac a mis en œuvre, sabre au clair, une stratégie du forcing tonitruant. Valéry Giscard d'Estaing, lui, poursuit sans se lasser sa stratégie de l'investissement multiforme. Toujours paisible, toujours convenable, le président ne laisse rien au hasard, occupe tous les créneaux et s'emploie à faire face à toutes les hypothèses.

Son nouveau Premier ministre applique une politique économique qui fait grincer des dents mais a au moins le mérite de la cohérence. Le plan Barre, rendu public le 22 septembre 1976, a sa logique : il faut restaurer la compétitivité de l'économie française, il est indispensable (selon Barre) de reconstituer avant tout les bénéfices des entreprises, sources des investissements et donc, à terme, du redressement de l'emploi. Les salaires et les prestations sociales ne doivent plus croître, en moyenne, plus vite que la hausse des prix. Les critères suprêmes seront désormais : le volume des exportations et la tenue du franc. Le Premier ministre demande à la France des efforts et du courage. Sur le moment, beaucoup doutent de l'accord des citoyens et de la réussite du projet, les observateurs annoncent même des rejets et des convulsions.

Le libéralisme autoritaire de M. Barre constitue la première dimension, la plus visible de l'entreprise présidentielle.

La seconde est plus personnelle à VGE. Elle consiste à expliquer aux Français dans quelle société il souhaite les faire vivre. Sous la forme d'un essai politique, dédié à Gavroche et à Marianne, symboles appuyés de la République et de la Nation, un président en exercice — fait sans précédent — dit ce qu'il voudrait faire, sinon comment le faire. En cent quatre-vingt-deux pages. C'est *Démocratie française*.

La France qui s'y dessine est composée de citoyens mûrs et raisonnables, actifs et paisibles, qui s'aiment et se respectent. Aux chocs de la lutte des classes doivent succéder l'intégration et l'harmonie, grâce à un grand groupe central, une immense classe moyenne cimentée par un consensus de bon aloi. Cette société exemplaire saurait à la fois garantir la sécurité de chacun et une meilleure chance pour tous, sans pour autant faire disparaître la responsabilité individuelle ni la compétition. Les inégalités les plus visibles et les moins admissibles seraient pourchassées.

Ce n'est pas du Gracchus Babeuf, mais Pierre Viansson-Ponté, dans *le Monde,* salue « ce livre d'un grand bourgeois intelligent, d'un libéral éclairé et moderne ».

Yves Guéna, le délégué politique du RPR, juge qu'il manque à l'ouvrage « la dimension tragique de l'histoire ».

Dans un feulement de tigresse, Marie-France Garaud se contente de citer Jean-Jacques Rousseau : « Si j'étais prince ou législateur, je ne perdrais pas mon temps à dire ce qu'il faut faire : je le ferais ou je me tairais. »

Le président voulait déclencher un grand débat idéologique dans l'opinion et dans la classe politique. Il ne provoque pas un remue-ménage intellectuel très substantiel. En revanche, il trouve beaucoup de lecteurs : six cent quatre-vingt mille exemplaires sont vendus en trois jours. Les Français savent désormais mieux ce qu'a en tête celui qu'ils ont élu en 1974.

Troisième créneau assez inédit lui aussi, le président se proclame bien décidé à utiliser toutes les ressources de la Constitution, quelles que soient les circonstances. Il a été élu pour sept ans, il ira jusqu'au bout de son mandat : de préférence avec la majorité en place mais, s'il le faut, avec la gauche. Il en avertit les Français à plusieurs reprises : une victoire de l'opposition aux élections législatives ne le fera pas décamper de l'Elysée. Le « moi ou le chaos » gaullien ou même pompidolien n'est pas son genre. Si François Mitterrand est le vainqueur des législatives à venir, VGE restera en place pour le combattre, persuadé qu'il est de l'emporter, dans six mois, dans un an... Et comme le chef de l'Etat aimerait beaucoup se dispenser d'une telle expérience et qu'il n'a nulle intention d'en passer par les conditions de Jacques Chirac, il va pousser, en coulisses, mais avec constance, à la constitution de l'UDF (Union pour la démocratie française) un nom qui s'inspire d'un best-seller particulièrement aimé du président... Ainsi, pour la première fois, modérés, centristes et réformateurs se regroupe ront-ils dans son sillage, pour faire pièce au RPR au sein de la majorité. Au rassemblement du maire de Paris fera désormais pendant une nébuleuse libérale.

Au départ (fin 1976), les sondages ne révèlent pas beaucoup d'enthousiasme. Le plan Barre n'a rien de ce qu'il faut pour provoquer un coup de foudre chez les Français. La situation économique reste aussi grise que possible, l'environnement international apporte peu de bonnes nouvelles. La gauche, revigorée par les élections cantonales, piaffe des quatre fers en attendant la lutte finale La majorité se déchire à pleines dents. 39 p. 100 des Français se disent satisfaits du président, contre 43 p. 100 de mécontents : le plus mauvais score jamais atteint par un chef de l'Etat sous la Ve République.

Il en faut pourtant plus pour abattre ce président que l'on dit fragile. Valéry Giscard d'Estaing est persuadé qu'après ces mauvais moments, le bon sens reprendra forcément ses droits et les Français lui souriront de nouveau. Plus joueur d'échecs que jamais, il prépare déjà l'après-1978.

16 octobre 1976 : pour la première émission du *Club de la*

presse à Europe 1, VGE répond à Philippe Tesson, le directeur du *Quotidien de Paris* : « L'alternance ne serait viable qu'avec une social-démocratie. »

Après coup, une explication de texte est fournie par l'Elysée : si l'Union de la gauche l'emportait, le président demeurerait en place pour mieux la combattre. L'Union de la gauche n'est pas la social-démocratie. Dans la société vers laquelle la France doit tendre, devraient pouvoir se succéder des libéraux et des socialistes (qui n'auraient pas signé de programme avec les communistes), comme en Grande-Bretagne ou en Allemagne fédérale. Et VGE de s'employer à faciliter une telle évolution.

A Strasbourg, le 26 novembre 1976, il s'exclame : « La grande faiblesse de la France est de se passionner pour ce qui la divise. Si nous consacrions une faible partie des talents que nous mettons à nous diviser à étudier les solutions nous permettant de progresser davantage, peut-être, sans doute obtiendrions-nous de meilleurs résultats. » Tout Valéry Giscard d'Estaing est dans cette réflexion-là.

Les travaux pratiques vont d'ailleurs illustrer cette belle théorie quelques jours plus tard, à Lille, où se réunit, le 2 décembre, l'un de ces rares Conseils des ministres « décentralisés ». A la préfecture régionale, un grand dîner rassemble toutes les notabilités. A grand renfort de publicité VGE y serre la main de Pierre Mauroy, le député-maire socialiste de la ville, un lieutenant de François Mitterrand dont, justement, le président espère qu'il pourrait bien un jour être l'un de ces sociaux-démocrates introuvables. Et de ponctuer un peu lourdement : « C'est la première fois dans les annales récentes de la Ve République qu'un repas réunissait des membres du gouvernement et un grand nombre de parlementaires importants de l'opposition. C'est une date importante dans l'histoire politique française. »

Le RPR grommelle, *l'Humanité* se fait grincheuse et le ministre Norbert Segard, candidat à la mairie de Lille contre Pierre Mauroy (l'élection a lieu dans trois petits mois), se lamente : « On sacrifie mes chances sur l'autel de la décrispation. »

17 janvier 1977 : le président réunit la presse. Outre sa nouvelle conception des relations au sein de la majorité (qui doit être, désormais, pluraliste), il poursuit obstinément son dessein : « La durée du mandat présidentiel est peut-être

excessive [...], l'aménagement de la loi électorale est peut-être souhaitable [...], le financement public des partis politiques est peut-être plus sain [...], la réforme des collectivités locales est sûrement très urgente [...]. » Autant de thèmes revendiqués de longue date par les socialistes et qui chatouillent agréablement les oreilles de l'opposition non communiste.

8 février 1977 : à Ploërmel, résidence préférée des ducs de Bretagne, VGE, cette fois, ne parle plus de la décennie quatre-vingt. Il ne s'agit pas de gager sur l'avenir, mais de gagner dans l'immédiat. Le ton est ferme et résolu (le président a toujours su faire campagne). Tous ceux qui le gênent ont droit à leur petite mercuriale personnelle.

Les communistes ? « Il n'appartient pas à Georges Marchais d'autoriser ou de ne pas autoriser le président à exercer ses fonctions. »

Les socialistes ? « Il n'appartient pas à tel ou tel [François Mitterrand n'est pas nommé] de décider quelles seraient, en cas de succès de la gauche, les obligations du président de la République. »

Le RPR ? Jacques Chirac (il n'est pas désigné non plus) s'entend dire : « Il faut cesser de contrecarrer l'action du président de la République, tout en proclamant son attachement à l'institution présidentielle. »

Et VGE de conclure : « Je dirai, le moment venu, où est le bon choix pour la France. Qu'on ne compte pas sur moi pour taire mes convictions. Qu'on ne compte pas sur moi pour renoncer à défendre les idées sur lesquelles les Français m'ont élu [...] M. Barre, lui et lui seul, conduira la majorité aux élections. »

Ce printemps 1977, justement, le Premier ministre commence à prendre une stature politique. Les élections municipales sont mauvaises pour la majorité. Personne ne s'en étonne. Avec la victoire de Jacques Chirac à la mairie de Paris, elles ont été particulièrement désagréables au président.

Il faut réagir. Raymond Barre s'en charge : il obtient de l'Elysée l'éviction des trois ministres d'Etat, symboles des familles politiques de la majorité (Ponia pour les giscardiens, Olivier Guichard pour les gaullistes et Jean Lecanuet pour les centristes), qui font leurs valises. Le bon M. Barre, si indifférent à l'égard des petits jeux des partis et des ficelles électorales, détient ainsi personnellement — comme le hasard fait bien les choses ! — la seule voix politique de son gouvernement. Il assure son autorité sur ses ministres avec une emprise toute pompidolienne.

Le 12 mai, il affronte, à la télévision, un rude jouteur : François Mitterrand lui-même. Tout débutant qu'il soit, le Premier ministre donne le spectacle assez inattendu d'un gros chat jouant avec une souris. Au violoncelle grave et ému du premier secrétaire socialiste, le Premier ministre réplique par un interrogatoire serré de prof pas commode : « Et l'inflation en Allemagne, de combien est-elle ? Et les investissements publics français de l'an dernier, à combien se sont-ils montés ? » François Mitterrand, incarnation de la gauche en marche vers le pouvoir, se trouve ainsi réduit au rôle de potache pas très sûr de sa science. Il ne le pardonnera jamais à cet universitaire trop roublard.

Par la même occasion, le RPR, qui affichait jusqu'ici une indifférence goguenarde face à ce professeur inexpérimenté, s'avise soudain que M. Barre pourrait bien représenter une force dont il faudrait se méfier.

11 juillet à Carpentras : nouveau discours, très politique, du président de la République. Sous les platanes de la place principale et devant quarante mille personnes, il cède d'abord à ses démons familiers — il est en veine de formules et d'images : « La France ne doit pas être un paquebot qui se conduit à hublots fermés. » Après chaque effet, il regarde cocassement la mine du nouvel académicien Alain Peyrefitte, son ministre de la Justice, assis sagement au pied de la tribune. Celui-ci, la tête penchée en arrière, les yeux mi-clos, semble recevoir le discours présidentiel tel le catholique intégriste l'hostie.

Incorrigible optimiste, le président fait encore ce pronostic : « A la fin de l'année, la France sortira à la fois de la crise et de l'inflation, sans drame et sans affrontement. »

Dès qu'il revient à la politique, VGE adopte un ton des plus fermes : « Je n'ai jamais cessé de croire que la majorité allait gagner. L'entente a piétiné, faute de coordination. Il faut opposer au Programme commun un programme d'action. Je veillerai, en toute circonstance, à ce que la Constitution soit respectée. [...] Je resterai quoi qu'il arrive, et l'on verra bien s'il se trouve des amateurs de coups d'Etat. » Jacques Chirac lui-même doit convenir que « le président a fait un pas important ».

Comme il l'a annoncé, le chef de l'Etat s'engage désormais de plus en plus : en décembre 1977, à Vassy, dans le Calvados, mais surtout le 28 janvier, à Verdun-sur-le-Doubs, en Bourgogne. A deux mois des élections législatives, il utilise sans hésiter toutes les ressources du prestige de sa fonction, ce dont François Mitterrand s'indigne. Il pose à l'arbitre et au chef. Il agit, comme jamais depuis 1974, en leader véritable de la majorité.

Dans *le Monde*, Jacques Fauvet, qui n'est pas à son égard la complaisance même, veut bien écrire que ce discours est le meilleur dans la forme et dans le fond, le plus combatif et le plus convaincant. Et c'est bien l'avis de tous !

Dans le camp de la majorité, les choses se précipitent, en ce mois de janvier 1978. VGE réunit le gouvernement en séminaire, au château de Rambouillet. Tous les ministres sont interrogés. « Croyez-vous au succès de la gauche ? » Et chacun, pieusement, de se récrier. Les deux plus confiants sont Raymond Barre et Alain Peyrefitte, qui estiment que « la majorité aura vingt ou trente sièges d'avance ». Le président ne commente pas. Quelques jours plus tôt, devant un ministre gaulliste, le président, envisageant un instant le pire, s'est exclamé en bon mari : « Nous serons enfermés à l'Elysée. Ce sera terrible pour Anne-Aymone ! «

A Rambouillet, il faut écourter ce petit jeu de la vérité où chacun doit un peu tricher pour courir ensuite à Blois : en fin d'après-midi, le Premier ministre doit présenter son fameux programme en trente objectifs et cent dix propositions — un catalogue propre à allécher toutes les catégories sociales, sans qu'il puisse être bien sûr question de la moindre trace de démagogie... La plupart des excellences ont pris connaissance du document dans leurs voitures. Ce programme est calculé pour convenir à toutes les branches de la majorité. Le RPR, réticent, concède tout de même qu'il y a là « quelques éléments intéressants », sans se sentir pour autant engagé le moins du monde.

Jacques Chirac ne désire nullement se laisser lier les mains par une série de mesures trop précises. Marie-France Garaud le lui déconseille d'ailleurs formellement. Elle n'imagine pas que le maire de Paris puisse adhérer à un document dont il n'est pas l'auteur. Elle le dissuade même de cautionner de son nom les *Propositions pour la France,* concentrées en trois volumes et formulées, après six mois de travail intensif, par le secrétaire général du RPR, Jérôme Monod. N'en déplaise aux savants rédacteurs de ces textes de circonstance, l'événement politique le plus significatif de ce mois-là relève bien davantage de la stratégie électorale et du jeu des partis que de l'idéologie ou de la production intellectuelle.

Le 10 janvier, après six mois de gestation dans l'ombre, à l'abri des regards indiscrets du président du RPR, un nouveau parti voit le jour : l'UDF peut enfin pousser son premier cri. Elle est le fruit d'un mariage à quatre : le Parti républicain (ex-RI) des giscardiens estampillés, les centristes de Jean Lecanuet, les radicaux de J-J S-S et les démocrates-sociaux de Max Lejeune. Quatre ans après son élection, le président tient enfin son parti. Pour la première fois, la majorité se trouve organisée en deux pôles. Jacques Chirac a bel et bien été joué.

Le maire de Paris savait très bien ce qu'il voulait : conserver l'avantage au sein de la majorité, muscler et étoffer son RPR et manœuvrer de telle manière que ses petits alliés restent dispersés, donc inoffensifs. VGE ayant la présidence et le gouvernement, le RPR devait absolument pouvoir s'appuyer sur la mairie de Paris (c'était acquis) et sur un groupe parlementaire bétonné à l'Assemblée nationale. Ce serait là son assurance tous risques, quelles que fussent les circonstances (victoire de la majorité ou succès de la gauche). A peine élu à Paris, Jacques Chirac a donc tout mis en œuvre pour faire entériner sa force par ses alliés de moindre vigueur.

Le 19 juillet 1977, il croit être parvenu à ses fins : flanqué de Jean Lecanuet pour les centristes, de Jean-Pierre Soisson pour les giscardiens et de l'honorable Bertrand Motte pour les indépendants (les radicaux de J-J S-S ont résolument refusé de se mêler à la fête), il peut rendre public un texte idéal : le pacte qu'il présente prévoit, en effet, un désistement automatique au deuxième tour au bénéfice de celui qui arrivera en tête et un engagement formel de l'appuyer franchement (et puis on ne polémique pas entre si bons amis).

Jacques Chirac ne veut pas de programme : il n'y en a pas. Le RPR, souvent mieux implanté que ses partenaires, a toutes les chances d'arriver en tête au premier tour dans une majorité de circonscriptions. Apparemment, ses partenaires ont accepté un accord léonin. Mais M. Chirac se montre parfois trop confiant en ses propres capacités électorales et pas assez attentif aux ripostes éventuelles de ceux qu'il malmène.

En surface, tout le monde joue le jeu pendant l'été 1977. On se rencontre gentiment chaque semaine pour passer les circonscriptions en revue et recenser le nombre des candidats de la majorité. Le RPR, tout sourire, peut constater qu'il arrive fréquemment que centristes et républicains mettent plus d'ardeur à rivaliser entre eux qu'à contester les positions acquises du gaullisme, preuve que l'accord qu'il a proposé ne peut lui être que profitable.

En arrière-plan, dans le pavillon de musique, s'abritent, sous les charmilles et les grands arbres du parc de Matignon, d'autres rencontres plus discrètes, qui réunissent chaque semaine les mêmes... et d'autres. Il y a là Jean Lecanuet et Jean-Pierre Soisson, mais aussi J-J S-S ainsi que des collaborateurs de Raymond Barre. Le but de ces messes noires ressemble fort au sacrifice de l'appellation contrôlée de chacune de ces chapelles, pour mieux attirer la bénédiction du ciel sur une réincarnation commune en une UDF une et indivisible.

Après mille réticences et force palabres, on tombe d'accord, le 10 janvier 1978 : une seule confédération, une seule étiquette, une seule investiture, un seul candidat contre le RPR. Ainsi donc, il y aura des radicaux UDF, des centristes UDF, des républicains UDF et même des UDF UDF. Dans la plupart des circonscriptions, le RPR aura un challenger.

Dès la mi-septembre, à l'issue d'une rencontre à Matignon avec Raymond Barre, J-J S-S a vendu la mèche, en déclarant du haut de l'escalier : « Bientôt il y aura partout des candidats uniques du front anti-RPR. » Méprisant, Jacques Chirac riposte : « Je ne tiens pas compte des déclarations des turlupins de la politique. » Le turlupin a pourtant vu juste et les bons alliés du maire de Paris se sont moqués de lui.

Ulcérés, le leader du RPR et ses proches dénoncent cette agression contre le Rassemblement, parlent de « magouilles partisanes », traitent les conjurés de « bouffons », et décident, en guise de représailles, de présenter des candidats RPR contre les ministres et les dirigeants les plus giscardiens (Jean-Pierre Soisson, par exemple). Publiquement, le maire de Paris fustige le nouveau parti en ces termes : « L'UDF, c'est comme un pâté : elle va réduire à la cuisson. »

Les résultats électoraux démentent cette prédiction venge-resse.

Le 19 mars 1978, la majorité l'emporte. La gauche désunie est battue. Mais si le RPR demeure, avec quelque cent cin-quante-trois élus, le groupe le plus puissant de la majorité (mais il perd tout de même vingt sièges), l'UDF le talonne, avec cent vingt-quatre députés : désormais, il y a, à l'Assemblée nationale, deux pôles équilibrés dans la majorité.

Dans cette victoire commune, Jacques Chirac, Raymond Barre et Valéry Giscard d'Estaing ont chacun joué leur partie.

Plus que quiconque, le président du RPR s'est dépensé. Personne n'a franchi autant de kilomètres, tenu autant de réunions, galvanisé autant de militants, mobilisé autant les esprits. Il a réveillé les assoupis, rendu confiance aux hésitants.

Raymond Barre, lui, a mené une campagne plus discrète et délibérément plus solitaire. Faute de pouvoir parler au nom de toutes les formations de la majorité, mais très satisfait d'incar-ner l'autorité gouvernementale, le sérieux, la compétence et la résolution, il a fait bande à part. Avec un plaisir à peine déguisé, il a visité quelques villes sous ses propres couleurs : « Barre-confiance. » Il a été plus économe de ses propos et moins prodigue de son temps que le président du RPR. Il a rameuté des assemblées beaucoup plus modestes. Sa convic-tion tranquille, son assurance insubmersible ne seront pas oubliées. Durant ces semaines-là, le Premier ministre se sera fait une petite clientèle bien à lui, qu'il aura soigneusement canalisée vers les urnes du bon choix.

Quant à Valéry Giscard d'Estaing, il a abondamment usé du crédit présidentiel. Lui qui avait innové en se déclarant prêt à rester à son poste même en cas de victoire de l'opposition a néanmoins beaucoup fait pour assurer la victoire de la majo-rité. Les Français ne s'y trompent pas, qui font du chef de l'Etat le grand vainqueur et le seul bénéficiaire du scrutin. La presse non plus, qui, sans se préoccuper davantage de savoir qui a terrassé le plus d'adversaires et décidé le plus d'électeurs, lui ceint le front des lauriers du général victorieux.

« On nous a volé notre victoire », proteste, presque pathéti-que, Yves Guéna, au soir du deuxième tour. Car, à l'avance, le maire de Paris savait bien qu'une défaite de la gauche raffermirait d'abord VGE : Jacques-qui-rit se félicite d'avoir ramené au parlement autant de députés gaullistes. Jacques-qui-pleure se désole du rééquilibrage intervenu au bénéfice des amis du président. Pour l'avenir, il lui reste à inventer une stratégie...

Le soir de la victoire de la majorité, au RPR où les sentiments de joie et de tristesse sont mêlés, c'est Charles Pasqua qui résume d'une formule ce climat : « Nous avons travaillé pour le roi de France, et nous nous apercevons que nous avons travaillé en fait pour le roi de Prusse. »

9

Le grand désamour

Le 20 mars 1978 au matin, une ère nouvelle commence dans
les relations entre VGE et Jacques Chirac. L'horizon s'appelle
désormais : les présidentielles. En politique, une élection
chasse l'autre. Dans les rapports du tandem Giscard-Chirac,
une compétition chasse l'autre.

Le chef de l'Etat et son ex-Premier ministre sont voués à se
traiter maintenant en adversaires irréconciliables. Si VGE
l'emporte en avril-mai 1981, Jacques Chirac devra, dans le
meilleur des cas, attendre l'élection présidentielle suivante
(1988) en rongeant son frein — ce qui n'est pas exactement
dans sa nature. Le président fera, de surcroît, tout ce qui est en
son pouvoir — nul n'en doute, et surtout pas le maire de Paris
— pour mettre à profit cette longue période, l'affaiblir et le
laminer.

De son côté, Jacques Chirac doit donc tout faire pour tenter
d'empêcher cette réélection destructrice. Il lui faut se démarquer, critiquer, dénoncer et, s'il le peut, déconsidérer. Mais
avec deux butoirs : s'il ne saurait être question de s'aligner,
sauf à se dissoudre et à abdiquer, il peut encore moins s'agir
d'un affrontement direct, d'une lutte à mort, du combat final,
sauf à s'exposer au soupçon d'illégitimité (insupportable sous
la Ve République lorsqu'on appartient à la majorité, *a fortiori*
lorsqu'on revendique l'héritage gaulliste). A son corps défen-
dant, Jacques Chirac ressemble à ces matadors portugais qui
combattent le taureau sans jamais avoir droit de le tuer d'un
coup d'épée.

Le jeune couple radieux de 1974 n'a pas résisté à l'épreuve du
mariage. Il s'est désintégré dans l'amertume et la rancœur.

276

Dans une cour de la Renaissance, un meurtre passionnel aurait peut-être clos cette aventure. A l'approche du troisième millénaire, la haine doit se farder, paraître plus urbaine et plus policée. Le désamour le plus cruel doit se cacher derrière *une bella figura*. Comme la vindicte est trop forte pour une séparation à l'amiable, reste le divorce teigneux.

Voilà toute l'histoire des relations entre VGE et Jacques Chirac depuis 1978. Elle n'est pas achevée, mais sa logique et son climat ne font pas de doute : une guérilla ininterrompue va recouvrir une épreuve de force inexpiable. Pour cette histoire des derniers mois, il faut être modeste, renoncer à une chronique minutieuse et se contenter de dessiner à gros traits les mésaventures les plus récentes de ces deux divorcés qui n'en finissent pas de rompre.

Au lendemain des élections législatives, Jacques Chirac sait bien qu'une période difficile s'ouvre pour lui. Il a ramené comme promis plus de cent cinquante députés gaullistes au Parlement. Il a contribué à réinstaller plus solidement que jamais le chef de l'Etat dans son fauteuil présidentiel. Il va lui falloir maintenant harceler sans jamais rompre, se distinguer sans se suicider, tenir en équilibre sur le fil du rasoir.

Quarante-huit heures à peine après les élections, la zizanie commence avec l'affaire du Perchoir. La présidence de l'Assemblée nationale revient de droit à un gaulliste (le RPR ayant le groupe le plus nombreux). Malheureusement, deux candidats se présentent : Edgar Faure, le président sortant, et Jacques Chaban-Delmas, qui occupait lui aussi, sous de Gaulle, l'hôtel de Lassay. Le premier est poussé par le clan Chirac et son goût des palais nationaux. Le second par le clan Giscard et son désir de revanche.

Au départ, en fait, le maire de Paris n'a pas de religion bien déterminée. En revanche, Marie-France Garaud, elle, sait tout à fait ce qu'elle veut. On peut le résumer en deux mots : Chaban, jamais !

Le duel prend vite, dans les couloirs du Palais-Bourbon, une allure de vendetta où les côtés burlesques abondent. Que voit-on ? Un Michel Poniatowski en transe métamorphosé en chabaniste fanatique (en 1974, le même Ponia, avec la même fougue, dénonçait la « fragilité » dudit Chaban) et faire une campagne ardente pour le maire de Bordeaux, entraînant dans son sillage

Michel d'Ornano, le battu de Paris, et l'UDF tout entière. Dans les rangs gaullistes, Chaban encore a l'appui des girondins, des ministres (Alain Peyrefitte en tête) et des barons (Michel Debré lui fait tout de même remarquer avec humeur : « Et moi, pourquoi ne me propose-t-on jamais rien ? »).

Edgar Faure, centriste d'instinct et de style s'il en est, porte curieusement les couleurs de la fraction la plus irréductible et la plus militante du chiraquisme. Yves Guéna, toujours mesuré, menace d'exclure Chaban des rangs gaullistes pour le punir d'avoir osé défier Chirac.

Les députés RPR, tout juste élus et fort désireux de prendre tranquillement possession de leurs cocardes, de leurs vestiaires, et de faire en paix leur rentrée des classes à eux, contemplent sans enthousiasme cette guerre des chefs qui les dépasse.

Ni Jacques Chaban-Delmas, ni Edgar Faure ne veulent s'effacer. Un instant, Jacques Chirac se serait résigné à laisser élire Chaban. « Non, Jacques, pas Chaban, Edgar ! » lui oppose, sur un ton de dompteuse s'adressant à son lion favori, la conseillère soudain déchaînée. Le chef du RPR lui doit tant de reconnaissance et lui porte tant de considération pour sa maestria politique qu'il obtempère et remonte à l'assaut. Pour Edgar.

En vain : tout cela sent trop son règlement de comptes pour déclencher l'ardeur des parlementaires RPR qui ressentent encore les fatigues de leur propre campagne. Edgar Faure est battu. Jacques Chaban-Delmas récupère son perchoir, Jacques Chirac est défait et Marie-France responsable. La législature commence, pour le maire de Paris, par un faux pas irritant.

« J'ai reçu un coup de pied au c... Il fallait le rendre au plus vite : j'ai flanqué une gifle », explique en privé le maire de Paris, fort dépité et même ulcéré de constater que cent cinquante députés élus sous son patronage actif se montrent moins disciplinés que cent cinquante candidats investis. Comme la colère est mauvaise conseillère, il réagit aussitôt par une seconde erreur : il fait écarter des instances dirigeantes du RPR tous ceux qui viennent de s'opposer à lui — les ministres et les présidents des Assemblées parlementaires. Chacun comprend qu'Alain Poher n'est pas visé.

Pour le groupe RPR, ces manœuvres subalternes prennent un petit tour mesquin. Si Jacques Chirac n'est pas, lui-même directement, trop contesté, son entourage, en revanche, est chargé des sept péchés capitaux. Jadis magiciens un peu sorciers, Pierre et Marie-France passent, de ce jour, pour les mauvais génies.

Au lendemain des élections législatives, le président du RPR, comme tous les leaders des grands partis (François Mitterrand, Georges Marchais, Jean Lecanuet), est reçu par le président de la République. Le porte-parole de l'Elysée caractérise le tête-à-tête de « franc et utile ». Jacques Chirac, pour sa part, le juge plus franc qu'utile. La conversation a tourné au monologue alterné. VGE a rappelé sa conception pédagogique d'une France tolérante et ouverte. Son visiteur a souhaité un changement de cap économique et s'est tout à fait opposé à l'idée (suggérée par le château) de confier à des élus de l'opposition des présidences de commissions à l'Assemblée nationale. Le dialogue de sourds continue.

Avec le gouvernement de M. Barre, les relations, malgré l'approche de l'été, demeurent toujours aussi fraîches. Le maire de Paris (sur les conseils discrets de la présidence de la République) est quelque peu persécuté en son fief par les autorités de tutelle.

La défense nationale redevient un sujet de conflit plus sérieux. Le soupçon qui pèse, dans ce domaine, sur la doctrine présidentielle se concentre, cette fois-ci, sur la querelle concernant le sixième sous-marin nucléaire. Le RPR veut que le gouvernement lance sa construction au plus vite. L'Elysée, au départ, est partisan d'attendre qu'une nouvelle génération de fusées atomiques soit au point.

Pierre Messmer, fort de son autorité (il a été pendant neuf ans le ministre des Armées du général de Gaulle), exprime à voix haute les blâmes les plus sévères et les appréhensions les plus vives. Jacques Chirac ne cache pas que ce débat lui semble « essentiel et fondamental » pour distinguer la fermeté gaulliste du flou centriste. En septembre 1978, VGE tranche pour la construction d'un sixième sous-marin, qui marquera le passage en souplesse d'une génération à l'autre.

En politique étrangère, le climat de défiance tire prétexte des initiatives françaises sur le continent africain : Mauritanie, Tchad et même Zaïre — malgré le succès de l'opération Kolwezi. Ce ne sont pas tant les interventions françaises qui peuvent mécontenter les héritiers du Général (et pour cause · de 1958 à 1974, les précédents ne manquent pas !) que les méthodes, le moment choisi et le retard des informations données au Parlement. Ils sont d'autant plus choqués qu'ils ont, au fond d'eux-mêmes, quelque envie de l'être. Le maire de Paris ne décourage pas ces velléités contestataires.

Cette fois, impossible pourtant d'incriminer Pierre Juillet ou Marie-France Garaud : le tandem le plus influent de France s'en est allé, choisissant de se retirer quelque temps sur ses terres provinciales — la Creuse ici, le Poitou là. Après une telle campagne, il faut souffler un peu et laisser s'éteindre d'elle-même la grogne parlementaire contre les gens de l'ombre.

Jacques Chirac prend ainsi, et plutôt brusquement, la mesure du nouveau rapport de forces. Il a mal commencé cette période nouvelle. Se sentant affaibli, il sera plus tenté que jamais de se poser en s'opposant.

Durant l'été 1978, il voyage un peu — histoire de se faire connaître hors de l'Hexagone et d'impressionner les braves gens —, dans le Pacifique et en Chine, d'où il revient, à la mi-septembre, en s'exclamant devant des journalistes interdits : « C'est un pays formidable parce qu'il n'y a pas de parti de l'étranger. » A sa descente d'avion, il bondit à Biarritz retrouver son groupe parlementaire, réuni en journées d'études.

Yves Guéna, alors délégué politique, raconte : « Nous sommes arrivés la tête vide, sans plan très précis. Bien sûr, il allait de soi que nous allions réclamer plus de vigilance à l'égard du gouvernement. Nous tombons sur un Michel Debré déchaîné, qui nous déclare tout à trac : " Il faut remettre en cause notre appartenance à la majorité. Il faut voter une motion de censure avant la fin de l'année. [...] Il faut un gouvernement de salut public ! " » Jacques Chirac n'en est pas là et, sans vouloir décourager cette vigueur, tente de convaincre le député de la Réunion de patienter un peu. « J'ai déjà distribué mon texte aux journalistes. C'est trop tard, je ne changerai pas d'avis », réplique, cassant, l'ancien Premier ministre du général de Gaulle.

Les députés tout juste élus en restent abasourdis. Ils ne sont pas convaincus pour un sou : l'idée de provoquer une crise et de devoir repasser devant les électeurs ne leur paraît pas très sérieuse, même pour faire plaisir à Michel Debré. L'un d'entre eux, Jacques Cressard, élu d'Ille-et-Vilaine, publie dans *le*

Monde, au même moment, une tribune libre résumant le sentiment général. Il écrit : « Fidélité envers Jacques Chirac, loyauté vis-à-vis du président de la République, cela n'est pas inconciliable. [...] Je refuse la guéguerre que souhaitent ces troisièmes couteaux de mélodrame, ces bouffons de comédie, ces confidents de tragédie, qui se croient un avenir en déchirant la majorité. » Les oreilles de Pierre Juillet et Marie-France Garaud doivent tinter... Le climat du groupe n'est pas à la lutte finale.

Au cours du dîner de presse, Jacques Chirac se montre plutôt évasif et dit en substance : « La motion de censure ? On verra... » En revanche, un verre à la main, il fait cette confidence : « Tout ce que je peux vous dire, c'est que, sur l'Europe, je ne suivrai pas Debré. » A quelques mètres de là, le maire d'Amboise prophétise : « Je peux vous assurer que Jacques Chirac me suivra sur l'Europe. »

Le problème du chef du RPR s'appelle, en effet, désormais Michel Debré et le terrain de leurs dissentiments : l'Europe, jusqu'aux élections de 1979, où les Français seront appelés pour la première fois à élire des représentants à l'Assemblée européenne au suffrage universel direct.

Michel Debré est décidé à aller jusqu'au bout de sa croisade contre la supranationalité et l'intégration, ces deux hydres qu'il veut exterminer à tout prix. Il entend bien mener personnellement la liste gaulliste. Jacques Chirac, qui veut par-dessus tout préserver l'unité de son mouvement et sait qu'il lui faut se démarquer de VGE sur des sujets sensibles aux électeurs RPR, temporise. Pierre Juillet l'engage d'ailleurs vivement à se montrer intransigeant sur des questions pour lesquelles il n'a pas encore bien défini ses prises de position. Et puis il ne peut pas traiter à la légère un Michel Debré qui risque de constituer une menace.

Depuis qu'il a pris possession du mouvement gaulliste, le maire de Paris renifle le danger. Michel Debré — qui pourrait le contester ? — a reçu les saintes huiles des mains du Général. Beaucoup de militants l'adorent et les députés sont tiraillés entre le respect et l'agacement, devant tant de labeur, de dynamisme, de passion, de discours et d'articles. Au sein du RPR, l'ex-Premier ministre du Général est le seul à pouvoir constituer quelque gêne, et il en meurt d'envie. Il n'a jamais accepté, au fond de son cœur, de ne pas être le premier chez les gaullistes.

Ainsi, vient-on d'acclamer Jacques Chirac ? Lui se précipite à la tribune pour se faire ovationner à son tour. Organise-t-on un dîner de presse ? Il souffre l'enfer si le maire de Paris retient davantage l'attention que lui. Faut-il parler à l'Assemblée au nom du groupe RPR ? Il exige d'être l'orateur de flèche, celui qui bénéficie de la retransmission télévisée. Prend-il la parole ? Il entre bientôt dans des transes si passionnées que l'assistance stupéfaite se demande s'il est le jouet d'un tempérament trop sanguin, s'il a des convictions immuablement déchirantes ou bien s'il s'agit de l'art consommé d'un acteur survolté par son propre personnage. Jacques Chirac aborde Michel Debré, tel Haroun Tazieff un volcan au bord de l'éruption, partagé entre la fascination et la nécessité d'échapper aux coulées de lave : quelqu'un dont le président du RPR a tout intérêt à contrôler les initiatives.

Jacques Chirac rappelle donc ses deux tuteurs au début du mois d'octobre. Pierre Juillet et Marie-France Garaud s'en reviennent de leurs provinces reposés et goguenards, plus père et mère fouettards que jamais. « Ah ! on ne peut pas vous laisser seul, vous ne faites que des bêtises. Vouloir déposer une motion de censure est ridicule mais l'Europe, c'est plus sérieux que vous ne le croyez. » Ils ont, bien sûr, aussitôt leur recette : ils inventent la « trêve ». Le groupe parlementaire a envie de grogner sans risque ? Michel Debré rêve plaies et bosse, anathèmes et censure ? Eux décrètent qu'il est temps de signer l'armistice avec le gouvernement. L'apaisement sera de règle pour les affaires courantes. Pour les affaires sérieuses en revanche — l'Europe, par exemple —, le durcissement s'impose. On appliquera la stratégie du lait sur le feu : on fait bouillir, on retire la casserole ; on refait bouillir, on retire derechef.

Les députés, l'esprit moins à l'affût, s'embrouillent un peu devant ces variations incessantes. Le paroxysme de ce qui ressemble à un dédoublement de personnalité (il faut laisser en paix ce pauvre Barre/il n'est pas question de concessions sur l'Europe) est atteint le 6 décembre, avec l'appel de Cochin.

Jacques Chirac a été victime, le 26 novembre 1978, d'un accident de la route sur les chemins verglacés de Corrèze. Il aurait pu lui être fatal. Il est hospitalisé pour plusieurs semaines, souffre le martyre et en gardera longtemps des séquelles douloureuses. Ramené à Paris, le maire de la capitale est installé dans une chambre de l'hôpital Cochin, qui devient aussitôt l'un des centres nerveux politiques de la France. Bernadette Chirac, son épouse, fait le guet devant sa porte pour tenter de le protéger des visites. Elle ne porte pas dans son cœur les deux conseillers, qui accaparent un peu trop son mari et donnent des avis qui choquent son loyalisme (elle ne s'en cachera pas dans une interview à *Elle* qui fera quelque bruit).

Bernadette ne peut empêcher la mise au point et la publication d'un texte qui va constituer la charge la plus violente et la plus vindicative contre VGE jamais formulée par le président du RPR. La plume a été tenue par Pierre Juillet et René de Lacharrière, un universitaire qui fut conseiller de Pierre Mendès France. La responsabilité politique n'en est pas moins totalement endossée par un Jacques Chirac qui a lu et relu le texte sur son lit de douleur. Les formules qui y fleurissent sont rien moins qu'amicales : « Il est des heures graves de l'histoire d'un peuple [on reconnaît bien là l'introduction habituelle de Pierre Juillet]. [...] On prépare l'inféodation de la France, on consent à l'idée de son abaissement. Comme toujours quand il s'agit de l'abaissement de la France, le parti de l'étranger est à l'œuvre avec sa voix paisible et rassurante. »

Toujours le parti de l'étranger, toujours la faiblesse du président, toujours le laisser-aller général dès que l'équipe pompidolienne ne tient plus les commandes. La France entière suffoque de surprise, d'indignation même. Dans la famille gaulliste, souffle la tempête : Lucien Neuwirth, élu de la Loire, se met en congé de vote. Hélène Missoffe, élue de Paris, démissionne du groupe. Alexandre Sanguinetti, dont le giscardisme n'a rien d'instinctif, se met en congé illimité de parti et rompt de fait avec Jacques Chirac. Alain Peyrefitte, qui sait écrire, prend la plume et envoie une lettre à tous les parlementaires RPR. Il y stigmatise « ces propos outranciers » et s'en prend aux « personnages occultes qui semblent s'être emparés de l'appareil de notre mouvement. » « Vous aurez la décence de quitter le Rassemblement que j'ai fondé et que je préside », lui répond Jacques Chirac.

Dans des conditions grand-guignolesques, le garde des Sceaux est exclu pour six mois. Tous les ministres se solidarisent avec lui. Les députés les mieux disposés envers Jacques Chirac se l'avouent entre eux : « Il y va vraiment trop fort ! Et où mène-t-il le gaullisme ? »

Pour avoir suivi les conseils de son entourage, le leader du RPR vient de commettre une faute grave, qui entachera désormais son image et jettera le doute sur ses intentions. Le matador portugais vient de laisser paraître qu'il franchirait décidément bien volontiers la frontière pour participer enfin à une corrida espagnole. Jacques Chirac se trouve condamné à faire du théâtre politique. Comme il ne peut à aucun prix laisser croire qu'il s'est mis dans son tort, il lui faut recadrer son offensive. A peine est-il remis sur ses jambes qu'il lance trois vagues successives contre le giscardisme.

La première commence avec les journées parlementaires RPR, qui se tiennent à la Guadeloupe. Le ton n'est déjà pas d'une cordialité extrême envers le chef de l'Etat. Jean Falala, le numéro deux du groupe RPR, prononce notamment un discours en forme de réquisitoire, plutôt bien accueilli par l'assistance, quand, de Paris, surgit une initiative qui prend de court jusqu'à Claude Labbé, président du groupe, et Yves Guéna, le délégué politique du mouvement : Jacques Chirac demande la convocation d'une session extraordinaire du parlement afin de mettre en cause la politique économique et sociale du gouvernement. Pour faire bon poids, il exige aussi la constitution de deux commissions d'enquête parlementaires. La plus célèbre se penchera sur l'information à la radio et à la télévision. Le maire de Paris estime y être traité de façon indigne. Il veut régler ses comptes et avec Raymond Barre, et avec les journalistes les plus en vue de l'audio-visuel . Parce que l'on a omis de le consulter, Yves Guéna, qui a sa fierté, abandonne ses fonctions.

Autant de gestes sans précédent dans les annales de la Ve République, autant de tentatives qui se terminent plutôt mal. La session extraordinaire a bien lieu du 14 au 16 mars. Jacques Chirac a dû s'appuyer sur les suffrages de la gauche pour en obtenir la convocation (les gaullistes n'en sont pas tous ravis...). Elle tourne à la confusion. L'inventeur de la manœuvre ne monte même pas à la tribune. On ne l'entend pas. Michel Debré, qui le supplée, vient d'expliquer dans l'hémicycle exactement le contraire de ce que pense le maire de Paris. Là où Jacques Chirac exige (il vient encore de le dire dans une interview au *Monde*) une politique économique qui tourne résolument le dos à celle de Raymond Barre, le député de la Réunion plaide, lui, pour une cure de super-barrisme. Et pour clore ces incohérences, le groupe RPR ne se résout pas à mêler ses voix à celles de la gauche pour voter une motion de censure — toujours la corrida portugaise. Quant aux commissions parlementaires, elles commencent leur enquête à la manière de Corneille et la terminent façon Feydeau.

Deuxième vague : le 31 mars, se tiennent, porte de Champerret, les assises nationales du RPR. Malheureux avec ses parlementaires, bousculé dans l'opinion, Jacques Chirac se tourne vers ceux qui l'aiment : les militants. Charles Pasqua en réunit plus de vingt mille, dans un cadre pas très bucolique : un grand chapiteau planté entre deux autoroutes. « Gis-card dé-mi-ssion ! Chi-rac pré-si-dent ! » scandent les chiraquiens, tandis que leur idole s'en prend au « centrisme ambiant » et à cette politique économique qui « accule les travailleurs au désespoir ou à la révolte ».

La distance qui sépare le maire de Paris du président de la République s'est encore accrue, ce printemps 1979. « Chirac est sujet aux convulsions des possédés ! » s'exclame le député UDF du Loiret, Jacques Douffiagues. Le gaulliste Robert Poujade lui répond : « Chirac est à la fois impossible et irremplaçable. »

Troisième vague, enfin : Jacques Chirac n'a pas d'autre solution que de faire équipe avec Michel Debré pour la campagne européenne. Il n'a pas pu le faire renoncer à ses conceptions ardemment nationalistes. Il ne veut pas voir le RPR éclater en deux listes. Il est contraint à la solidarité. L'union se fera sur les bases idéologiques de l'ex-Premier ministre du général de Gaulle. Mais le leader de la liste sera le maire de Paris. Comme aucun des deux hommes ne manque de fougue ni de résistance, la liste DIFE (Défense des intérêts de la France en Europe) fait une campagne des plus actives. On assiste à une belle débauche d'énergie sur des thèmes pour le moins excessifs.

Pour la liste UDF de Valéry Giscard d'Estaing (conduite par Simone Veil), l'Europe est quasiment le Bon Dieu. Elle est l'espérance suprême, le remède à la crise, l'assurance de peser sur les affaires du monde, la chance d'une France qui y sera l'axe naturel et l'inspiratrice discrète.

« L'Europe, c'est Lucifer ! rétorquent un Michel Debré apocalyptique avec ferveur et un Jacques Chirac pessimiste par obligation. L'Europe, c'est la crise, l'abandon national, le renoncement, l'affaissement, la dissolution. » A l'usage, l'Assemblée européenne ne ressemblera, bien sûr, ni à la fin du monde, ni à la rédemption éternelle. Et cette campagne aura surtout permis de caricaturer les deux conceptions de la politique étrangère des deux familles de la majorité. Pour les Français, qui réagissent au moins autant sur des images politiques subjectives que sur une connaissance très précise des dossiers, la campagne européenne aura été l'occasion de mesurer le nouveau rapport de forces qui s'établit entre le RPR et l'UDF.

La liste conduite par le maire de Paris obtient 16,31 p. 100 des suffrages, celle de Simone Veil en recueille 27,60 p. 100. Certes, le terrain n'était pas idéal et il n'était pas libre de ses mouvements, mais pour Jacques Chirac le scrutin sonne comme une défaite. La nouvelle donne politique le place dans une situation inconfortable. L'ombre d'un doute se glisse inévitablement chez ses parlementaires, toujours soucieux de bons scores électoraux. Le leader du RPR a perdu dans l'affaire cette réputation d'invincibilité qui impressionnait tant jusqu'à ses adversaires. Ainsi, le maire de Paris redevient-il un leader avec — grandeur et décadence — ses joies et ses peines, comme n'importe quel chef de parti.

C'en est fini d'une foi dont on croyait qu'elle pourrait renverser les montagnes, c'est est fini de la collaboration — et dit-on, de l'amitié — avec Pierre Juillet et Marie-France Garaud. Après tant de faux pas, de revers et de contremarches, il faut bien égorger quelques boucs émissaires. Le président du RPR rompt donc les ponts avec ses deux protecteurs. Il n'oublie pas ce qu'ils ont fait pour lui (on n'efface pas de sa mémoire tant de conseils et de coups de pouce au destin). Jacques Chirac sait aussi combien ils se sont montrés avisés pour les élections législatives de 1978. Mais, depuis, le charme s'est défait. Chacun a forcé son rôle : Marie-France a été trop impérieuse ; Pierre trop inspiré par ses voix intérieures et Jacques trop sensible à leur influence.

« C'est la disparition de l'homme invisible », se réjouissent les députés RPR, qui n'ont jamais aimé les conseillers occultes. « Nous lui avons taillé un costume trop grand... Chirac n'a pas su partir pour Londres », laisse tomber Pierre Juillet, en bouclant ses malles. Oubliant qu'elle l'avait beaucoup éperonné depuis 1978, la belle Marie-France jette, en cadeau d'adieu : « Chirac est un très beau cheval. Nous lui avons appris à courir. Il sait courir.[...] Nous lui avons appris a sauter les obstacles. Il sait sauter des obstacles. [...] Malheureusement, maintenant qu'il est tout seul et sur du plat, il continue à sauter les obstacles.» Charles Pasqua réplique, plus aimable : « Pierre et Marie-France croyaient avoir couvé un canard et ils avaient couvé un cygne.»

Après la victoire de la majorité aux élections de 1978, la période qui s'ouvre pour Valéry Giscard d'Estaing est le contraire même des années noires 1976-1978. En politique tout lui sourit. Le président est bien conscient de cette chance qui s'offre enfin. Pour l'exploiter, il reprend, sans se lasser, les recettes avec lesquelles il veut peu à peu apprivoiser la France. Décrispation ! Décrispation ! A peine les urnes sont-elles vidées et les bulletins dépouillés que le chef de l'Etat invite, à grands sons de trompe, les principales personnalités de l'opposition politique et les grands leaders syndicaux à lui rendre visite en son palais de l'Elysée. Tous acceptent l'invite présidentielle. Preuve que quelque chose a bien changé après cette défaite de la gauche divisée.

L'union du Parti socialiste et du Parti communiste est en miettes pour longtemps : la coalition syndicale de la CGT et de la CFDT ne peut y résister durablement. Le président se trouve donc face à des partenaires affaiblis et à des adversaires déchirés. La crise économique persiste et s'appesantit, la crise internationale diplomatique et militaire va encore assombrir l'horizon, mais la France peut difficilement être un îlot de prospérité et d'optimisme, au milieu d'un océan d'incertitudes. Jamais le président n'a paru autant maître du jeu. « Jamais vainqueur, toujours bénéficiaire », grogne Alexandre Sanguinetti, qui, en Méditerranéen superstitieux, commence tout de même à regarder avec d'autres yeux cet élu protégé par le sort. « Valéry a vraiment endossé son habit de président après 1978 », confirment certains de ses meilleurs amis.

De fait, le président s'affirme sur le plan international. Il prend lui-même les décisions les plus risquées pour les interventions militaires en Afrique, dont il revendique d'ailleurs la paternité à la télévision. Comme après son élection de 1974, il bénéficie d'une sorte de délai de grâce. En mai 1978, 89 p. 100 des Français estiment que son rôle a été déterminant dans la victoire de la majorité et 57 p. 100 souhaitent d'ores et déjà qu'il se représente pour un second mandat. Les chiffres sont moins favorables à Raymond Barre. « Tant mieux ! applaudissent les conseillers de l'Elysée à nouveau euphoriques, cette fois, les institutions fonctionnent comme elles le doivent : Matignon est bien le bouclier de l'Elysée. »

14 juin 1978 : le président tient une réunion de presse qui donne le ton de son discours pour toute cette période. Trois ingrédients s'y mêlent : la décrispation, l'Europe et le troisième millénaire.

A l'infini, VGE reprend ses thèmes civilisateurs : la France doit devenir une démocratie paisible et réfléchie où cohabitent raisonnablement les formations politiques. Il faut songer d'urgence à limiter le cumul des mandats électifs, donner un financement au moins partiellement public aux formations politiques, peut-être introduire en partie le scrutin à la proportionnelle aux élections municipales, pour les villes de plus de trente mille habitants. Le refrain de la chanson giscardienne que jusqu'à présent la majorité s'est toujours refusée de reprendre en chœur.

Sur un registre consciemment plus gaullien, le président trace à grands traits sa politique étrangère : il faut développer une force de dissuasion nucléaire et se féliciter des résultats obtenus en Afrique. La France a la capacité d'agir.

Songeant sans doute à l'horizon 1981, VGE s'intéresse de plus en plus, à voix haute, à l'an 2000 : « Il faut que la France entre en bon état au point de vue culturel, politique et social dans le troisième millénaire. » Les auditeurs ont l'esprit assez agile pour compléter d'eux-mêmes : pour préparer notre pays à cette importante échéance, il lui faut un président moderne, stable, distingué, bien de sa personne — un VGE, en somme !

A l'approche de l'automne, le chef de l'Etat, toujours giscardien, invite à l'Elysée des écrivains et des philosophes prestigieux ou à la mode (Claude Lévi-Strauss, Maurice Clavel, Bernard-Henri Lévy, etc.). Le climat de ce déjeuner de têtes est fait, dit-on, d'une grande courtoisie un peu guindée et d'un académisme légèrement scolaire. Chacun sent chez le président un grand désir de comprendre, d'être au fait des mouvements d'idées et des théories *in*.

Enfin gaullien, VGE annonce à ce moment-là la mise en chantier de ce sixième sous-marin-symbole. Toujours prospectif, il s'entretient avec Jean-Louis Servan-Schreiber à la télévision et fixe pour l'an 2000 les objectifs de la France : appartenir au peloton de tête des nations, coanimer avec l'Allemagne une Europe confédérale, rejoindre l'économie allemande dans les dix ans.

Autant de thèmes qui affleurent encore le 21 novembre 1978. Les circonstances l'y poussant, le président confirme son itinéraire vers l'Europe confédérale, avec une pointe d'amertume dédaigneuse : « J'ai été répudié par la conjuration des myopes. Si l'on ne veut pas arriver en retard à toutes les échéances (sociales, économiques, intellectuelles), il faut au contraire prendre de l'avance et voir assez loin. » Et de préciser, adressant ses vœux pour l'année 1979 : « Les élections européennes seront l'occasion de choisir comment la France sera représentée à l'extérieur, et non comment elle sera divisée à l'intérieur. » Et d'ajouter encore, quelques semaines plus tard : « Il faut jouer l'Europe contre l'appel à la xénophobie. »

Imperturbablement, VGE trace son sillon européen. Le 22 mars, il souligne dans une interview à *France-Soir* : « La France ne disparaîtra pas dans l'Europe. Elle sera présente comme l'ont tant souhaité les grands dirigeants historiques de la France, de Charlemagne à Louis XIV et de Bonaparte à de Gaulle. »

Cela ne va tout de même pas sans difficultés. Le président a beau dire que le chômage est une situation qui « n'est pas appelée à durer », le nombre des demandeurs d'emploi continue de grimper. En Lorraine, la crise de la sidérurgie a failli tourner au drame. Si l'Elysée peut jurer qu' « il n'y aura pas d'autre Lorraine », à l'époque les Français en sont moins sûrs. La cote du chef de l'Etat s'effrite.

C'est le moment où l'offensive RPR est à son maximum. Le président morigène sévèrement Jacques Chirac : « Faire vivre sous la menace est contraire à l'esprit de la Ve République. Les institutions gaulliennes seront utilisées sans hésiter, en cas de nécessité, contre les gaullistes. » A l'Elysée, les conseillers restent flegmatiques, persuadés que Chirac va échouer, comme l'avoue crûment l'un d'entre eux : « Chirac est en train de faire tout ce qu'il faut pour se couler. Si nous pouvions lui souffler ce qu'il doit faire, il ne s'y prendrait pas autrement. »

Comme la gauche se confirme plus déchirée et brisée que jamais pendant cette campagne européenne, le vent de la grogne ressemble une fois de plus à un mauvais moment à passer. Il n'y a pas d'alternative. Les adversaires font des erreurs. Les Français ne croient pas qu'une autre politique économique leur éviterait les épreuves actuelles (les sondages l'affirment, en tout cas). Il faut donc faire la planche et regarder tranquillement vers l'Europe. Sur ce terrain, Raymond Barre, lui aussi, mène une campagne d'explications assez personnelle, très convaincue et très télévisée. Il complète ainsi les prestations, émouvantes à force de sincérité, de gaucherie et d'amateurisme dévoué, de Simone Veil (tête de liste de l'UDF). Plus jupitérien que nature, le Premier ministre se montre par ailleurs parfaitement à l'aise et plutôt satisfait de devoir fustiger les chahuteurs et les « esprits faux » de la majorité, tout en vantant l'excellence de ses thèses à lui et le caractère particulièrement judicieux de ses propres interventions.

Après les tensions du printemps 1979, les flegmatiques ont eu raison de l'être : les Français se montrent bons enfants, lors des élections européennes du mois de juin : l'UDF fait un score tout à fait honorable — l'Elysée se réjouit. Le RPR obtient de médiocres résultats — le château trépigne d'enthousiasme. Après quoi — conséquences de la crise britannique ? — VGE ne parlera plus de l'Europe qu'avec une pudeur presque bigote. Faisant pour *l'Express*, au printemps 1980, le bilan de son septennat, il n'évoque même pas le thème.

La saison politique 1979-1980 a, théoriquement, une originalité : elle ne comporte — fait rarissime en France — aucune échéance électorale. Illusion absolue... Valéry Giscard d'Estaing et Jacques Chirac ne songent plus qu'aux élections présidentielles et à la manière de les aborder dans le sens de leurs intérêts respectifs.

Le président se trouve en position de favori. Il en est conscient et bien déterminé à se servir des ressources et des pouvoirs de sa charge. Les circonstances le servent : à gauche, la discorde s'est installée, et pour longtemps. Il n'y a aucun risque de voir le Parti communiste et le Parti socialiste se réconcilier avant le premier tour de 1981.

Tout sépare désormais les frères ennemis de l'opposition. Le PC de Georges Marchais chemine de nouveau la main dans la main avec l'Union soviétique. Il trouve parfaitement légitime l'intervention de l'URSS en Afghanistan et ne s'oppose pas à ce que Moscou détienne des fusées atomiques ultrasophistiquées pointées vers l'Europe, mais fait une grosse colère lorsque l'Alliance atlantique envisage de s'équiper d'armes comparables tournées vers Moscou. A l'inverse, depuis le coup de Kaboul, le PS se sent plus occidental que jamais. A plusieurs reprises, François Mitterrand prend position en faveur d'une amélioration du fonctionnement de l'Alliance atlantique. L'Humanité explose d'indignation. Quand le premier secrétaire du PS juge Valéry Giscard d'Estaing pas assez ferme avec Léonide Brejnev, l'Humanité suffoque de rage.

La crise européenne même (au sein du Marché commun) constitue un nouveau sujet de contentieux à gauche. Quand le Parti communiste souhaite qu'au Moyen-Orient la France donne davantage raison encore aux thèses palestiniennes, le Parti socialiste, lui, redécouvre les charmes d'Israël (il les avait quelque peu négligés depuis un certain temps...).

Valéry Giscard d'Estaing peut donc être tranquille : la crise internationale dresse une véritable chaîne de l'Himalaya entre les ex-alliés de la gauche unie.

L'adversaire du second tour, en avril-mai 1981, a toutes les chances d'être le représentant du Parti socialiste. Pour le président, un bonheur n'arrive jamais seul : la rivalité de plus en plus aigre entre les deux candidats socialistes possibles (François Mitterrand et Michel Rocard) démobilise et meurtrit quelque peu l'électorat de gauche non communiste. Les événements internationaux ayant arraché son partenaire au Parti socialiste, les polémiques internes rendent plus difficile la campagne de son héros. Alexandre Sanguinetti ajouterait sans doute : « Toujours bénéficiaire, ce VGE ! »

Du côté des gaullistes, le président n'a pas à se plaindre non plus. Certes, Jacques Chirac ne l'a pas ménagé depuis la rentrée 1979. La guerre en dentelle parlementaire n'a pu se résoudre qu'à grands coups d'article 49, paragraphe 3 de la Constitution (un traitement fort sévère qui autorise le gouvernement à faire adopter un texte sans vote, si aucune motion de censure ne le renverse). Or, comme le RPR ne peut ou ne veut pas faire tomber le gouvernement en s'associant à la gauche, tout l'automne, Raymond Barre parvient ainsi à faire adopter une série de projets — bons ou mauvais.

Pour les chantres de la décrispation, il doit être bien

tristounet tout de même de devoir recourir ainsi à l'usage des forceps avec le RPR, tout en militant pour l'accouchement sans douleur de la société française du xxiᵉ siècle...

Le gouvernement ne se montre pas d'une adresse tactique folle et fait même preuve d'une volonté de conciliation des plus modestes avec les gaullistes pour leur faire adopter le budget. Le Conseil constitutionnel doit rectifier un contresens juridique. Il faut une session extraordinaire du Parlement entre Noël et le jour de l'An pour que la France ait enfin un budget pour 1980.

Les Français — VGE ne l'ignore pas — suivent avec distraction, et même lassitude, ces péripéties qui s'achèvent toujours de la même façon : sans panache ! Elles ne renforcent sûrement pas l'autorité de Raymond Barre. Elles ne rehaussent non plus le prestige du RPR et de Jacques Chirac. Celui-ci a beau se montrer désormais poliment désagréable à l'égard de VGE dans ses conférences de presse, à la radio ou à la télévision, il donne l'impression de s'épuiser dans des escarmouches et de laisser passer des occasions beaucoup plus substantielles dans le domaine international.

S'agit-il d'interdire aux joueurs de rugby sud-africains de venir en France (à cause de la politique d'apartheid) tout en ne se refusant pas à participer aux Jeux Olympiques de Moscou (malgré l'invasion de l'Afghanistan) ? Le président du RPR parvient à peine à dire qu'il n'apprécie guère ce double langage gouvernemental. VGE se montre-t-il d'une patience et d'une confiance un peu trop optimistes en ce qui concerne l'Afghanistan (la France n'a condamné fermement l'intervention soviétique qu'au bout d'un mois) ? Jacques Chirac perd l'usage de la parole. Le président se rend-il à Varsovie pour rencontrer Léonide Brejnev, en espérant — en vain — infléchir la position soviétique ? Le maire de Paris marmonne quelque obscur propos. Il n'y a que Margaret Thatcher pour réveiller vraiment l'instinct combatif de Jacques Chirac. Mais comme, dans le compromis final de la négociation, les intérêts des agriculteurs français ont été préservés, sinon ceux des contribuables, l'écho de sa croisade reste modeste.

Si VGE n'apparaît donc pas à première vue très vulnérable sur le plan électoral, il n'en est que plus attaqué sur le plan personnel. Là résident ses soucis : dans l'affaire des diamants de Bokassa, les coups ne lui sont pas épargnés. Il réplique par un silence altier et ambigu, et oppose à ces accusations un démenti « catégorique et méprisant ». Néanmoins, cette campagne l'affecte.

On pourrait imaginer que la situation économique de la France constitue un sujet de faiblesse pour l'Elysée : le libéralisme musclé, et souvent autoritaire, de M. Barre a sa cohérence, il a introduit quelques innovations importantes (la libération des prix, par exemple), mais les résultats ne peuvent tout de même pas réjouir le chef de l'Etat, ni satisfaire les Français. Or, tout se passe comme si la gravité de la situation internationale prenait le pas, dans la psychologie des électeurs, sur leurs préoccupations quotidiennes les plus justifiées. Les craintes devant la crise de la détente, le désordre monétaire, la vacuité américaine, les hausses brutales du pétrole font paraître le président français comme le garant d'une continuité et d'une certaine stabilité. Sa fermeté progressivement affirmée en matière de défense nationale contribue sans doute à cette impression. Les Français, chacun le sait, ont l'esprit cocardier et adorent leur armée — surtout par temps de paix.

Même les situations politiques les plus paradoxales donnent le sentiment de le servir : ainsi cet apôtre de l'unité, ce prédicateur du consensus national a vu, sous son septennat, la France politique et syndicale se disperser aux quatre vents de l'horizon. Lorsqu'il est arrivé à l'Elysée, le grand thème à la mode opposait deux France. Lorsqu'il se représentera pour son second septennat, la France sera divisée en quatre : PC et PS, se tournant le dos, UDF et RPR, se montrant les dents. Mais pour le souverain français, détenteur de tant de pouvoirs, cette autorisation présente des avantages et lui donne une marge d'initiative sensiblement accrue. On distribue mieux le jeu à quatre qu'à deux. On sait ce qu'en dirait Alexandre Sanguinetti...

Si la voie est toute tracée pour Valéry Giscard d'Estaing — il sera candidat, et il le sera d'autant plus qu'il le dira moins —, pour Jacques Chirac, les voies du Seigneur sont encore impénétrables.

Depuis le début du septennat, l'ex-Premier ministre de VGE n'a certes pas perdu son temps. En 1974, il faisait figure d'imposteur dans le mouvement gaulliste. Sept ans plus tard, il l'incarne, le possède et le dirige. Compte tenu de son âge, de son abattage, de son talent politique, Jacques Chirac représente d'évidence à terme la seule chance électorale raisonnable dans cette famille-là. Pour durer, il a pris la mairie de Paris en otage : il la tient et la choie. Il veut demeurer en sa citadelle : il le peut.

Son image personnelle est, certes (les sondages l'attestent), contrastée. Mais nul ne doute que ce chef de parti belliqueux et casse-cou n'ait un tempérament authentique de battant, de l'ambition et des moyens. On l'aime ou on ne l'aime pas, il existe. Il marque. Il faut bien compter avec lui. Il possède un patrimoine politique. Il se l'est constitué lui-même (ses conseillers aidant).

Reste maintenant le plus difficile : comment l'investir et pour faire quoi ? Faut-il ou non, pour commencer, qu'il soit, lui aussi, candidat aux élections présidentielles ?

Malheureusement pour lui, il doit compter avec un trublion qui se nomme Michel Debré. Le maire d'Amboise n'y a pas résisté. Il voulait être, il devait être, il est candidat à la charge suprême. Le maire de Paris a longtemps cru que l'ex-Premier ministre du général de Gaulle n'oserait pas se déclarer, attendrait son feu vert, ou encore, étant parti trop vite, reviendrait bien sagement à l'écurie à son signal. Jacques Chirac l'a mésestimé. Michel Debré est candidat (depuis le 30 juin 1980), le reste — et tout indique qu'il demeurera en piste jusqu'à l'échéance, pour exprimer à sa façon le message posthume du général de Gaulle sur les événements douloureux de ce temps.

Cette candidature indépendante, sinon sauvage, ne simplifie pas les choix pour le leader RPR : s'il s'abstient de la compétition majeure de la Ve République, il s'affaiblit : les absents ont toujours tort. Et peut-il attendre sept ans ? Qui peut jurer de ce qui se passe en un laps de temps si long et si court à la fois — l'éternité en politique ? Qui sait si, au lendemain de l'élection présidentielle, quelques fissures ne se produiront pas dans les rangs gaullistes ? On peut imaginer que, sans paranoïa particulière, l'Elysée n'en serait pas fâché : en sept ans, un rival peut parfaitement surgir des rangs de la majorité. On ne saurait jurer de rien...

Si Jacques Chirac se détermine à entrer en lice, il ne peut se contenter d'un rôle de figuration. Lui qui s'est opposé avec tant d'acharnement à la candidature de Jacques Chaban-Delmas (parce que, disait-il à l'époque, le maire de Bordeaux allait faire un score indigne du gaullisme), comment pourrait-il se contenter de rassembler moins de voix que celui-ci? Et qui peut lui garantir, quelle que soit l'excellence de sa campagne hypothétique, qu'il atteindrait les 15 p. 100 de Chaban? Michel Debré risque de lui ravir une partie des suffrages contestataires ou historiques au sein du gaullisme. Valéry Giscard d'Estaing détournera peut-être à son profit une fraction des voix légitimistes.

Certes, ce pourrait être une façon de prendre date pour la relève de 1988. Encore lui faudrait-il choisir entre ces deux registres incompatibles : jouer l'héritier ou le rival. Encore faudrait-il que, désormais, sans tuteurs, sans père, sans conseillers, Jacques Chirac fasse la démonstration de son aptitude à mûrir, à se forger tout seul sa propre doctrine, à conduire seul son destin.

Après deux ans de vie commune, après cinq ans de brouille, de querelles, enfin de haine, une chose est sûre : Valéry Giscard d'Estaing ne l'aidera pas à passer du stade de chef de parti rival à celui d'héritier légitime.

Table

Achevé d'imprimer le 13 novembre 1980
sur presse CAMERON,
dans les ateliers de la S.E.P.C.
à Saint-Amand-Montrond (Cher)
pour le compte des éditions Grasset
61, rue des Saints-Pères, 75006 Paris

N° d'Édition : 5446. N° d'Impression : 1170.
Dépôt légal : 4ᵉ trimestre 1980.
Imprimé en France

ISBN 2-246-25241-5